ERSTER TEIL

Eine Geburt im Winter

Der Winterkönig ist für Judy – in Liebe.

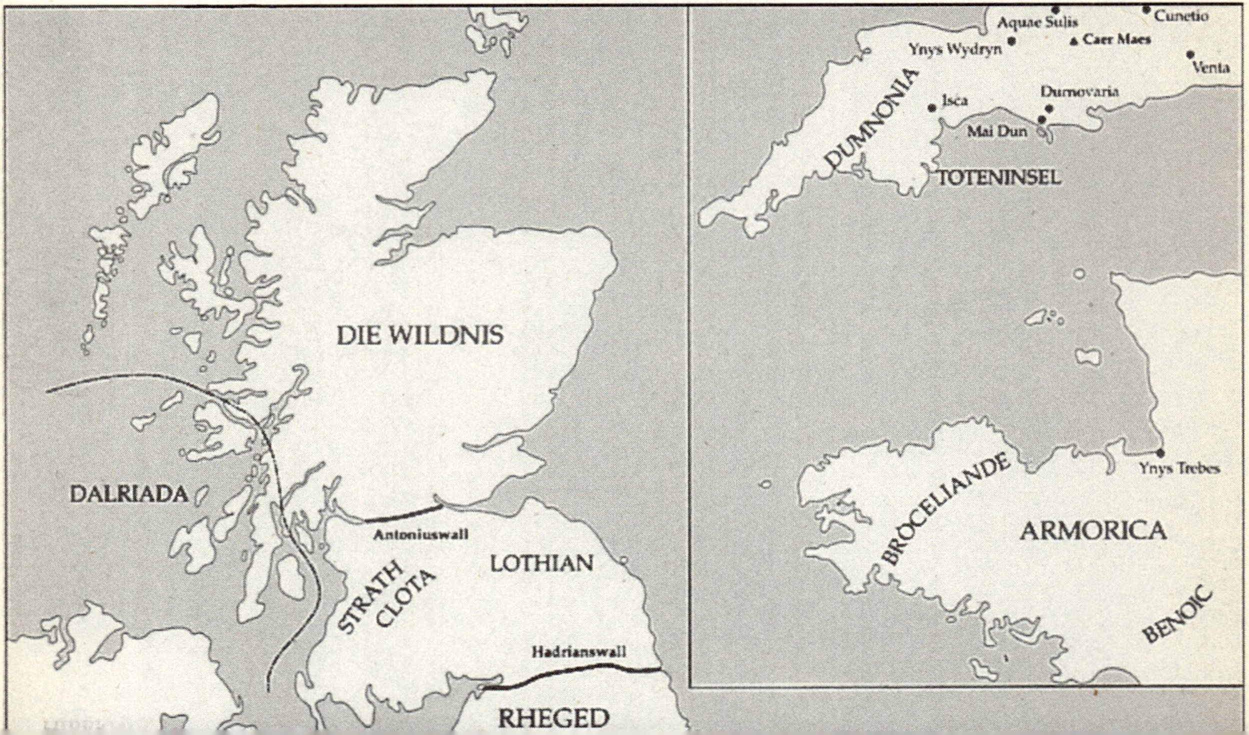
DIE WILDNIS
DALRIADA
Antoniuswall
LOTHIAN
STRATH CLOTA
Hadrianswall
RHEGED
Aquae Sulis
Cunetio
Ynys Wydryn
Caer Maes
Venta
DUMNONIA
Isca
Durnovaria
Mai Dun
TOTENINSEL
BROCELIANDE
Ynys Trebes
ARMORICA
BENOIC

HIBERNIA
CORNOVIA
ELMET
GERMANISCHES MEER
YNYS MON
LLEYN
GWYNEDD
POWYS
Dinnewrac
Caer Sws
Ratae
LLOEGYR
Branogenium
Caer Lud
Lugg Vale
POWYS
Magnis
GWENT
STRONGGORE
DEMETIA
SILURIA
GWENT
Glevum
Durocobrivis
Burrium
Corinium
London
SEVERN-MEER
Abona
Calleva
WESTMEER
YNS WAIR
Ynys Wydryn
Die Steine
Lindinis
Caer Cadam
Venta
DUMNONIA
Isca
Durnovaria
KERNOW
TOTENINSEL
BRITANNIEN
etwa 480 n. Chr.
50 Meilen
N
Umkämpftes Gebiet

Dramatis Personae

Aelle	Ein sächsischer König
Agricola	Kriegsherr von Gwent, König Tewdrics Feldherr
Ailleann	Arthurs Geliebte, Mutter seiner Zwillingssöhne Amhar und Loholt
Amhar	Illegitimer Sohn Arthurs
Anna	Arthurs Schwester, Gemahling König Budics von Broceliande
Arthur	Uthers illegitimer Sohn und Mordreds Protektor
Balise	Ein alter dumnonischer Druide
Ban	König von Benoic, Lancelots und Galahads Vater
Bedwin	Bischof von Dumnonia, Hauptberater des Königs
Bleiddig	Ein Häuptling aus Benoic
Bors	champion von Benoic
Brochvael	König von Powys nach Arthurs Zeit
Cadwallon	König von Gwynedd
Cadwy	Vasallenfürst aus Dumnonia, der die Grenze zu Kernow bewacht
Caleddin	Druide, längst verstorben, der Merlins Handschrift anfertigen ließ
Cavan	Derfels stellvertretender Hauptmann
Cei	Arthurs Kindheitsfreund, inzwischen einer seiner Krieger
Ceinwyn	Prinzessin von Powys, Cuneglas' Schwester und Gorfyddyds Tochter
Celwin	Ein Priester, der in Ynys Trebes forscht
Cerdic	Ein sächsischer König
Culhwch	Arthurs Cousin, einer seiner Krieger
Cuneglas	Kronprinz von Powys, Gorfyddyds Sohn

Dafyd ap Gruffud	Schreiber, der Derfels Geschichte übersetzt
Derfel Cadarn	Der Erzähler, geborener Sachse, Mündel Merlins und einer von Arthurs Kriegern
Diwrnach	Irischer König von Lleyn, einem Land, das früher Henis Wyren genannt wurde
Druidan	Ein Zwerg, Befehlshaber von Merlins Wache
Elaine	Königin von Benoic, Lancelots Mutter
Galahad	Prinz von Benoic, Lancelots Halbbruder
Gereint	Vasallenfürst von Dumnonia, Lord der Steine
Gorfyddyd	König von Powys, Cuneglas' und Ceinwyns Vater
Griffid ap Annan	Owains Hauptmann
Gudovan	Merlins Schreiber
Guendoloen	Merlins verlassene Gemahlin
Guinevere	Prinzessin von Henis Wyren, Leodegans Tochter und spätere Gattin Arthurs
Gundleus	König von Siluria
Gwlyddyn	Zimmermann aus Ynys Wydryn
Helledd	Prinzessin von elmet, die sich mit Cuneglas von Powys vermählt
Hygwydd	Arthurs Schildknappe
Hywel	Merlins Verwalter
Igraine	Königin von Powys, vermählt mit Brochvael und Derfels Gönnerin in Dinnewrac
Igraine von Gwynedd	Arthurs Mutter (ebenfalls Mutter von Morgan, Anna und Morgause)
Iorweth	Ein Druide aus Powys
Issa	Einer von Derfels Speerkämpfern
Ladwys	Gundleus' Geliebte
Lancelot	Kronprinz von Benoic, Bans Sohn
Lanval	Ein Krieger Arthurs, Befehlshaber von Guineveres Leibwache

Leodegan	Ex-König von Henis Wyren, Schatzmeister, Guineveres Vater
Ligessac	Befehlshaber von Mordreds Leibwache, der später zu Gundleus überläuft
Llywarch	Nach Owain Befehlshaber von Mordreds Leibwache
Loholt	Arthurs illegitimer Sohn, Amhars Zwillingsbruder
Lunete	Derfels erste Gefährtin, später Hofdame von Guinevere
Lwellwyn	Schreiber im Schatzamt von Dumnonia
Maelgwyn	Mönch in Dinnewrac
Mark	König von Kernow, Tristans Vater
Melwas	König der Belger, Vasall von Dumnonia
Merlin	Lord von Avalon, ein Druide
Meurig	Kronprinz von Gwent, Tewdrics Sohn
Mordred	Kindkönig von Dumnonia
Morfans	»Der Häßliche«, ein Krieger Arthurs
Morgan	Arthurs Schwester, eine Priesterin Merlins
Morgause	Arthurs Schwester, vermählt mit König Lot von Lothian
Nabur	Christlicher Magistrat in Durnovaria, Mordreds gesetzlicher Vormund
Nimue	Merlins Geliebte, eine Priesterin
Norwenna	Uthers Schwiegertochter, Mordreds Mutter
Oengus Mac Airem	Irischer König von Demetia, König der Schwarzschilde
Owain	Uthers Champion, ein Kriegsherr von Dumnonia
Pellinore	Wahnsinniger König, auf Ynys Wydryn eingesperrt
Ralla	Gwlyddyns Ehefrau, Mordreds Amme
Sagramor	Arthurs numidischer Befehlshaber
Sansum	Christlicher Priester und Bischof und Derfels Vorgesetzter in Dinnewrac

Sarlinna	Ein Kind, das das Massaker von Dartmoor überlebt hat
Sebile	Morgans sächsische Sklavin
Tanaburs	Ein Druide aus Siluria
Tewdric	König von Gwent
Tristan	Kronprinz von Kernow
Tudwal	Novize in Dinnewrac
Uther	König von Dumnonia, Großkönig von Britannien, der Pendragon
Valerin	Häuptling aus Powys, einstmals mit Guinevere verlobt

Orte

Alle Orte, die mit * markiert sind, wurden geschichtlich nachgewiesen.

Abona*	Avonmouth, Avon
Aquae Sulis*	Bath, Avon
Branogenium*	Römisches Fort. Leintwardine, Hereford & Worcester
Burrium*	Tewdrics Hauptstadt. Usk, Gwent
Caer Cadarn	Dumnonias Königshügel, South Cadbury Hill, Somerset
Caer Dolforwyn*	Powy's Königshügel. Nahe Newtown, Powys
Caer Lud*	Ludlow, Shropshire
Caer Maes	White Sheet Hill, Mere, Wiltshire
Caer Sws*	Gorfyddyds Hauptstadt. Caersws, Powys
Calleva*	Grenzbefestigung. Silchester, Hampshire
Coel's Hill*	Coles Hügel, Hereford & Worcester
Corinium*	Cirencester, Gloucestershire

Cunetio*	Mildenhall, Wiltshire
Dinnewrac	Ein Kloster in Powys
Durnovaria*	Dorchester, Dorset
Durocobrivis*	Dunstable, Bedfordshire
Glevum*	Cloucester
Isca*	Exeter, Devon
Lindinis*	Römische Stadt. Ilchester, Somerset
Lugg Vale*	Mortimer's Cross, Hereford & Worcester
Magnis*	Römische Festung. Kenchester, Hereford & Worcester
Mai Dun*	Maiden Castle, Dorchester, Dorset
Ratae*	Leicester
Die Steine*	Stonehenge
Toteninsel*	Portland Bill, Dorset
Venta*	Winchester, Hampshire
Ynys Mon*	Anglesey
Ynys Trebes	Hauptstadt von Benoic. Mont St.-Michel, Frankreich
Ynys Wair*	Lundy Island
Ynys Wydryn*	Glastonbury, Somerset

Es war einmal in einem Land, das man Britannien nannte. Bischof Sansum, den Gott vor allen anderen Heiligen, lebend oder tot, segnen möge, sagt, man müsse diese Erinnerungen mit all dem anderen Unrat der gefallenen Menschheit in den tiefsten Höllenschlund werfen, denn diese Geschichten handeln von den letzten Tagen, bevor die große Dunkelheit über das Licht unseres Herrn Jesus Christus kam. Es sind Geschichten von jenem Land, das wir Lloegyr, Verlorenes Land, nennen, von jenem Land, das einstmals unser war, das unsere Feinde aber nun England nennen. Es sind Geschichten von Arthur, dem Kriegsherrn, dem »König, der niemals war«, dem Feind Gottes und – Jesus und Bischof Sansum mögen mir vergeben – dem besten Mann, den ich je gekannt habe. Wie habe ich um Arthur geweint!

Heute ist ein kalter Tag. Die Berge sind totenfahl, die Wolken dunkel. Es wird noch vor Anbruch der Nacht zu schneien beginnen, aber Sansum wird uns den Segen eines Feuers unzweifelhaft verweigern. Es sei gut, sagt der Heilige, das schwache Fleisch zu kasteien. Ich bin jetzt alt, aber Sansum, Gott möge ihm noch viele Jahre gewähren, ist noch älter, also kann ich mein Alter nicht als Argument anführen, um den Holzverschlag aufzuschließen. Da Sansum einfach sagen wird, unsere Leiden seien ein Opfer für Gott, der mehr gelitten habe als wir alle zusammen, werden wir sechs Brüder im Halbschlaf vor Kälte zittern; morgen wird überdies der Brunnen zugefroren sein, und Bruder Maelgwyn wird an der Kette hinabklettern und mit einem Stein das Eis aufschlagen müssen, bevor wir etwas zu trinken bekommen.

Dennoch ist die Kälte nicht die schlimmste Plage des Winters, denn die vereisten Wege werden verhindern, daß Igraine das

Kloster besucht. Igraine ist unsere Königin, die Gemahlin König Brochvaels. Sie ist dunkel und zierlich, sehr jung und so lebendig, daß es wie Sonnenwärme an einem Wintertag ist. Sie kommt hierher, um zu beten, ihr möge ein Sohn geschenkt werden, verbringt aber mehr Zeit im Gespräch mit mir als in der Zwiesprache mit der Muttergottes oder ihrem gesegneten Sohn. Sie redet mit mir, weil sie so gern die Geschichten von Arthur hört, und ich habe ihr im vergangenen Sommer alles erzählt, woran ich mich erinnern konnte, und als mir nichts mehr einfiel, brachte sie mir einen Stapel Pergament, eine Hornflasche voll Tinte und ein Bündel Gänsefedern für Federkiele. Arthur trug Gänsefedern als Helmzier. Diese Federn sind nicht so groß und nicht so weiß, doch als ich gestern den Strauß Kiele gegen den Winterhimmel hielt, glaubte ich einen wundervollen, schuldbewußten Augenblick lang, hinter den Federn sein Gesicht zu sehen. Einen kurzen Augenblick lang fauchten der Drache und der Bär wieder über ganz Britannien, um den Heiden Angst einzuflößen, aber dann mußte ich niesen und sah, daß ich nichts als eine Handvoll Federn hielt, die mit Gänsekot verklebt und zum Schreiben kaum geeignet waren. Auch die Tinte ist hier schlecht: nichts als Lampenruß, gemischt mit Gummiharz aus Apfelrinde. Die Pergamentseiten sind besser. Sie sind aus Lammhäuten hergestellt, die noch aus den Tagen der Römer stammen, und waren früher mit einer Schrift bedeckt, die keiner von uns lesen konnte, aber Igraines Frauen schabten die Häute ab, bis sie schneeweiß waren. Sansum sagt, es wäre besser, wenn Schuhe aus diesen Lammhäuten gemacht würden, doch die abgeschabten Häute sind zu dünn, um sie zu Schuhwerk zu verarbeiten, und außerdem wagt Sansum es nicht, Igraine zu kränken und sich dadurch die Freundschaft König Brochvaels zu verscherzen. Unser Kloster liegt nicht mehr als einen halben Tagesmarsch von den feindlichen Speerkämpfern entfernt, und selbst unser kleines Vorratshaus könnte unsere Feinde verlocken, über den Schwarzen Fluß in die Berge und in Dinnewracs Tal vorzudringen, hätten Brochvaels Krieger nicht Befehl, uns zu beschützen. Allerdings könnte wohl nicht einmal Brochvaels Freundschaft Sansum mit der Vorstellung versöhnen, daß Bruder Derfel einen Bericht über Arthur, den Feind Gottes, verfaßt. Deswegen haben Igraine und ich den ehrwürdigen Heiligen angelogen und ihm erklärt, ich schriebe an einer Übersetzung des Evangeliums unseres Herrn Jesus Christus in der Zunge der Angelsachsen. Da der gesegnete Heilige die Sprache der Feinde weder spricht noch lesen kann, müßten wir ihn lange genug irreführen können, um die Geschichte bis zu ihrem Ende aufzuschreiben.

Und irregeführt werden muß er, denn kurz nachdem ich begonnen hatte, ebendieses Pergament zu beschreiben, kam der heilige Sansum zu mir herein. Er trat ans Fenster, spähte in den trüben Himmel hinauf und rieb sich die hageren Hände. »Ich liebe die Kälte«, verkündete er, weil er wußte, daß ich anders denke.

»Am schlimmsten spüre ich sie in meiner fehlenden Hand«, erwiderte ich freundlich. Es ist die Linke, die mir fehlt, und den knotigen Stumpf meines Handgelenks benutze ich, um beim Schreiben das Pergament festzuhalten.

»Jeder Schmerz ist eine gesegnete Mahnung an die Leiden unseres geliebten Herrn«, sagte der Bischof, wie ich erwartet hatte. Er stützte sich auf den Tisch, um zu betrachten, was ich geschrieben hatte. »Erklär mir, was diese Wörter bedeuten, Derfel«, verlangte er.

»Ich schreibe die Geschichte von der Geburt des Jesuskindes«, log ich.

Er starrte auf das Pergament und zeigte mit dem schmutzigen Fingernagel auf seinen eigenen Namen. Er vermag einige Buchstaben zu entziffern, und sein Name muß ihm auf dem Pergament so deutlich ins Auge gefallen sein wie ein Rabe im Schnee. Dann kicherte er wie ein boshaftes Kind und drehte eine meiner weißen Haarsträhnen um seine Finger. »Ich war nicht anwesend bei der Geburt unseres Herrn, Derfel, und dennoch lese ich da meinen Namen. Schreibst du etwa Ketzerisches, du Ausgeburt der Hölle?«

»Herr«, erwiderte ich demütig, während er mein Gesicht dicht auf meine Arbeit hinabdrückte, »ich habe mit dem Evangelium begonnen, indem ich hier festhielt, daß ich nur durch die Gnade unseres Herrn Jesus Christus und mit Erlaubnis seines größten Heiligen Sansum ...« – hier rückte ich meinen Finger auf seinen Namen – »in der Lage bin, die frohe Botschaft von Jesus Christus aufzuschreiben.«

Er zerrte so stark an meinen Haaren, daß er mir einige davon ausriß; dann trat er zurück. »Du bist die Brut einer sächsischen Hure«, sagte er, »und einem Sachsen hat man noch nie trauen können. Sieh dich vor, Sachse, daß du dich nicht gegen mich versündigst.«

»Gnädigster Herr«, sagte ich zu ihm, aber er ging schon davon und hörte mich nicht mehr. Es gab eine Zeit, da beugte er vor mir das Knie und küßte mein Schwert, jetzt aber ist er ein Heiliger, während ich nicht mehr als der elendigste aller Sünder bin. Und ein frierender Sünder dazu, denn das Licht vor unseren Mauern ist trügerisch, grau und voller Bedrohung. Bald schon wird der erste Schnee fallen.

Schnee lag auch damals, als Arthurs Geschichte begann. Das war vor einem Menschenleben, im letzten Jahr der Regierungszeit Großkönig Uthers. Gemäß der römischen Zeitrechnung war es 1233 Jahre nach der Gründung ihrer Stadt, obwohl wir in Britannien die Jahre gewöhnlich vom Schwarzen Jahr an zählen, jenem Jahr, in dem die Römer die Druiden auf Ynys Mon niedermachten. Nach dieser Rechnung beginnt Arthurs Geschichte im Jahre 420, obwohl Sansum, Gottes Segen über ihn, unsere Zeit vom Datum der Geburt unseres Herrn Jesus Christus an zählt, die, wie er glaubt, 480 Winter vor all diesen Ereignissen liegt. Wie immer man die Jahre aber auch zählen mag, es ist lange her, es war einmal in einem Land namens Britannien, und ich war dabei.

Folgendermaßen ist es geschehen.

Es begann mit einer Geburt.

In einer bitterkalten Nacht, als das Königreich still und weiß unter dem abnehmenden Mond lag.

In der Halle schrie Norwenna.

Und schrie.

Es war Mitternacht. Der Himmel war klar, trocken und sternenglitzernd. Die Erde war so hart wie Eisen gefroren, die Bäche eiserstarrt. Daß der Mond abnahm, war ein schlechtes Vorzeichen. In seinem matten Licht schienen die langgestreckten westlichen Landstriche kalt und bleich zu glühen. Da seit drei Tagen weder Schnee gefallen war noch Tauwetter eingesetzt hatte, war fast die ganze Welt weiß. Nur die Bäume, die der Wind vom Schnee befreit hatte, standen schwarz und vielfach verzweigt vor dem winterlich-trostlosen Land. Unser Atem bildete Wolken, trieb aber nicht davon, denn um diese klare Mitternachtsstunde ging kein Wind. Die Erde wirkte so tot und still, als hätte Belenus, der Sonnengott, sie verlassen und einer endlosen, kalten Leere überantwortet. Und es war wirklich kalt – eine bittere, tödliche Kälte. An den Traufen der großen Halle von Caer Cadarn hingen lange Eiszapfen, genau wie an dem Torbogen, durch den sich früher an diesem Tag der Troß des Großkönigs durch die Schneewehen gekämpft hatte, um die Prinzessin in diese hoch gelegene Stätte der Könige zu bringen. In Caer Cadarn wurde der Königsstein verwahrt; dies war der Ort der Königswahl, und nur hier, erklärte der Großkönig, dürfe sein Erbe geboren werden.

Wieder begann Norwenna zu schreien.

Ich hatte noch nie die Geburt eines Kindes mit angesehen, und so Gott will, werde ich auch nie eine zu sehen bekommen. Ich habe eine Stute fohlen sehen und beobachtet, wie Kälber in die Welt hineingleiten, ich habe das leise Winseln einer werfenden Hündin gehört und die Wehen einer gebärenden Katze gespürt, doch nie habe ich das Blut und den Schleim gesehen, von denen die Schreie einer Frau begleitet werden. Und wie Norwenna schrie! Obwohl sie versuchte, sich zu beherrschen, wie die Frauen später berichteten. Manchmal riß das Schreien plötzlich ab. Dann hing die darauffolgende Stille über der ganzen Hochburg, und der Großkönig hob den schweren Kopf aus den Fellen und lauschte so aufmerksam, als läge er in einem Dickicht und die Sachsen wären in der Nähe, nur daß er in der Hoffnung lauschte, die plötzliche Stille möge den Moment der Geburt kennzeichnen, den Moment, da sein Königreich wieder einen Erben hatte. Er lauschte, und in der Stille der frosterstarrten Befestigungen hörten wir das schreckliche rauhe Geräusch, mit dem seine Schwiegertochter atmete, und einmal, nur ein einziges Mal, ein jämmerliches Wimmern. Der Großkönig wandte sich halb um, als wollte er etwas sagen, dann aber setzten die Schreie wieder ein, und sein Kopf sank in die dichten Felle zurück, so daß in der verschatteten Höhle, die von der schweren Pelzkapuze und dem Pelzkragen gebildet wurde, nur noch das Glitzern seiner Augen zu sehen war.

»Ihr solltet Euch nicht auf den Wällen aufhalten, Lord König«, sagte Bischof Bedwin.

Uther winkte mit einer behandschuhten Hand, als wollte er sagen, Bedwin könne gern hineingehen, dorthin, wo die Feuer brannten, doch Großkönig Uther, Pendragon – Oberster Feldherr – von Britannien, werde sich nicht von der Stelle rühren. Er wollte auf Caer Cadarns Wällen stehen, damit er auf das vereiste Land und in die stille Luft hinausblicken konnte, wo die Dämonen lauerten. Aber Bedwin hatte recht, der Großkönig hätte in dieser rauhen Nacht nicht auf der Wacht vor Dämonen sein sollen. Uther war alt und krank, und dennoch hing die Sicherheit des Königreichs von seinem aufgedunsenen Körper und seinem trägen, traurigen Verstand ab. Vor sechs Monaten noch war er voll Lebenskraft gewesen, dann aber war die Nachricht vom Tod seines Erben gekommen. Mordred, sein Lieblingssohn und der einzige überlebende Sohn seiner Gemahlin, war im Tal des Weißen Pferdes von einer sächsischen Breitaxt niedergemäht worden und dann verblutet. Durch seinen Tod hatte das Königreich keinen Erben mehr, und ein Königreich ohne Erben ist ein verfluchtes Königreich, aber in dieser Nacht würde Mordreds Witwe, so es der Wille der Götter war, Uthers Erben zur Welt bringen. Es sei denn natürlich, das Kind war ein Mädchen – dann wäre das ganze Leid umsonst gewesen und das Königreich zum Untergang verdammt.

Uthers schwerer Schädel hob sich aus dem Pelzwerk, das dort, wo sich sein Atem in den Fellen niederschlug, eisverkrustet war. »Wird alles getan, Bedwin?« erkundigte sich Uther.

»Alles, Lord König, alles«, versicherte Bischof Bedwin. Er war der engste Berater des Königs und, wie Prinzessin Norwenna, ein Christ. Als sie ihre warme römische Villa im nahen Lindinis verlassen sollte, hatte Norwenna protestiert und ihren Schwiegervater angeschrien, sie werde nur nach Caer Cadarn gehen, wenn er verspreche, die Hexen der alten Götter fernzuhalten. Sie wollte unbedingt eine christliche Geburt, und Uther, der sich verzweifelt einen Erben wünschte, hatte versprochen, ihr diesen Wunsch zu erfüllen. Jetzt intonierten Bedwins Priester ihre Gebete in einem Gemach neben der Halle, wo Weihwasser versprengt worden war, ein Kreuz über dem Kreißlager hing und ein zweites unter Norwennas Körper gelegt worden war. »Wir beten zur Heiligen Jungfrau Maria«, erklärte Bedwin, »die Jesu Christi gebenedeite Mutter wurde, ohne ihren geheiligten Körper durch fleischliches Wissen zu besudeln, und ...«

»Halt!« grollte Uther. Der Großkönig war kein Christ und verabscheute jeden Versuch, ihn zu bekehren, obwohl er zugestand, daß der Christengott vermutlich nicht weniger Macht besaß als alle anderen Götter auch. Doch die Ereignisse dieser Nacht stellten seine Toleranz auf eine überaus harte Probe.

Und genau das war der Grund, warum ich damals dort war. Ich war ein Kind an der Grenze zur Männlichkeit, ein bartloser Botenjunge, der verfroren neben dem Sessel des Königs auf den Wällen von Caer Cadarn kauerte. Ich war von Ynys Wydryn gekommen, Merlins Halle, die am nördlichen Horizont lag. Meine Aufgabe war es, Morgan und ihre Helferinnen zu holen, die in der Lehmhütte eines Schweinehirten am Fuß des Westhangs von Caer Cadarn warteten. Prinzessin Norwenna mochte sich die Mutter des Christengottes als Hebamme wünschen, doch Uther stand mitsamt den älteren Göttern bereit, um sofort einzugreifen, falls dieser neuere, jüngere versagen sollte.

Und der Christengott versagte tatsächlich. Norwennas Schreie ebbten ab, aber ihr Wimmern wurde immer verzweifelter, bis Bischof Bedwins Gemahlin endlich aus der Halle kam und zitternd neben dem Sessel des Großkönigs niederkniete. Das Baby, berichtete Ellin, wolle nicht kommen, und die Mutter liege, wie sie fürchte, im Sterben. Bei dieser zweiten Feststellung winkte Uther lässig ab. Die Mutter galt nichts, einzig das Kind zählte, und auch nur dann, wenn es ein Junge war.

»Lord König ...«, begann Ellin nervös, aber Uther hörte ihr schon nicht mehr zu.

Er versetzte mir einen Klaps auf den Kopf. »Geh, Junge«, befahl er, und ich verließ seinen Schatten, sprang in den Innenhof der Burg hinab und rannte quer über die weiße, mondbeschattete Fläche zwischen den Gebäuden. Die Wachen am Westtor sahen mich vorbeilaufen. Dann rutschte ich aus und schlug auf der Eisbahn des Westganges lang hin, glitt weiter durch den Schnee, zerriß meinen Umhang an einem Baumstumpf und landete mit Wucht in einem eisbeladenen Brombeergestrüpp, aber ich spürte nichts als die ungeheure Last auf meinen Schultern: das Schicksal eines Königreichs. »Lady Morgan!« schrie ich, als ich mich der elenden Hütte näherte. »Lady Morgan!«

Sie mußte sich schon bereit gehalten haben, denn augenblicklich wurde die Hüttentür aufgestoßen. Die Goldmaske, die ihr Gesicht bedeckte, schimmerte im Mondschein. »Lauf los!« kreischte sie mir zu. »Lauf los!« Und ich machte kehrt, um den Berg wieder hinaufzuhasten, während um mich herum eine Schar von Merlins Waisenkindern durch den Schnee keuchte. Sie trugen Küchenkessel und -töpfe, die beim Laufen aneinanderstießen, mußten sie aber, als der Hang zu steil und zu schwierig wurde, vorauswerfen und ihnen dann nachklettern. Morgan folgte ein wenig langsamer, unterstützt von ihrer Sklavin Sebile, die alle erforderlichen Zaubermittel und Kräuter trug. »Zünde die Feuer an, Derfel!« rief Morgan zu mir herauf.

»Feuer!« schrie ich atemlos, während ich durch den Torbogen stolperte. »Feuer auf den Wällen! Feuer!«

Bischof Bedwin protestierte gegen Morgans Eingreifen, aber der Großkönig wandte sich zornig gegen seinen Ratgeber, und der Bischof kapitulierte vor dem älteren Glauben. Seine Priester und Mönche wurden aus ihrer improvisierten Kapelle geholt und erhielten Befehl, auf alle Wälle brennende Holzscheite zu tragen und die Scheite dort mit Holz und Flechtwerk aus den Hütten an der Nordwand der Burg aufzuschichten. Die Feuer knisterten, dann flammten sie hoch in die Nacht hinein. Rauch hing in der Luft und bildete ein Schutzdach, das die bösen Geister täuschte und von dem Ort fernhielt, an dem eine Prinzessin und ihr Kind im Sterben lagen. Wir Kinder liefen mit den Kesseln um die Wälle herum und hämmerten unablässig auf sie ein, um die bösen Geister durch den gräßlichen Lärm noch mehr zu verwirren. »Schreit!« befahl ich den Kindern von Ynys Wydryn, und immer mehr kamen aus den Hütten der Burg, um unseren Lärm zu verstärken. Die Wachen schlugen mit den Speerschäften auf ihre Schilde, und die Priester warfen immer wieder Scheite auf die zwölf Holzstöße, während wir anderen mit lautem Geschrei die bösen Geister herausforderten, die durch die Nacht herbeigeflogen kamen, um Norwennas Geburtswehen mit einem Fluch zu belegen.

Morgan, Sebile, Nimue und ein kleines Mädchen begaben sich in die Halle. Norwenna schrie, doch ob sie gegen die Ankunft von Merlins Frauen protestierte oder weil das widerspenstige Kind ihr den Körper zerriß, war nicht zu erkennen. Weitere Schreie ertönten, als Morgan die christlichen Helferinnen hinauswies. Sie schleuderte die beiden Kreuze in den Schnee und warf eine Handvoll Beifuß, das Kraut der Frauen, ins Feuer. Wie Nimue mir später erzählte, hatten sie Eisenklumpen in das feuchte Bett gelegt, um die bösen Geister zu vertreiben, die sich dort bereits befanden, und sieben Adlersteine um den Kopf der Leidenden arrangiert, um die guten Geister von den Göttern herabzurufen.

Sebile, Morgans Sklavin, befestigte einen Birkenzweig über der Tür der Halle und schwenkte einen weiteren über dem Körper der Gebärenden, die sich in furchtbarem Schmerz hin und her warf. Nimue kauerte in der Türöffnung nieder und urinierte auf die Schwelle, um die bösen Feen der Halle fernzuhalten; dann fing sie etwas Urin mit den Händen auf und trug ihn zu Norwennas Bett, wo sie als weitere Vorsichtsmaßnahme das Stroh damit benetzte, auf daß die Seele des Kindes nicht im Moment der Geburt gestohlen wurde. Morgan, deren Goldmaske im Flammenschein glänzte, schob Norwennas Hände fort, damit sie einen Talisman aus seltenem Bernstein zwischen die Brüste der Prinzessin legen konnte. Das kleine Mädchen, eins von Merlins Findelkindern, wartete angsterfüllt am Fuß des Bettes.

Der Rauch von den frisch entzündeten Feuern verbarg die Sterne. In den Wäldern am Fuß von Caer Cadarn begannen Wesen zu heulen, die der Lärm, der über ihnen ausgebrochen war, geweckt hatte, während Großkönig Uther zum untergehenden Mond aufblickte und betete, er möge Morgan nicht zu spät geholt haben. Morgan war Uthers Tochter, das erste von vier illegitimen Kindern, die der Großkönig mit Igraine von Gwynedd gezeugt hatte. Uther wäre es zweifellos lieber gewesen, wenn Merlin selbst gekommen wäre, aber Merlin war schon seit Monaten fort, ins Nichts hineingegangen, war, wie es uns zuweilen schien, auf immer verschwunden, und Morgan, die bei Merlin gelernt hatte, mußte nun seinen Platz einnehmen in dieser eisigen Nacht, in der wir mit Töpfen klapperten und schrien, bis wir heiser waren, um die böswilligen

Unholde von Caer Cadarn fernzuhalten. Selbst Großkönig Uther beteiligte sich an dem Lärm, obwohl das Geräusch, mit dem er seinen Stab auf den Rand der Brustwehr stieß, kaum wahrzunehmen war. Bischof Bedwin lag betend auf den Knien, während seine Frau, die man aus dem Kreißraum verstoßen hatte, weinte und klagte und den Christengott anrief, er möge den heidnischen Hexen vergeben.

Aber die Zauberkraft wirkte, denn es wurde ein Kind geboren.

Der Schrei, den Norwenna im Augenblick der Geburt ausstieß, klang schlimmer als alles, was vorangegangen war. Es war der Schrei eines Tieres in äußerster Qual, eine Klage, furchtbar genug, um die ganze Nacht zum Schluchzen zu bringen. Wie Nimue mir später erzählte, hatte Morgan diesen Schmerz ausgelöst, indem sie ihre Hand in den Geburtskanal schob und das Kind mit brutaler Gewalt ans Licht der Welt zerrte. Mit dem Blut seiner gequälten Mutter bedeckt, kam das Kind endlich hervor, und Morgan rief dem erschrockenen Mädchen zu, es zu nehmen, während sie selbst die Nabelschnur abband und durchbiß. Es war wichtig, daß das Neugeborene von einer Jungfrau gehalten wurde; deshalb hatte sie das kleine Mädchen in die Halle mitgenommen, aber es war zu Tode verängstigt und wollte sich dem besudelten Stroh nicht nähern, auf dem Norwenna lag und keuchte. Das blutverschmierte Kind lag so reglos, als wäre es tot geboren. »Nimm es!« schrie Morgan, aber das Mädchen brach in Tränen aus und lief davon; also nahm Nimue das Kind vom Bett und reinigte ihm den Mund, damit es seinen ersten, keuchenden Atemzug tun konnte.

Die Zeichen standen alle so schlecht! Der Mond mit seinem Hof verblaßte, und die Jungfrau war vor dem Säugling geflohen, der jetzt laut zu schreien begann. Uther hörte den Schrei, denn ich sah, daß er die Augen schloß, während er zu den Göttern betete, es möge ein männliches Kind sein.

»Soll ich?« fragte Bischof Bedwin zögernd.

»Geht!« fuhr Uther ihn an, und der Bischof kletterte die Holzleiter hinab, raffte sein Gewand und eilte über den zertrampelten Schnee bis zum Eingang der Halle. Dort blieb er einige Sekunden stehen; dann kam er, mit beiden Händen wedelnd, zu uns auf die Brustwehr zurückgelaufen.

»Gute Nachrichten, Lord König, gute Nachrichten!« rief Bedwin, als er die Leiter ungeschickt wieder hinaufstieg. »Ganz ausgezeichnete Nachrichten!«

»Ein Knabe«, nahm Uther ihm die Worte aus dem Mund.

»Ein Knabe!« bestätigte Bedwin. »Ein gesunder Junge!«

Ich kauerte neben dem Großkönig und sah, wie ihm die Tränen in die Augen traten, als er zum Himmel emporblickte. »Ein Erbe«, sagte Uther mit einem so tiefen Staunen in der Stimme, als hätte er nicht recht zu hoffen gewagt, daß ihm die Götter gewogen waren. Mit einer pelzumhüllten Hand tupfte er sich die Tränen ab. »Das Königreich ist gesichert, Bedwin«, sagte er.

»Gelobt sei Gott, Lord König, es ist gesichert«, bestätigte Bedwin.

»Ein Knabe«, wiederholte Uther. Dann wurde sein mächtiger Körper plötzlich von einem furchtbaren Hustenanfall geschüttelt. Er mußte nach Luft ringen. »Ein Knabe«, wiederholte er abermals, als sein Atem wieder ruhiger ging.

Nach einer Weile erschien Morgan. Die untersetzte Frau kam die Leiter empor und warf sich vor dem Großkönig zu Boden. Ihre Goldmaske glänzte; sie verbarg das Grauen, das darunter verborgen lag. Mit seinem Stab berührte Uther ihre Schulter. »Erhebe dich, Morgan«, sagte er und tastete unter seinem Gewand nach einer Goldspange, mit der er sie belohnen wollte.

Aber Morgan nahm sie nicht an. »Der Knabe«, sagte sie unheilverkündend, »ist verkrüppelt. Er hat einen mißgebildeten Fuß.«

Ich sah, wie Bedwin sich bekreuzigte, denn ein verkrüppelter Prinz war das schlechteste Omen der ganzen eisigen Nacht.

»Wie schlimm ist es?« fragte Uther.

»Nur der Fuß«, antwortete Morgan mit ihrer rauhen Stimme. »Das Bein ist normal gewachsen, Lord König, aber der Prinz wird niemals springen.«

Ganz tief aus seinem wärmenden Pelzumhang kam Uthers leises Kichern hervor. »Könige springen nicht, Morgan«, erklärte er. »Sie schreiten, sie regieren, sie reiten, und sie belohnen ihre guten, ehrlichen Diener. Nimm das Gold!« Damit reichte er ihr die Spange abermals. Es war ein wunderschön gearbeitetes Schmuckstück aus schwerem Gold, geformt zu einem Drachen, Uthers Talisman.

Aber Morgan wollte es noch immer nicht annehmen. »Und dieser Knabe ist das letzte Kind, das Norwenna jemals gebären wird, Lord König«, warnte sie Uther. »Wir haben die Nachgeburt verbrannt, und sie hat kein Geräusch gemacht.« Die Nachgeburt wurde ins Feuer geworfen, so daß das leise knallende Geräusch, mit dem sie platzte, verkünden konnte, wie viele Kinder die Mutter noch bekommen würde. »Ich habe genau aufgepaßt«, sagte Morgan, »doch alles blieb still.«

»Die Götter wollten, daß sie still bleibt«, behauptete Uther zornig. »Mein Sohn ist tot«, fuhr er dann tonlos fort, »wer also sollte Norwenna einen Knaben schenken, der zum König geboren ist?«

Morgan hielt inne. »Ihr, Lord König«, sagte sie schließlich.

Bei dieser Vorstellung kicherte Uther, dann ging das Kichern in lautes Lachen und schließlich abermals in einen quälenden Hustenanfall über, bei dem er sich im Krampf vornüberbeugte, weil ihn die Lunge so sehr schmerzte. Endlich ließ der Husten nach, und er sog mit einem zitternden Atemzug kalte Luft ein. Dann schüttelte er den Kopf. »Norwennas einzige Pflicht war es, einen Knaben zu gebären, Morgan, und diese Pflicht hat sie erfüllt. Unsere Pflicht ist es nun, ihn zu beschützen.«

»Mit aller Dumnonia zur Verfügung stehenden Macht«, ergänzte Bedwin diensteifrig.

»Neugeborene sterben leicht«, warnte Morgan die beiden Männer mit ihrer harten Stimme.

»Dieses nicht«, behauptete Uther heftig, »dieses nicht. Er wird zu dir nach Ynys Wydryn gebracht, Morgan, und du wirst deine ganze Kunst einsetzen, um sicherzustellen, daß er am Leben bleibt. Hier, nimm die Spange!«

Endlich akzeptierte Morgan die Drachenspange. Das verkrüppelte Kind schrie immer noch, die Mutter wimmerte, rings um die Wälle von Caer Cadarn aber feierten die Topfschläger und Feuerwächter die Nachricht, daß unser Königreich wieder einen Erben hatte. Dumnonia hatte einen Edling, einen Kronprinzen, und die Geburt eines Edlings war Anlaß für ein reichhaltiges Festmahl und großzügige Geschenke. Das blutige Stroh aus dem Kreißlager wurde aus der Halle geholt und in ein Feuer geworfen, bis die Flammen hoch und hell loderten. Ein Kind war geboren worden;

nun brauchte das Kind nur noch einen Namen. An diesem Namen konnte jedoch kein Zweifel bestehen. Nicht der geringste. Uther stemmte sich aus seinem Sessel und baute sich groß und grimmig auf Caer Cadarns Brustwehr auf, um den Namen seines neugeborenen Enkels zu verkünden, den Namen seines Erben und des Edlings seines Königreichs. Das im Winter geborene Kind sollte den Namen seines Vaters tragen.

Mordred.

Norwenna und das Kind kamen zu uns nach Ynys Wydryn. Man brachte sie in einem Ochsenkarren über die östliche Landbrücke bis zum Fuß des Tor. Vom windigen Gipfel aus beobachtete ich, wie die kranke Mutter und der verkrüppelte Säugling aus ihrem Lager aus Pelzdecken gehoben und auf einer Tragbahre aus Leinwand den Weg bis zur Palisade hinaufgeschafft wurden. Es war ein kalter Tag; eine bittere, schneegleißende Kälte, die in die Lungen biß und die Haut rissig machte. Norwenna wimmerte, als sie mit ihrem warm eingepackten Kind durch die Landpforte von Tor Ynys Wydryn getragen wurde.

So hielt Mordred, Edling von Dumnonia, Einzug in Merlins Reich.

Ynys Wydryn war trotz des Namens – Glasinsel – keine echte Insel, sondern eher eine bergige Landzunge, die in ein Brachland aus Marschen, Bächen und weidengesäumten Sümpfen ragte, wo Riedgras und Schilf wucherten. Es war ein reiches Land, denn es gab Wildvögel, Fische, Lehm und Kalkstein, der an den Hügeln am Rand des Flutbrachlandes, das man auf Knüppeldämmen überquerte, mühelos abgebaut werden konnte. Unvorsichtige Besucher, die sich auf diesen Dämmen bewegten, ertranken zuweilen, wenn der Wind hart aus Westen kam und eine hohe Flutwelle über die Feuchtgebiete blies. Im Westen, wo das Land anstieg, lagen Apfelgärten und Weizenfelder, und im Norden, wo weiße Hügel an die Marschen grenzten, weideten Rinder und Schafe. Es war wirklich ein gutes Land, und in seinem Herzen lag Ynys Wydryn.

Das Land gehörte Lord Merlin. Man nannte es Avalon. Schon sein Vater und Großvater hatten dort regiert, und sämtliche Leibeigene und Sklaven, die man vom höchsten Punkt des Tor aus sehen konnte, arbeiteten für Merlin. Dieses reiche Land, dessen Erzeugnisse in den Flutbächen gefangen oder auf dem fetten Boden der Flußtäler im Binnenland angebaut wurden, verschaffte Merlin den Reichtum und die Freiheit, die er brauchte, um Druide zu sein. Früher einmal war Britannien das Land der Druiden gewesen, aber die Römer hatten sie zuerst erschlagen und dann ihre Religion gezähmt, so daß es selbst jetzt, zwei Generationen nach dem Abzug der Römer, nur noch eine Handvoll der alten Priester gab. Ihren Platz hatten die Christen eingenommen, und nun schwappte das Christentum um den alten Glauben wie eine windgepeitschte Sturmflut durch die von Dämonen bewohnten Riedwiesen von Avalon.

Avalons Insel Ynys Wydryn war eine Ansammlung grasbewachsener Hügel, alle von ihnen kahl, bis auf den Tor, den steilsten und höchsten. Sein Gipfel bildete ein Plateau, auf dem Merlins Halle errichtet worden war, und unterhalb der Halle breiteten sich die weniger wichtigen Gebäude aus. Sie waren von einer Palisade umgeben, die waghalsig an der oberen Kante jener Grashänge des Tor errichtet worden war, an denen man in den alten Tagen vor der Invasion der Römer eine Reihe von Terrassen angelegt hatte. Ein schmaler Pfad wand sich über die uralten Terrassen in zahlreichen Kurven zum Gipfel empor, und jene, die den Tor auf der Suche nach Heilung oder Weissagung aufsuchten, mußten diesem Pfad folgen, der bewußt so angelegt war, um die bösen Geister zu verwirren, die Merlins Halle sonst vielleicht belästigt hätten. Zwei weitere Pfade führten die Hänge des Tor direkt hinab, einer im Osten zur Landbrücke zwischen Ynys Wydryn und dem Festland, der andere vom Meerestor im Westen zu der Siedlung am Fuß des Tor, wo Fischer, Federwildjäger, Korbflechter und Hirten lebten. Diese Wege waren die normalen Zugänge zum Tor, die Morgan durch ständige Gebete und Zaubersprüche von bösen Geistern freihielt.

Dem westlichen Pfad widmete Morgan besondere Aufmerksamkeit, denn er führte nicht nur zur Siedlung hinunter, sondern auch zum Christenschrein von Ynys Wydryn. Während der Römerzeit hatte Merlins Urgroßvater den Christen gestattet, auf seine Insel zu kommen, und seither hatten sie sich durch nichts wieder vertreiben lassen. Wir Kinder des Tor wurden ermuntert, die Mönche mit Steinen zu bewerfen, Tierdung über ihre Holzpalisade zu schleudern oder die Pilger auszulachen, die durch das Törchen huschten, um einen Dornbusch unmittelbar neben der eindrucksvollen Steinkirche anzubeten, die von den Römern erbaut worden war und das Anwesen der Christen noch immer beherrschte. In einem Jahr hatte Merlin einen ähnlichen Dornbusch auf dem Tor aufstellen lassen, den wir dann alle zusammen »anbeteten«, indem wir sangen, tanzten und uns verneigten. Die Christen im Dorf erklärten, ihr Gott werde uns erschlagen, doch nichts geschah. Schließlich verbrannten wir unseren Dornbusch und mischten seine Asche unters Schweinefutter, aber der Christengott ignorierte uns immer noch. Ihr Dornbusch besitze Zauberkräfte, behaupteten die Christen, er sei von einem Fremden nach Ynys Wydryn gebracht worden, der mit angesehen habe, wie der Christengott an einen Baum genagelt wurde. Gott möge mir vergeben, aber in jenen fernen Tagen lachte ich über solche Geschichten. Damals verstand ich nicht, was der Dornbusch mit dem Mord an einem Gott zu tun haben sollte, inzwischen aber ist es mir natürlich klar, obwohl ich eingestehen muß, daß der heilige Dornbusch, falls er noch immer auf Ynys Wydryn wächst, nicht derselbe Dornbusch ist, der dem Stab des Joseph von Arimathia entsprang. Das weiß ich genau, denn eines dunklen Winterabends, als Merlin mich ausschickte, um eine Flasche frisches Wasser von der heiligen Quelle am südlichen Fuß des Tor zu holen, sah ich, wie die Christenmönche einen kleinen Dornbusch ausgruben, um damit den großen Busch zu ersetzen, der innerhalb ihrer Palisade eingegangen war. Der heilige Dornbusch ging immer ein, obwohl ich nicht sagen kann, ob das von dem Kuhmist kam, mit dem wir ihn bewarfen, oder ganz einfach, weil der arme Busch überladen war mit Tuchstreifen, welche die Pilger an seine Zweige banden. Die Mönche vom heiligen Dornbusch wurden jedenfalls reich, gemästet durch die großzügigen Gaben der gläubigen Pilger.

Die Mönche von Ynys Wydryn waren hoch erfreut, daß Norwenna zu uns gekommen war, denn nun hatten sie einen Grund, den steilen Pfad emporzuklimmen und ihre Gebete mitten ins Zentrum von Merlins Festung zu tragen. Prinzessin Norwenna – noch immer eine verbissene und scharfzüngige Christin, obwohl es der Jungfrau Maria nicht gelungen war, ihrem Kind auf die Welt zu verhelfen – befahl, daß die Mönche jeden Morgen eingelassen würden. Ich weiß nicht, ob Merlin sie auf dem Gelände geduldet hätte – Nimue jedenfalls verfluchte Morgan dafür, daß sie die Erlaubnis gegeben hatte –, aber Merlin hielt sich in jenen Tagen nicht in Ynys Wydryn auf. Seit über einem Jahr hatten wir unseren Meister nicht mehr gesehen, doch das Leben in seiner sonderbaren Feste ging auch ohne ihn weiter.

Und sie war wirklich recht sonderbar. Merlin selbst war der eigenartigste aller Bewohner von Ynys Wydryn, aber es hatte ihm gefallen, eine ganze Schar entstellter, verkrüppelter und halb wahnsinniger Kreaturen um sich zu versammeln. Majordomus und Befehlshaber der Wache war Druidan, ein Zwerg. Er war kaum größer als ein fünfjähriges Kind, besaß aber das Ungestüm eines voll ausgewachsenen Kriegers und legte tagtäglich Beinschienen, Brustharnisch, Helm, Mantel und Waffen an. Er haderte mit dem Schicksal, das ihn zu klein geschaffen hatte, und rächte sich an den einzigen Wesen, die noch kleiner waren: den Waisen, die Merlin überall so achtlos auflas. Nur wenige von Merlins Mädchen wurden von Druidan nicht leidenschaftlich verfolgt, doch als er versuchte, Nimue in sein Bett zu verschleppen, hatte er dafür heftige Prügel einstecken müssen. Merlin schlug ihn auf den Kopf, zerriß ihm die Ohren, spaltete ihm die Lippen und färbte seine Augen blau, während die Kinder und die Wachen an der Palisade jubelten. Die Wachen, die Druidan befehligte, waren alle lahm, blind oder verrückt, und einige von ihnen alles zusammen, aber kein einziger war so verrückt, Druidan zu mögen.

Nimue, meine Freundin und Kindheitsgefährtin, war Irin. Die Iren waren Briten, aber sie waren nie von den Römern beherrscht worden und hielten sich deswegen für besser als die Festlandbriten, die sie überfielen, ausplünderten, versklavten und kolonisierten. Wären die Sachsen nicht so furchteinflößende Feinde gewesen, wir hätten die Iren für die schlimmsten von Gottes Geschöpfen gehalten, obwohl wir uns von Zeit zu Zeit mit ihnen gegen andere britische Stämme verbündeten. Nimue war ihrer Familie bei einem

Überfall entrissen worden, den Uther gegen die irischen Siedlungen in Demetia geführt hatte. Demetia lag jenseits des Severn-Meeres, der großen Meeresbucht, die vom Severn-Fluß gespeist wurde. Sechzehn Gefangene waren bei jenem Überfall gemacht worden, und alle wurden nach Dumnonia geschickt, um dort als Sklaven zu dienen, doch während die Schiffe die Bucht überquerten, kam ein schrecklicher Sturm von Westen, und das Schiff mit den Gefangenen versank bei Ynys Wair. Nimue allein überlebte und kam, wie es hieß, aus dem Meer geschritten, ohne naß zu sein. Das sei, behauptete Merlin, ein Zeichen dafür, daß Manawydan, der Meeresgott, sie liebte, obwohl Nimue selbst erklärte, es sei Don gewesen, die mächtigste Göttin, die ihr das Leben gerettet habe. Merlin wollte ihr den Namen Vivien geben, einen Namen, der Manawydan gewidmet war, aber Nimue ignorierte den Namen und behielt ihren eigenen. Nimue setzte fast immer ihren Kopf durch. Mit wacher Neugier und absoluter Selbstsicherheit wuchs sie in Merlins verrücktem Haushalt auf, und als Merlin sie, nachdem etwa dreizehn oder vierzehn Sommer ihres Lebens vergangen waren, in sein eigenes Bett befahl, gehorchte sie, als hätte sie schon immer gewußt, daß es ihr Schicksal war, seine Geliebte und damit, wie es nun einmal Brauch war, die zweitwichtigste Person von ganz Ynys Wydryn zu werden.

Obwohl Morgan diese Position nicht ohne Kampf aufgab. Von allen seltsamen Gestalten an Merlins Hof war Morgan die groteskeste. Sie war Witwe und dreißig Jahre alt, als Norwenna und Mordred unter ihren Schutz gestellt wurden, und diese Aufgabe war angemessen, denn Morgan war nicht minder hochgeboren als sie. Sie war das erste der vier illegitimen Kinder – drei Mädchen und ein Junge –, die Großkönig Uther mit Igraine von Gwynedd gezeugt hatte. Ihr Bruder war Arthur, und bei einer so hohen Abkunft und einem solchen Bruder hätte man meinen sollen, daß ehrgeizige Männer sogar die Mauern der Anderwelt eingerissen hätten, um die Hand der Witwe zu erringen. Aber Morgan war als junge Ehefrau in einem brennenden Haus eingeschlossen gewesen. Ihr junger Gemahl hatte dabei den Tod gefunden, und Morgan hatte gräßliche Brandwunden erlitten. Die Flammen hatten ihr das linke Ohr geraubt, das linke Auge versengt, die Haare von der linken

Kopfhälfte gebrannt, das linke Bein verkrüppelt und den linken Arm verkrümmt. Nimue, die Morgan nackt gesehen hatte, erzählte mir, daß die linke Hälfte ihres Körpers verrunzelt, grausig-rot und entstellt war, an einigen Stellen eingeschrumpft, an anderen überdehnt, und insgesamt schauerlich-abstoßend. Wie ein verfaulter Apfel, erklärte mir Nimue, nur viel schlimmer. Morgan war ein Wesen aus einem Alptraum, aber für Merlin war sie eine Lady seiner Halle, und er hatte sie zu seiner Seherin ausgebildet. Von einem Goldschmied des Großkönigs hatte er eine goldene Maske anfertigen lassen, die sich wie ein Helm um ihren zerstörten Kopf schmiegte. Diese Goldmaske hatte ein Loch für ein Auge, einen Schlitz für ihren verzerrten Mund und bestand aus feinem, dünnem Gold, das mit Spiralen und Drachen ziseliert war und vorn das Abbild des Cernunnos trug, des Gehörnten Gottes, der Merlins Beschützer war. Die goldgesichtige Morgan trug stets Schwarz, hielt ihre zerstörte Linke mit einem Handschuh bedeckt und war weithin berühmt für ihre Heilkraft und seherische Begabung. Darüber hinaus war sie die übellaunigste Frau, die mir jemals begegnet ist.

Sebile, Morgans Sklavin und Begleiterin, war etwas sehr Seltenes: eine große Schönheit mit Haaren von der Farbe hellen Goldes. Sie war eine Sächsin, die bei einem Überfall geraubt worden war, und nachdem die Kriegsbande sie eine Zeitlang vergewaltigt hatte, war sie, wirres Zeug stammelnd, nach Ynys Wydryn gekommen, wo Morgan ihren Geist geheilt hatte. Dennoch war sie immer noch ein wenig seltsam – nicht bösartig verrückt, aber über alle Vorstellungen von Torheit hinaus töricht. Sie legte sich zu jedem Mann – nicht etwa, weil sie das wollte, sondern weil sie sich fürchtete, es nicht zu tun –, und Morgan konnte sie durch nichts davon abbringen. Jahr um Jahr gebar sie ein Kind, obwohl nur wenige ihrer blondhaarigen Kinder überlebten und jene, die nicht starben, von Merlin als Sklaven an Männer verkauft wurden, die goldhaarige Kinder schätzten. Sebile belustigte ihn, obwohl aus ihrem Wahn nichts von den Göttern sprach.

Ich mochte Sebile, weil auch ich Sachse war und Sebile sich mit mir in meiner Muttersprache unterhielt, so daß ich in Ynys Wydryn mit beiden Sprachen aufwuchs, mit der Sprache der Sachsen und jener der Briten. Eigentlich hätte ich Sklave sein müssen, aber als ich noch klein war, kleiner sogar noch als der Zwerg Druidan, war ein feindlicher Trupp aus Siluria an die Nordküste von Dumnonia gekommen und hatte die Siedlung überfallen, in der meine Mutter Sklavin war. König Gundleus von Siluria hatte den Trupp angeführt. Meine Mutter, die, wie ich vermute, ganz ähnlich wie Sebile aussah, wurde vergewaltigt, während ich zu der Todesgrube geschleppt wurde, in der Tanaburs, Silurias Druide, als Dank an den Großen Gott Bel für die reiche Beute, die ihnen der Überfall eingebracht hatte, ein Dutzend Gefangene opfern wollte. O Gott, wie gut ich mich an jene Nacht erinnere! An die Brände, die Schreie, die trunkenen Vergewaltigungen, die ausgelassenen Tänze, und dann an den Moment, als Tanaburs mich in das schwarze Loch mit dem angespitzten Holzpfahl schleuderte. Ich überlebte unversehrt und stieg so gelassen aus der Todesgrube, wie Nimue aus dem tödlichen Meer gekommen war, und Merlin, der mich fand, hatte mich als Kind des Bel bezeichnet. Er nannte mich Derfel, gab mir ein Zuhause und ließ mich als freien Menschen aufwachsen.

Der Tor wimmelte von solchen Kindern, die den Göttern entrissen worden waren. Merlin hielt uns für etwas Besonderes und meinte, wir würden zu einem neuen Orden von Druiden und Priesterinnen heranwachsen, der ihm helfen könnte, in dem von den Römern verderbten Britannien die alte, die wahre Religion wiedererstarken zu lassen. Doch da er niemals Zeit hatte, uns etwas zu lehren, wurden die meisten von uns Bauern, Fischer oder Ehefrauen. Während meiner Zeit auf dem Tor schien nur Nimue von den Göttern gezeichnet worden zu sein und wuchs zur Priesterin heran. Ich selbst wollte nie etwas anderes sein als Krieger.

Diesen Ehrgeiz hatte ich von Pellinore. Pellinore war der Favorit unter allen Kreaturen, die Merlin aufnahm. Er war ein König, aber die Sachsen hatten ihn seines Landes und seiner Augen beraubt, und die Götter hatten ihm den Verstand genommen. Er hätte auf die Toteninsel geschickt werden müssen, wohin die gefährlichen Verrückten gebracht wurden, aber Merlin ordnete an, daß er auf dem Tor behalten werden sollte – in einem kleinen Gehege wie dem, in dem Druidan seine Schweine hielt. Er lebte dort nackt. Sein langes weißes Haar reichte ihm bis an die Knie, und seine leeren Augenhöhlen tränten ständig. Er tobte ununterbrochen, haderte endlos mit seinem Schicksal, doch Merlin hörte sich seinen Unsinn aufmerksam an und destillierte daraus Botschaften der Götter. Alle fürchteten Pellinore. Er war durch und durch verrückt und unbezähmbar wild. Einmal kochte er eins von Sebiles Kindern auf seinem Feuer. Und doch – warum, weiß ich nicht – mochte mich Pellinore seltsamerweise. Ich schlüpfte zwischen den Stangen seines Geheges hindurch, er tätschelte mich und erzählte mir Geschichten von Schlachten und wilden Jagden. Auf mich wirkte er nie wie ein Verrückter, und er verletzte weder mich noch Nimue; doch schließlich waren wir beide, wie Merlin immer wieder betonte, Lieblinge des Bel.

Durchaus möglich, daß Bel uns liebte, aber Guendoloen haßte uns. Sie war Merlins Gemahlin, inzwischen aber alt und zahnlos. Genau wie Morgan konnte sie hervorragend mit Kräutern und Zaubersprüchen umgehen, doch als ihr Gesicht durch eine Krankheit entstellt wurde, hatte Merlin sie verstoßen. Das war lange vor meiner Ankunft auf dem Tor geschehen, in einer Phase, die von allen »die Schlimme Zeit« genannt wurde, als Merlin wahnsinnig und weinend aus dem Norden zurückgekehrt war. Doch selbst als er wieder zu Verstand kam, holte er Guendoloen nicht zurück, gestattete ihr allerdings, in einer kleinen Hütte am Palisadenzaun zu leben, wo sie ihre Tage damit verbrachte, ihren Gemahl mit Bannsprüchen zu belegen und uns andere mit kreischenden Flüchen einzudecken. Druidan haßte sie besonders. Manchmal attackierte sie ihn mit einem Bratspieß. Dann hastete Druidan zwischen den Hütten hindurch, während Guendoloen hinter ihm herjagte. Wir Kinder feuerten sie, nach Zwergenblut lechzend, eifrig an, aber er schaffte es immer wieder, ihr zu entkommen.

Es war also ein recht seltsamer Ort, an den Norwenna mit dem Edling Mordred kam, und obwohl ich ihn als einen Ort des Schrekkens geschildert haben mag, war er in Wirklichkeit eine wunderbare Zuflucht. Wir waren die privilegierten Kinder Lord Merlins, wir lebten frei, wir brauchten kaum zu arbeiten, wir lachten, und Ynys Wydryn, die Glasinsel, war für uns ein glückliches Zuhause.

Norwenna traf zur Winterzeit ein, als Avalons Moore mit Eis

überzogen waren. In Ynys Wydryn gab es einen Zimmermann namens Gwlyddyn, dessen Frau einen kleinen Jungen im selben Alter wie Mordred geboren hatte; dieser Gwlyddyn machte uns Schlitten, und die Luft hallte von unseren fröhlichen Rufen wider, wenn wir die schneebedeckten Hänge des Tor hinabglitten. Ralla, Gwlyddyns Ehefrau, wurde zu Mordreds Amme bestimmt, und der Prinz wuchs und gedieh trotz seines verkrüppelten Fußes. Selbst Norwennas Gesundheitszustand besserte sich, als die bittere Kälte nachließ und die ersten Schneeglöckchen des Winters unter den Dornenhecken rings um die heilige Quelle am Fuß des Tor aufblühten. Die Prinzessin war nicht sehr kräftig, doch Morgan und Guendoloen verabreichten ihr Kräuter, die Mönche beteten, und wie es schien, ging ihre Wochenbett-Krankheit endlich vorüber. Jede Woche brachte ein reitender Bote seinem Großvater, dem Großkönig, die neuesten Nachrichten über den Gesundheitszustand des Kronprinzen, und jede gute Nachricht wurde mit einem Goldstück, einem Horn voll Salz oder einer Flasche kostbaren Weines belohnt, die Druidan heimlich an sich brachte.

Wir alle warteten auf Merlins Rückkehr, aber er kam nicht; der Tor wirkte leer ohne ihn, obwohl unser Alltag sich kaum veränderte. Die Vorratslager mußten immer wieder aufgefüllt, die Ratten getötet und dreimal am Tag Feuerholz und Quellwasser den Berg hinaufgeschleppt werden. Gudovan, Merlins Schreiber, führte Buch über die Zahlungen der Pächter, während Hywel, der Verwalter, über die Besitzungen ritt, um sicherzustellen, daß keine Familie ihren abwesenden Lord um seine Steuern betrog. Gudovan und Hywel waren beide vernünftige, praktische, fleißige Männer, was, wie Nimue fand, bewies, daß Merlins exzentrische Neigungen dort endeten, wo sein Einkommen begann. Gudovan war es gewesen, der mir Lesen und Schreiben beibrachte. Eigentlich hatte ich so unkriegerische Dinge nicht lernen wollen, aber Nimue hatte darauf bestanden. »Du hast keinen Vater«, erklärte sie mir, »deswegen wirst du dein Fortkommen mit Hilfe deiner eigenen Fähigkeiten suchen müssen.«

»Aber ich will Krieger werden!«

»Das wirst du auch«, versicherte sie mir, »aber nur, wenn du Lesen und Schreiben lernst.« Tatsächlich besaß sie trotz ihrer Jugend eine so große Autorität, daß ich ihr glaubte und mir diese gelehrten Fertigkeiten längst angeeignet hatte, als ich erfuhr, daß ein Krieger sie nicht brauchte.

Also lehrte mich Gudovan Lesen und Schreiben, während mich Hywel, der Verwalter, in der Kunst des Kämpfens unterrichtete. Vor allem bildete er mich am Fechtstock aus, dem Knüppel der Bauern, die damit Schädel spalten konnten, mit dem man aber auch Schwertstreiche oder das Zustoßen mit dem Speer zu imitieren vermochte. Bevor er durch eine sächsische Streitaxt ein Bein verlor, war Hywel ein berühmter Krieger in Uthers Armee gewesen. Er ließ mich exerzieren, bis meine Arme stark genug waren, um ein schweres Schwert genauso mühelos und schnell zu schwingen wie einen Fechtstock. Die meisten Krieger, erklärte mir Hywel, verließen sich auf brutale Gewalt und Alkohol statt auf ihre Geschicklichkeit. Wie er mir sagte, würde ich Männern begegnen, die vor Met und Ale schwankten und deren einzige Kunst darin bestand, gigantische Schläge auszuteilen, die zwar einen Ochsen umhauen würden, aber ein nüchterner Mann, der die neun Schwertstreiche beherrsche, würde einen solchen Wüterich leicht besiegen. »Ich war betrunken«, gestand er mir, »als Octha der Sachse mir das Bein abschlug. Aber jetzt schneller, Jungchen, schneller! Dein Schwert muß sie verwirren! Schneller!« Er war mir ein guter Lehrer, und die ersten, die das zu spüren bekamen, waren die Söhne der Mönche in der unteren Siedlung von Ynys Wydryn. Sie haßten uns privilegierte Kinder des Tor, denn wir faulenzten, während sie arbeiten mußten, und liefen frei herum, während sie schufteten; deshalb jagten sie aus Rache hinter uns her und versuchten uns zu verprügeln. Eines Tages nahm ich meinen Übungsstock mit ins Dorf und schlug drei Christen damit blutig. Ich war schon immer groß für mein Alter gewesen, und die Götter hatten mich so stark wie einen Ochsen gemacht, deswegen schrieb ich ihnen meinen Sieg zu, obwohl Hywel mir dafür eine Tracht Prügel verabreichte. Die Privilegierten, sagte er, dürften Untergeordnete niemals ausnutzen, aber ich glaube, daß er trotzdem hoch erfreut war, denn am folgenden Tag nahm er mich mit auf die Jagd, und ich durfte mit dem Speer eines Mannes meinen ersten Keiler töten. Das geschah in einem nebligen Dickicht am Cam-Fluß, und ich war gerade erst zwölf Sommer alt. Hywel schmierte mir das Blut des Keilers ins Gesicht, schenkte mir die Hauer, die ich als Halskette tragen sollte, und schaffte den Kadaver sodann in seinen Mithrastempel, wo er den Veteranen, die den Gott der Krieger verehrten, ein üppiges Festmahl spendierte. Ich selbst durfte an diesem Festmahl nicht teilnehmen, doch eines Tages, versicherte mir Hywel, sobald mir ein Bart gewachsen sei und ich in der Schlacht meinen ersten Sachsen erschlagen habe, werde er mich in die Mysterien des Mithraskultes einführen.

Drei Jahre später träumte ich noch immer davon, Sachsen zu töten. Manche mögen es seltsam finden, daß ich, ein junger Sachse mit sachsenfarbenem Haar, so sehr darauf versessen war, den Briten meine Loyalität zu beweisen, aber ich war seit frühester Kindheit unter Briten aufgewachsen, und meine Freunde und Vorlieben, meine Alltagssprache, meine Erzählungen, Feindgefühle und Träume waren britisch. Auch war meine Haar- und Hautfarbe nicht außergewöhnlich. Die Römer hatten alle möglichen fremdartigen Menschen in Britannien zurückgelassen. Der verrückte Pellinore hatte mir sogar einmal von zwei Brüdern erzählt, die so schwarz wie Kohle waren, und bis ich Sagramor kennenlernte, Arthurs numidischen Befehlshaber, war ich überzeugt, daß er in seinem Irrsinn dumme Märchen zusammenspann.

Sobald Mordred und seine Mutter bei uns eintrafen, wurde es eng auf dem Tor, denn Norwenna brachte nicht nur ihre Damen mit, sondern auch eine Truppe Krieger, die das Leben des Prinzen schützen sollten. Wir schliefen zu viert oder fünft in einer Hütte, und von uns allen war es nur Nimue und Morgan erlaubt, die inneren Gemächer der Burg zu betreten, denn das war Merlins eigenes Reich, und Nimue war die einzige, die dort sogar schlafen durfte. Norwenna wohnte mit ihrem Hofstaat in der großen Halle, die mit dem Rauch zweier Feuer erfüllt war, die Tag und Nacht brannten. Diese Halle wurde von zwanzig Eichenpfosten gestützt, die Wände bestanden aus mit Lehm beworfenem Weidengeflecht, das Dach aus Stroh. Der Boden war nichts als gestampfte Erde, dicht mit Binsenbüscheln bedeckt, die zuweilen Feuer fingen und Panik auslösten, bis die Flammen ausgetreten waren. Merlins Gemächer waren durch eine Innenwand aus Lehmgeflecht, die nur von einer einzigen, kleinen Holztür durchbrochen wurde, von der

Halle getrennt. Wie wir wußten, schlief, studierte und träumte Merlin in diesen Gemächern, die in einen Holzturm auf dem höchsten Punkt des Tor mündeten. Was in diesem Turm geschah, war für alle außer Merlin, Morgan und Nimue ein Geheimnis, und von den dreien wollte keiner etwas davon verraten, obwohl das Landvolk, das Merlins Turm aus meilenweiter Entfernung sehen konnte, Stein und Bein schwor, dort seien Schätze gehortet, die aus den Grabhügeln des Alten Volkes stammten.

Mordreds Leibwache wurde von einem Christen namens Ligessac befehligt, einem hochgewachsenen, mageren, habgierigen Mann, der besonders gut mit Pfeil und Bogen umgehen konnte. Wenn er nüchtern war – was selten vorkam –, konnte er einen Zweig auf fünfzig Schritt Entfernung spalten. Er lehrte mich einiges von seiner Kunst, wurde der Gesellschaft eines Knaben aber schnell müde und zog es vor, sich am Glücksspiel seiner Männer zu beteiligen. Er erzählte mir jedoch die wahre Geschichte von Prinz Mordreds Tod und damit den Grund, warum Großkönig Uther Arthur verflucht hatte. »Es war nicht Arthurs Schuld«, berichtete Ligessac, während er ein Steinchen auf sein Wurfbrett warf. Alle Krieger hatten Wurfbretter, von denen einige kunstvoll aus Knochen gefertigt waren. »Sechs!« rief er triumphierend, während ich darauf wartete, die Geschichte von Arthur zu hören.

»Ich verdoppele«, sagte Menw, einer aus der Prinzenwache, und warf seinen eigenen Stein. Er rollte über den Rand des Brettes und blieb auf einer Eins liegen. Weil er jedoch eine Zwei gebraucht hätte, um zu gewinnen, raffte er seine Steine vom Brett und fluchte.

Ligessac befahl Menw, seine Börse zu holen, damit er ihm seinen Gewinn auzahlte, dann erzählte er mir, wie Uther Arthur aus Armorica zu Hilfe gerufen hatte, um den riesigen Heerhaufen der Sachsen zu besiegen, der tief in unser Land vorgestoßen war. Arthur war, wie Ligessac sagte, mit seinen Kriegern gekommen, hatte aber seine berühmten Pferde zurückgelassen, denn der Hilferuf war dringend gewesen und hatte ihm keine Zeit gelassen, genügend Schiffe für Mann und Roß zu finden. »Nicht, daß er die Pferde gebraucht hätte«, erklärte Ligessac bewundernd, »denn er hat diese sächsischen Bastarde im Tal des Weißen Pferdes in die Falle gelockt. Dann entschied Mordred, daß er es besser könne als Arthur. Er wollte nämlich die Ehre selbst einheimsen.« Ligessac wischte sich die laufende Nase, dann blickte er suchend um sich, als wollte er sich vergewissern, daß niemand zuhörte. »Mordred hatte sich inzwischen betrunken«, fuhr er in etwas leiserem Ton fort, »und die Hälfte seiner Mannen liefen splitternackt herum und schworen brüllend, sie könnten die zehnfache Zahl ihrer Gegner erschlagen. Wir hätten wirklich auf Arthur warten sollen, aber der Prinz befahl uns zu attackieren.«

»Ihr wart da?« fragte ich ihn in pubertierender Bewunderung.

Er nickte. »Mit Mordred. Großer Gott, wie die gekämpft haben! Umzingelt haben sie uns, und auf einmal waren wir fünfzig Briten, die entweder tot oder sehr schnell nüchtern waren. Ich verschoß meine Pfeile, so schnell es nur ging, unsere Speerträger formten den Schildwall, aber die feindlichen Krieger hieben mit Schwertern und Streitäxten auf uns ein. Ihre Trommeln gingen bumm-bumm-bumm, ihre Magier heulten, und ich dachte, ich wäre tot. Ich hatte keine Pfeile mehr und benutzte nur noch den Speer. Es können nur noch zwanzig Mann von uns am Leben gewesen sein, und wir alle waren am Ende unserer Kräfte. Das Drachenbanner war erobert worden, Mordred hauchte blutend sein Leben aus, und wir übrigen kauerten uns zusammen, um auf das Ende zu warten; dann aber erschienen Arthurs Männer.« Er hielt inne und schüttelte bedrückt den Kopf. »Die Barden erzählen, an jenem Tag habe Mordred den Boden mit sächsischem Blut getränkt, mein Junge, aber es war nicht Mordred, es war Arthur. Er tötete und tötete. Er eroberte das Banner zurück, er erschlug die Magier, er verbrannte die Kriegstrommeln, er jagte die Überlebenden bis in die Dunkelheit hinein und tötete ihren Kriegsherrn bei Edwys Felsen im Licht des Mondes. Und das ist der Grund, warum die Sachsen vorsichtige Nachbarn sind, mein Junge: nicht etwa, weil Mordred sie besiegt hat, sondern weil sie glauben, daß Arthur nach Britannien zurückgekehrt ist.«

»Aber das ist er doch nicht«, wandte ich traurig ein.

»Weil der Großkönig ihm nicht erlaubt zurückzukehren. Weil der Großkönig ihm die Schuld gibt.« Ligessac hielt inne und warf einen Blick in die Runde, um sich zu vergewissern, daß niemand mithörte. »Der Großkönig meint, daß Arthur Mordreds Tod wollte, damit er selber König wird, aber das ist nicht wahr. So ist Arthur nicht.«

»Und wie ist er?« fragte ich ihn.

Ligessac zuckte die Achseln, als wollte er andeuten, die Antwort darauf sei schwierig, doch ehe er antworten konnte, sah er, daß Menw zurückkehrte. »Kein Wort, Junge!« warnte er mich. »Kein einziges Wort!«

Wir alle hatten ähnliche Erzählungen gehört, aber Ligessac war der erste, der mir gegenüber behauptete, an der Schlacht im Tal des Weißen Pferdes teilgenommen zu haben. Später sagte ich mir, daß er nicht dabeigewesen war, sondern nur irgendein Garn gesponnen hatte, um sich von einem leichtgläubigen Knaben bewundern zu lassen, doch sein Bericht war einigermaßen genau. Mordred war ein trunkener Tor und Arthur der wahre Sieger gewesen, und dennoch hatte Uther ihn übers Meer zurückgeschickt. Beide Männer waren Uthers Söhne, aber Mordred war der geliebte Erbe, während Arthur ein Emporkömmling und Bastard war. Allerdings vermochte Arthurs Verbannung nicht zu verhindern, daß jeder einzelne Dumnonier in diesem Bastard die größte Hoffnung des Landes sah: den jungen Krieger jenseits der Meere, der uns vor den Sachsen retten und die Verlorenen Lande von Lloegyr zurückerobern würde.

Die zweite Hälfte des Winters war mild. Zwar wurden hinter dem Erdwall, der die Landbrücke von Ynys Wydryn schützte, Wölfe gesichtet, doch keiner kam dicht an den Tor heran. Trotzdem fertigten einige der jüngeren Kinder Wolfszauber an, die sie in der Hoffnung, die Tiere würden über die Palisade springen und sich den Zwerg als Mahlzeit holen, hinter Druidans Hütte vergruben. Doch ihre Zauber wirkten nicht, und als der Winter den Rückzug antrat, begannen wir uns alle auf das große Frühlingsfest Beltane mit seinen lodernden Feuern und mitternächtlichen Festgelagen vorzubereiten. Aber dann gab es auf dem Tor eine noch größere Aufregung.

Gundleus von Siluria kam.

Zunächst erschien Bischof Bedwin. Er war der Berater, dem Uther das größte Vertrauen schenkte, und seine Ankunft versprach Abwechslung. Norwennas Dienerschaft wurde aus der Halle geschickt, und auf den Binsen wurden Webteppiche ausgebreitet, ein sicheres Zeichen dafür, daß eine wichtige Persönlichkeit kommen würde. Wir alle glaubten, es müsse Uther selbst sein, aber das Banner, das eine Woche vor Beltane auf der Landbrücke auftauchte, zeigte Gundleus' Fuchs, nicht Uthers Drachen. Es war ein strahlender Morgen, als ich zusah, wie die Reiter am Fuß des Tor absaßen. Der Wind ließ ihre Umhänge wehen und zerrte an ihrem ausgefransten Banner, auf dem ich den verhaßten Fuchskopf sah, bei dessen Anblick ich wütend aufschrie und das Zeichen zum Schutz gegen das Böse machte.

»Was ist?« erkundigte sich Nimue, die neben mir auf der östlichen Wachplattform stand.

»Das ist Gundleus' Banner!« gab ich zurück. Ich sah die Überraschung in Nimues Blick, denn Gundleus war König von Siluria und mit König Gorfyddyd von Powys, Dumnonias eingeschworenem Feind, verbündet.

»Bist du sicher?« fragte mich Nimue.

»Er hat meine Mutter mitgenommen«, sagte ich, »und mich hat sein Druide in die Todesgrube geworfen.« Ich spuckte über die Palisade in Richtung auf die etwa zwölf Männer, die sich aufgemacht hatten, den Tor zu Fuß zu erklimmen, weil er für die Pferde zu steil war. Und dort, mitten unter ihnen, war Tanaburs, Gundleus' Druide und mein böser Geist: ein hochgewachsener, alter Mann mit geflochtenem Bart und langem Weißhaar, das auf der Vorderhälfte des Schädels zu der von Druiden und Christenpriestern übernommenen Tonsur geschoren war. Auf halber Höhe des Berges warf er seinen Umhang ab und begann für den Fall, daß Merlin Geister zur Bewachung des Eingangstores hinterlassen hatte, einen Tanz, der sie schützen sollte. Als Nimue sah, wie der Alte an dem steilen Hang unsicher auf einem Bein zu hüpfen begann, spuckte sie in den Wind und lief zu Merlins Gemächern hinüber. Ich lief ihr nach, aber sie stieß mich von sich und sagte, ich könne die Gefahr nicht einschätzen.

»Gefahr?« fragte ich, aber sie war schon fort. Mir schien keine Gefahr zu bestehen, denn Bedwin hatte befohlen, das Landtor weit zu öffnen, und war nun damit beschäftigt, aus dem erregten Chaos auf dem Gipfel des Tor eine angemessene Begrüßung zu organisieren. Morgan war an jenem Tag nicht da, weil sie im Traumtempel in den östlichen Bergen Träume deuten mußte, doch alle anderen auf dem Tor eilten herbei, um die Besucher zu empfangen. Druidan und Ligessac ließen ihre Wachen antreten, der nackte Pellinore heulte die Wolken an, Guendoloen spie Bischof Bedwin zahnlose Flüche entgegen, und ein Dutzend Kinder balgten sich um den Platz mit dem besten Blick auf die Besucher. Der Empfang hätte würdevoll ausfallen sollen, aber Lunete, ein irisches Findlingsmädchen, das etwa ein Jahr jünger als Nimue war, ließ eine Horde von Druidans Schweinen los, so daß Tanaburs, der als erster das Palisadentor passierte, von einem quiekenden Tohuwabohu begrüßt wurde.

Ein paar in Panik geratene Ferkel konnten einen Druiden jedoch nicht erschüttern. Tanaburs, der in ein schmutziges, graues, mit Hasen und Halbmonden besticktes Gewand gehüllt war, stand in der Toröffnung und hob beide Hände über seinen halb geschorenen Schädel. Er drehte den mit einem Halbmond gekrönten Stab, den er in der Hand trug, dreimal in Sonnenlaufrichtung; dann heulte er Merlins Turm an. Ein Ferkel galoppierte an seinen Beinen vorbei, suchte in der schlammigen Toröffnung mit den Hufen nach Halt und verschwand den Hang hinab. Wieder heulte Tanaburs, der regungslos dastand, um den Tor auf unsichtbare Feinde zu prüfen.

Ein paar Sekunden lang herrschte Stille bis auf das Knattern des Banners und den schweren Atem der Krieger, die hinter dem Druiden den Berg heraufgeklettert waren. Gudovan, Merlins Schreiber, hatte sich, die Hände zum Schutz vor der Kälte mit tintenbefleckten Tuchstreifen umwickelt, zu mir gesellt. »Wer ist das?« fragte er mich und erschauerte, als ein klagender Schrei Tanaburs' Herausforderung erwiderte. Der Schrei kam aus der Halle, und er kam, wie ich erkannte, von Nimue.

Tanaburs sah zornig aus. Er bellte wie ein Fuchs, berührte seine Genitalien, machte das Zeichen gegen das Böse und begann auf einem Bein auf die Halle zuzuhüpfen. Nach etwa fünf Schritten hielt er inne, um abermals seine Herausforderung hinauszubrüllen, da aber diesmal kein antwortender Schrei von innen kam, stellte er auch den zweiten Fuß auf den Boden und gab seinem Herrn durch das offene Tor ein Zeichen. »Es ist ungefährlich!« rief Tanaburs. »Kommt, Lord König, kommt nur herein!«

»König?« fragte mich Gudovan. Ich erklärte ihm, wer die Besucher waren, und fragte dann, warum wohl Gundleus, unser Feind, auf den Tor gekommen sein mochte. Gudovan kratzte eine Laus unter seinem Hemd; dann zuckte er die Achseln. »Politik, Junge, Politik.«

»Erzählt«, bat ich ihn.

Gudovan seufzte, als wäre meine Frage Beweis für meine unverbesserliche Dummheit – seine übliche Entgegnung auf jede Frage –, ließ sich dann aber doch zu einer Antwort herab. »Norwenna ist heiratsfähig, Mordred ist ein Säugling, der beschützt werden muß, und wer kann einen Prinzen besser beschützen als ein König? Und wer wäre besser geeignet als ein feindlicher König, der dadurch zum Freund von Dumnonia werden kann? Im Grunde ist das alles ganz einfach, mein Junge, mit ein bißchen Nachdenken wärst du allein drauf gekommen und hättest nicht meine kostbare Zeit vergeuden müssen.« Zur Strafe versetzte er mir eine sanfte Kopfnuß. »Aber dann«, ergänzte er kichernd, »wird er Ladwys für eine Weile aufgeben müssen.«

»Ladwys?« fragte ich ihn.

»Seine Buhle, du dummer Bengel. Glaubst du vielleicht, ein König schläft allein? Manche Leute behaupten allerdings, Gundleus sei Ladwys so leidenschaftlich verfallen, daß er sich tatsächlich mit ihr vermählt habe! Er soll mit ihr zu Lleus Grabhügel gegangen sein, um den Bund von seinem Druiden schließen zu lassen, aber ich kann nicht glauben, daß er so dumm ist. Sie ist nicht von edlem Blut. Solltest du heute nicht für Hywel den Pachtzins ausrechnen?«

Ich ignorierte die Frage und sah zu, wie Gundleus und seine Leibwachen vorsichtig durch den glitschigen Schlamm am Eingang wateten. Der König von Siluria war ein hochgewachsener, gutgebauter Mann von ungefähr dreißig Jahren. Damals, als seine Männer meine Mutter gefangengenommen und mich in die Todesgrube geworfen hatten, war er noch ein junger Mann gewesen, aber die etwa zwölf Jahre, die seit jener finsteren, blutigen Nacht vergangen waren, hatten ihn freundlich behandelt, denn er sah noch immer sehr gut aus. Sein langes schwarzes Haar und der Gabelbart wiesen noch keine Spur von Grau auf. Er trug einen Umhang aus Fuchspelz, kniehohe Lederstiefel, eine rostbraune Tunika und ein

Schwert in einer roten Scheide. Seine Wachen waren ähnlich gekleidet; es waren durchweg hochgewachsene Männer, die Druidans traurige Schar verkrüppelter Speerträger weit überragten. Alle Silurier trugen Schwerter, kein einziger aber Speer oder Schild – ein Beweis dafür, daß sie in friedlicher Absicht kamen.

Als Tanaburs in meine Nähe kam, wich ich unwillkürlich zurück. Damals, als er mich in die Grube warf, war ich ein Kleinkind gewesen, also bestand keine Gefahr, daß der Alte in mir einen Todesbetrüger erkannte, und nachdem es ihm nicht gelungen war, mich zu töten, brauchte ich ihn auch nicht mehr zu fürchten, aber ich zuckte noch immer vor dem silurischen Druiden zurück. Er hatte blaue Augen, eine lange Nase und einen schlaffen, sabbernden Mund. Er hatte sich Knochen in die Enden seiner langen, glatten weißen Haare geflochten, die leise klapperten, als er vor seinem König einherschlurfte. Bischof Bedwin, der sich an Gundleus' Seite begab, sprach einen Willkommensgruß und sagte, der Tor fühle sich durch seinen königlichen Besuch hoch geehrt. Zwei der silurischen Wachen trugen eine schwere Truhe, die vermutlich Geschenke für Norwenna enthielt.

Die Gruppe verschwand im Saal. Das Fuchsbanner wurde draußen vor der Tür in die Erde gestoßen, wo Ligessacs Männer einen jeden am Eintreten hinderten, doch jene von uns, die auf dem Tor aufgewachsen waren, wußten genau, wie man sich in Merlins Halle stehlen konnte. Ich rannte um die Südseite herum, kletterte auf den Holzstoß und schob einen der Ledervorhänge beiseite, die die Fensteröffnungen schützten. Dann sprang ich zu Boden und versteckte mich hinter den Weidentruhen, in denen die Tücher für die Feste aufbewahrt wurden. Einer von Norwennas Sklaven sah, wie ich mich hereinmogelte, und einige von Gundleus' Männern wohl auch, aber keiner machte sich die Mühe, mich hinauszuwerfen.

Norwenna saß in der Mitte der Halle in einem Holzsessel. Die verwitwete Prinzessin war keine Schönheit: Sie hatte ein Mondgesicht mit kleinen Schweinsäuglein und einem schmalen, verkniffenen Mund, und ihre Haut hatte von einer Kinderkrankheit Narben zurückbehalten, aber das war alles nicht von Bedeutung. Hohe Herren heirateten Prinzessinnen nicht wegen ihres Aussehens, sondern wegen der Macht, die sie als Mitgift einbrachten. Dennoch hatte Norwenna sich sorgfältig auf diesen Besuch vorbereitet. Ihre Kammerfrauen hatten sie in einen feinen, wollenen Umhang gekleidet, der blaßblau gefärbt war und rundum bis auf den Boden fiel, und ihr das dunkle Haar zu Zöpfen geflochten, die sie ihr um den Kopf legten, bevor sie Schlehenblüten hineinsteckten. Um den Hals trug sie einen schweren goldenen Torques, am Handgelenk drei goldene Reifen, und zwischen ihren Brüsten hing ein schlichtes Holzkreuz. Sie war unverkennbar nervös, denn ihre freie Hand spielte mit dem Kreuz, während in ihrem anderen Arm Kronprinz Mordred von Dumnonia schlummerte. Man hatte ihn mit vielen Längen feinen Linnens umwickelt und in ein Tuch gehüllt, dem man mit vom Wachs der Bienenstöcke gesättigten Wasser eine sehr seltene goldene Farbe verliehen hatte.

König Gundleus schenkte Norwenna kaum einen Blick. Er lümmelte sich in einen Sessel ihr gegenüber und machte den Eindruck, als fühlte er sich von dem Geschehen gelangweilt. Tanaburs hastete von Säule zu Säule, murmelte Zaubersprüche und spuckte dabei immer wieder aus. Als er dicht an meinem Versteck vorüberkam, duckte ich mich tiefer, bis sich sein Geruch verzogen hatte. Auf den steinernen Feuerstellen an beiden Enden der Halle züngelten Flammen. Der Rauch vermischte sich und stieg in den rußgeschwärzten Dachraum hinauf. Von Nimue war nichts zu sehen.

Den Besuchern wurden Wein, Räucherfisch und Haferkuchen aufgetischt; dann meldete sich Bischof Bedwin zu Wort und erklärte Norwenna, daß Gundleus, König von Siluria, dem Großkönig einen Freundschaftsbesuch abstatten wolle und dabei zufällig an Ynys Wydryn vorbeigekommen sei. Dem Gebot der Höflichkeit folgend, habe er beschlossen, auch ihr einen Besuch abzustatten. Der König habe dem Prinzen Geschenke mitgebracht, berichtete Bedwin, woraufhin Gundleus die Geschenketräger mit einer lässigen Handbewegung heranwinkte. Die beiden Leibwachen schleppten die Truhe herbei und setzten sie zu Norwennas Füßen ab. Die Prinzessin hatte kein Wort geäußert und sagte auch jetzt nichts, als die Geschenke auf dem Teppich vor ihrem Sessel ausgebreitet wurden. Es gab einen schönen Wolfspelz, zwei Otterfelle, einen schweren Biberpelz und eine Hirschdecke, einen kleinen Goldtorques, ein paar Spangen, ein Trinkhorn, eingefaßt von einem silbernen Korbmuster, sowie eine römische Karaffe aus hellgrünem Glas mit einer wundervoll gearbeiteten, zierlichen Tülle und einem wie ein Kranz geformten Henkel. Als die leere Truhe hinausgetragen wurde, trat ein peinliches Schweigen ein, weil niemand wußte, was er sagen sollte. Mit einer unbeteiligten Geste deutete Gundleus auf die Geschenke, und Bischof Bedwin strahlte selig, während Norwenna zweifelnd die Gaben des Königs betrachtete, die, ehrlich gesagt, nicht eben großzügig ausgefallen waren. Aus der Hirschdecke ließ sich vermutlich ein schönes Paar Handschuhe schneidern, die Pelze waren gut, obwohl Norwenna in ihren eigenen Weidenkörben zweifellos viele weit schönere und kostbarere verwahrte, und der Torques an ihrem Hals war viermal so schwer wie jener, der zu ihren Füßen lag. Gundleus' Spangen bestanden aus dünnem Gold, das Trinkhorn war am Rand beschädigt. Nur die grüne römische Karaffe war wirklich wertvoll.

Bedwin brach das verlegene Schweigen. »Die Geschenke sind wundervoll! Kostbar und wundervoll. Wahrhaft großzügig, Lord König.«

Norwenna nickte gehorsam. Das Kind begann zu weinen, und Ralla, die Amme, trug es in die Schatten hinter den Säulen, wo sie eine Brust entblößte, um es zu stillen.

»Ist der Prinz wohlauf?« Es waren Gundleus' erste Worte, seit er die Halle betreten hatte.

»Gott und allen Heiligen sei Dank, ja«, antwortete Norwenna.

»Und sein linker Fuß?« erkundigte sich Gundleus taktlos. »Wird er gesunden?«

»Sein Fuß wird ihn nicht daran hindern, ein Pferd zu reiten, ein Schwert zu führen oder auf einem Thron zu sitzen«, gab Norwenna energisch zurück.

»Gewiß nicht, gewiß nicht«, entgegnete Gundleus und warf einen Blick zu dem hungrigen Säugling hinüber. Er lächelte, dann reckte er die langen Arme und ließ den Blick durch die Halle wandern. Von einer Vermählung sagte er nichts, aber das würde er in dieser Runde niemals tun. Wenn er Norwenna ehelichen wollte, würde er Uther fragen, nicht Norwenna. Dieser Besuch war lediglich eine Gelegenheit für ihn, seine Braut zu begutachten. Er warf Norwenna einen kurzen, desinteressierten Blick zu, dann betrachtete er wieder die düstere Halle. »Das ist also Lord Merlins Behausung, eh?« sagte Gundleus. »Wo ist er?«

Niemand antwortete. Tanaburs fingerte unter dem Rand eines Teppichs herum, und ich vermutete, daß er einen Zauber im Erdboden der Halle vergrub. Später, als die silurische Gruppe verschwunden war, durchsuchte ich die Stelle und fand eine kleine Knochenschnitzerei in Gestalt eines Ebers, die ich ins Feuer warf. Die Flammen loderten bläulich auf und knisterten heftig, und Nimue sagte, ich hätte das Richtige getan.

»Lord Merlin hält sich, wie wir glauben, in Irland auf«, antwortete Bischof Bedwin schließlich. »Oder vielleicht in der nördlichen Wildnis«, ergänzte er unbestimmt.

»Oder er ist vielleicht tot?« fragte Gundleus.

»Ich bete darum, daß das nicht zutrifft«, sagte der Bischof inbrünstig.

»Tatsächlich?« Gundleus drehte sich um, um in Bedwins faltiges Gesicht zu blicken. »Ihr billigt Merlin, Bischof?«

»Er ist ein Freund, Lord König«, gab Bedwin zurück. Er war ein würdevoller, rundlicher Mann und stets darauf bedacht, den Frieden zwischen den verschiedenen Religionen zu wahren.

»Lord Merlin ist ein Druide, Bischof, der Christen haßt.« Gundleus versuchte Bedwin herauszufordern.

»Mittlerweile gibt es viele Christen in Britannien«, erwiderte Bedwin, »und wenige Druiden. Ich denke, wir, die wir vom wahren Glauben sind, haben nichts zu befürchten.«

»Habt Ihr das gehört, Tanaburs?« rief Gundleus seinem Druiden zu. »Der Bischof fürchtet Euch nicht!«

Tanaburs antwortete nicht. Auf seinem Rundgang durch die Halle war er zu dem Geisterzaun gelangt, der die Tür zu Merlins Gemächern schützen sollte. Es war ein eher einfacher Zaun, der aus zwei Schädeln links und rechts neben der Tür bestand, doch nur ein Druide würde es wagen, die unsichtbare Schranke zu durchbrechen, und selbst ein Druide würde sich vor einem von Merlin errichteten Geisterzaun fürchten.

»Werdet Ihr heute nacht hier ruhen?« wandte sich Bischof Bedwin an Gundleus, um das Thema zu wechseln und von Merlin abzulenken.

»Nein«, gab Gundleus unhöflich zurück und stand auf. Ich dachte, er wolle sich verabschieden, statt dessen jedoch spähte er an Norwenna vorbei zu der schmalen, schwarzen, von Schädeln bewachten Tür hinüber, vor der Tanaburs herumspürte wie ein Jagdhund, der einen unsichtbaren Eber wittert. »Was befindet sich hinter jener Tür?« fragte der König.

»Die Gemächer meines Lord Merlin, Lord König«, antwortete Bedwin.

»Ein Ort der Geheimnisse?« wollte Gundleus mit wölfischem Grinsen wissen.

»Nur Schlafgemächer, weiter nichts«, erklärte Bedwin abwehrend.

Tanaburs hob seinen mondgekrönten Stab und streckte ihn bebend dem Geisterzaun entgegen. König Gundleus beobachtete die Vorstellung seines Druiden; dann leerte er seinen Wein und warf das Trinkhorn einfach zu Boden. »Vielleicht werde ich doch hier übernachten«, sagte der König, »aber zuerst wollen wir uns diese Schlafgemächer ansehen.« Er winkte Tanaburs voranzugehen, aber der Druide zögerte. Merlin war der mächtigste Druide von Britannien, den man sogar jenseits des Westmeeres fürchtete, und niemand würde leichtfertig in sein Privatleben eindringen, aber der große Mann war seit vielen Monaten nicht mehr gesehen worden, und manche tuschelten, Prinz Mordreds Tod sei ein Zeichen dafür, daß Merlins Macht nachlasse. Außerdem war Tanaburs wie sein Herr fasziniert von der Frage, was sich hinter dieser Tür befand. Dort konnten Geheimnisse verborgen sein, die Tanaburs möglicherweise genauso mächtig und gelehrt wie den großen Merlin selbst machen würden. »Öffnet die Tür!« befahl Gundleus Tanaburs.

Das Ende des Mondstabes bewegte sich zitternd auf einen der Schädel zu, verhielt einen Moment – und berührte das vergilbte Schädeldach. Nichts geschah. Tanaburs spuckte auf den Schädel und stieß ihn um. Dann riß er seinen Stab so hastig zurück wie ein Mann, der eine schlafende Natter aufgestört hat. Als daraufhin abermals nichts geschah, griff er mit der freien Hand nach dem hölzernen Riegel der Tür.

Und erstarrte vor Angst und Schrecken.

Wildes Geheul echote durch das rauchige Dämmerlicht der Halle. Ein grauenhaftes Kreischen, als würde ein junges Mädchen gefoltert, warf den entsetzten Druiden zurück. Norwenna, die vor Angst laut aufschrie, bekreuzigte sich. Mordred, der Säugling, begann zu weinen, und Ralla vermochte ihn nicht zu beruhigen. Gundleus zuckte zunächst bei dem Lärm zusammen; als das Geheul dann wieder abschwoll, lachte er. »Ein Krieger«, verkündete er der verängstigten Halle, »fürchtet sich nicht vor dem Geschrei eines Mädchens.« Damit schritt er auf die Tür zu, wobei er Bischof Bedwin ignorierte, der den König mit flatternden Händen zurückzuhalten versuchte, ohne ihn tatsächlich zu berühren.

Ein Krachen kam von der durch Geister bewachten Tür. Es war ein lautes, splitterndes Geräusch und kam so plötzlich, daß alle Anwesenden erschrocken zusammenzuckten. Zunächst dachte ich, die Tür sei unter dem Ansturm des Königs zerborsten. Dann sah ich, daß ein Speer hindurchgetrieben worden war. Die silbrige Spitze hob sich deutlich von dem alten, rußgeschwärzten Eichenholz ab, und ich versuchte mir vorzustellen, welch einer unmenschlichen Kraft es bedurfte, diesen geschärften Stahl durch ein so wuchtiges Hindernis zu stoßen.

Bei dem plötzlichen Erscheinen der Speerspitze hatte sogar Gundleus innegehalten, aber sein Stolz war bedroht, und er wollte sich vor den Augen seiner Krieger nicht zurückziehen. Also machte er das Schutzzeichen gegen das Böse, spuckte auf die Speerspitze, trat an die Tür, hob den Riegel und stieß die Tür auf.

Um augenblicklich mit vor Entsetzen verzerrtem Gesicht einen Schritt zurückzuweichen. Ich beobachtete ihn und sah die nackte Angst in seinen Augen. Er trat noch einen Schritt zurück. Dann hörte ich Nimues schrillen Schrei, während sie sich von innen her der Halle näherte. Tanaburs fuchtelte hektisch mit seinem Stab herum, Bedwin betete, der Säugling weinte, und Norwenna wandte sich mit angstvoller Miene in ihrem Sessel um.

Auf einmal trat Nimue vor die Tür. Als ich meine Freundin sah, erschauerte sogar ich vor Schreck. Denn sie war nackt, und ihr magerer weißer Körper war rot von dem Blut, das aus ihren Haaren tropfte und in Streifen an ihren kleinen Brüsten vorbei bis auf ihre Schenkel rann. Ihr Kopf war von einer Totenmaske gekrönt – der gegerbten Gesichtshaut eines geopferten Mannes –, die wie ein fauchender Helm oberhalb ihres eigenen Antlitzes saß und von der Haut der Arme des Toten gehalten wurde, die um ihren dünnen Hals geknotet war. Die Maske schien ein gräßliches Eigenleben zu besitzen, denn als Nimue auf den silurischen König zuschritt, blieb sie unablässig in Bewegung. Die trockene, gelbliche Körperhaut des Toten hing über ihren Rücken herab. Sie stolperte mit kleinen, unregelmäßigen Schritten vorwärts, und in ihrem blutverschmierten Gesicht war nur das Weiße ihrer Augen zu sehen. Während sie sich vorwärtstastete, stieß sie ständig Verwünschungen in einer Sprache aus, die noch widerwärtiger war als die der Krieger. In den Händen hielt sie zwei Vipern, deren dunkle Leiber glänzten und die ihre züngelnden Köpfe dem König entgegenreckten.

Gundleus wich zurück und machte hastig das Zeichen gegen das Böse. Dann fiel ihm ein, daß er ein Mann war, ein König und ein Krieger, und er legte die Hand ans Heft seines Schwertes. In diesem Moment machte Nimue eine Kopfbewegung, so daß die Totenmaske von ihren hoch auf dem Kopf zusammengesteckten Haaren nach hinten glitt, und plötzlich erkannten wir, daß es nicht ihre aufgetürmten Haare waren, die ihren Kopf bedeckten, sondern eine Fledermaus, die jetzt raschelnd die schwarzen Schwingen ausbreitete und Gundleus aus grellrotem Rachen anfauchte.

Beim Anblick der Fledermaus schrie Norwenna auf und stürzte hinüber, um ihr Kind an sich zu reißen, während wir anderen das Tier anstarrten, das in Nimues Haaren gefangen war. Es zuckte und flatterte, versuchte zu fliegen, fauchte und zappelte. Die Schlangen wanden sich, und plötzlich leerte sich der Saal. Norwenna lief zuerst hinaus, Tanaburs folgte ihr; dann eilten alle anderen, sogar der König, im Laufschritt dem Vormittagslicht hinter der östlichen Tür entgegen.

Während sie flohen, blieb Nimue reglos stehen; dann rollte sie die Augen und blinzelte. Sie schritt zum Feuer, um die beiden Schlangen achtlos in die Flammen zu werfen, wo sie fauchten, sich aufbäumten und zischelnd starben. Sie befreite die Fledermaus, die sofort zwischen den Dachbalken verschwand, löste die Totenmaske von ihrem Hals und rollte sie zu einem Bündel zusammen, bevor sie sich unter den Geschenken, die Gundleus mitgebracht hatte, die römische Karaffe heraussuchte. Sekundenlang starrte sie die Karaffe an; dann bog sie ihren drahtigen Körper und schleuderte das kostbare Stück an eine Eichenholzsäule, wo es in tausend blaßgrüne Scherben zersplitterte. »Derfel?« rief sie in die plötzliche Stille hinein, die darauf folgte. »Ich weiß, daß du hier bist!«

»Nimue?« antwortete ich furchtsam und erhob mich hinter meinem Wall aus Weidengeflecht. Ich hatte Angst. Im Feuer zischte das Schlangenfett, im Dachgebälk raschelte die Fledermaus.

Nimue sah mich lächelnd an. »Ich brauche Wasser, Derfel«, sagte sie.

»Wasser?« fragte ich dümmlich.

»Um mir das Hühnerblut abzuwaschen«, erklärte Nimue.

»Hühnerblut?«

»Wasser«, wiederholte sie. »Neben der Tür steht ein Krug. Bring ihn mir.«

»Da hinein?« fragte ich zutiefst erstaunt, denn ihre Geste schien anzudeuten, daß ich das Wasser in Merlins Gemächer bringen solle.

»Warum denn nicht?« gab sie zurück und schritt durch die Tür, in der noch immer die dicke Saufeder steckte, während ich den schweren Krug hob und ihr folgte. Sie stand vor einem gehämmerten Kupferblech, in dem sich ihr nackter Körper spiegelte. Es war ihr nicht peinlich – vielleicht, weil wir als Kinder alle zusammen splitternackt herumgelaufen waren; mir aber war voll Unbehagen bewußt, daß wir beide inzwischen keine Kinder mehr waren.

»Hier?« fragte ich sie.

Nimue nickte. Ich setzte den Krug ab und wollte mich rückwärts zur Tür zurückziehen. »Nein, bleib«, sagte sie. »Bitte. Und schließ die Tür.«

Bevor ich sie schließen konnte, mußte ich den Speer aus der Tür ziehen. Ich wagte sie nicht zu fragen, wie sie die Speerspitze durch das Eichenholz getrieben hatte, denn sie war nicht in der richtigen Stimmung für Fragen. Daher schwieg ich, während ich die Waffe entfernte und Nimue sich das Blut von der weißen Haut wusch und sich anschließend in einen schwarzen Umhang wickelte. »Komm her«, sagte sie, als sie fertig war. Gehorsam ging ich zu einer Lagerstatt aus Pelzen und Wolldecken hinüber, die auf einer niedrigen Holzplattform aufgehäuft waren, auf der sie nachts offenbar schlief. Das Lager hatte eine Art Zelt aus einem dunklen, muffigen Tuch, in dessen düsterem Schutz ich saß und sie in meinen Armen wiegte. Durch die weiche Wolle ihres Umhangs konnte ich ihre Rippen spüren. Sie weinte. Warum, das konnte ich nicht sagen; also hielt ich sie ungeschickt an mich gedrückt und sah mich in Merlins Schlafgemach um.

Es war ein außergewöhnlicher Ort. Überall waren Holztruhen und Weidenkörbe aufeinandergetürmt, die Ecken, Winkel und Korridore bildeten, durch die eine ganze Schar magerer Kätzchen streunte. An einigen Stellen waren die Stapel in sich zusammengefallen, als hätte jemand in einem der unteren Behältnisse etwas gesucht und keine Lust gehabt, den ganzen Berg abzutragen, sondern ihn kurzerhand umgestoßen. Überall lag Staub. Die Binsenbündel auf dem Boden schienen mir seit Jahren nicht mehr ausgewechselt worden zu sein, sondern waren zum größten Teil mit Teppichen oder Tüchern abgedeckt, die nun vor sich hin moderten. Der Gestank im Raum war überwältigend: eine Mischung aus Staub, Katzenurin, Feuchtigkeit, Fäulnis und Schimmel, unter die sich die feineren Düfte der Kräuter mengten, die in Bündeln von den Dachbalken hingen. Auf einer Seite der Tür stand ein Tisch, überhäuft mit brüchigen Pergamentrollen. Auf einem verstaubten Regal über dem Tisch waren Tierschädel angeordnet, und als sich meine Augen an das gruftgleiche Dämmerlicht gewöhnten, erkannte ich, daß sich mindestens zwei Menschenschädel darunter befanden. An einem dicken Tontopf, in dem ein Bündel mit Spinnweben behängter Speere steckte, lehnten mehrere verblaßte Schilde. An einer Wand hing ein Schwert. Eine rauchende Kohlenpfanne stand in einem Haufen grauer Asche dicht neben dem großen Kupferspiegel, an dem eigenartigerweise ein Christenkreuz hing, an dessen Balken die verzerrte Gestalt ihres toten Gottes genagelt war. Das Kreuz war – zur Vorbeugung gegen das ihm innewohnende Böse – mit einem Mistelzweig geschmückt. An einem Dachsparren hing ein dichtes Gewirr von verschiedenen Geweihen, daneben Bündel getrockneter Mistelzweige und eine baumelnde Traube schlafender Fledermäuse, deren Dung auf dem Fußboden kleine Häufchen bildete. Fledermäuse im Haus waren das böseste aller bösen Vorzeichen, doch ich nahm an, daß Menschen, die so mächtig waren wie Merlin und Nimue, sich keine Gedanken über derlei alltägliche Bedrohungen zu machen brauchten. Auf einem zweiten Tisch standen Schalen herum, Mörser, Stößel, eine Metallwaage, Kolben und wachsversiegelte Töpfe, in denen er, wie ich später entdeckte, Tau von den Gräbern Ermordeter verwahrte, Pulver aus zerstoßenen Totenschädeln, Aufgüsse von Belladonna, Alraune und Stechapfel, während eine seltsame Steinurne neben dem Tisch mit einem Durcheinander aus Adlersteinen, Elfenbrot, Schlangensteinen und Hexensteinen gefüllt war, dazwischen Federn, Muscheln und Kiefernzapfen. Noch nie hatte ich einen so überfüllten Raum gesehen, noch nie einen, der so schmutzig und so faszinierend war. Und ich fragte mich, ob das Gemach nebenan, Merlins Turm, genauso wundervoll-schauerlich war wie dieses.

Nimue hatte aufgehört zu weinen und lag reglos in meinen Armen. Sie mußte das Staunen und den Abscheu gespürt haben, mit dem ich diesen Raum betrachtete. »Er wirft nie etwas weg«, erklärte sie müde, »niemals.« Ich sagte nichts, sondern tröstete und streichelte sie nur. Eine Weile blieb sie völlig erschöpft liegen; doch als meine Hand den Umhang über einer ihrer kleinen Brüste zu erforschen suchte, wandte sie sich zornig ab. »Wenn es das ist, was du willst«, sagte sie, »dann geh zu Sebile.« Damit raffte sie den Umhang fest um sich zusammen, stieg von der Lagerstatt und ging zu dem Tisch mit Merlins Gerätschaften.

Verlegen stammelte ich eine Entschuldigung.

»Unwichtig«, tat sie meine Worte ab. Draußen auf dem Tor und auch in der großen Halle nebenan konnten wir Stimmen hören, doch niemand versuchte uns zu stören. Nimue wühlte zwischen den Schalen, Töpfen und Kellen auf dem Tisch herum, bis sie gefunden hatte, was sie suchte: ein Messer aus schwarzem Stein, dessen Klinge zu knochenweißen Schneiden geschliffen war. Damit kehrte sie zu dem modrigen Lager zurück und kniete neben der Plattform nieder, so daß sie mir direkt ins Gesicht sehen konnte. Ihr Umhang hatte sich geöffnet, und ich war mir peinlich ihres nackten, überschatteten Körpers bewußt, aber sie starrte mir so unverwandt in die Augen, daß ich nichts anderes tun konnte, als ihren Blick zu erwidern.

Eine sehr lange Zeit sagte sie gar nichts. In dieser Stille konnte ich fast mein eigenes Herz klopfen hören. Sie schien um einen Entschluß zu ringen, einen jener Entschlüsse, die so schwerwiegend sind, daß sie das Gleichgewicht eines Lebens unwiderruflich verändern können; deswegen wartete ich voll Angst, ohne mich aus meiner unbequemen Stellung erheben zu können. Ihre zerzausten schwarzen Haare rahmten ihr herzförmiges Gesicht. Nimue war weder schön noch häßlich, doch aus ihren Zügen sprachen eine Kraft und eine Lebendigkeit, die keiner äußerlichen Schönheit bedurften. Ihre Stirn war hoch und breit, ihre Augen dunkel und brennend, ihre Nase scharf, ihr Mund voll, ihr Kinn schmal. Sie war die klügste Frau, die ich jemals kennengelernt habe, aber selbst in jenen Tagen, als sie kaum mehr als ein Kind war, war sie von einer Traurigkeit erfüllt, die ebendieser Klugheit entsprang. Sie wußte so viel! Sie war entweder wissend geboren, oder die Götter hatten ihr dieses Wissen geschenkt, als sie sie vor dem Ertrinken bewahrten. Als Kind hatte sie oft voll Unsinn und Schalkhaftigkeit gesteckt, nun aber, da sie Merlins Führung entbehren und seine Verantwortung auf ihren mageren Schultern tragen mußte, hatte sie sich verändert. Ich selbst veränderte mich natürlich auch, aber meine Veränderung war vorhersehbar: Ein knochiger Knabe entwickelte sich zu einem hochgewachsenen jungen Mann. Nimue dagegen ging nahtlos von der Kindheit in die Autorität über. Diese Autorität entsprang ihrem Traum, einem Traum, den sie mit Merlin teilte, den sie aber niemals, wie Merlin, aufs Spiel setzen würde. Nimue wollte alles oder nichts. Sie hätte lieber zugesehen, wie die ganze Welt in der Kälte einer gottlosen Leere unterging, als denjenigen, die ihre Vorstellung eines vollkommenen, den eigenen britischen Göttern ergebenen Britanniens zu verwässern trachteten, auch nur einen Zoll nachzugeben. Und nun, als sie da vor mir kniete, wußte ich, daß sie erwog, ob ich würdig sei, in diesem leidenschaftlichen Traum eine Rolle zu spielen.

Sie traf ihre Entscheidung und rückte näher zu mir heran. »Gib mir deine linke Hand«, verlangte sie.

Ich reichte sie ihr.

Mit ihrer Linken ergriff sie meine Hand so, daß die Handfläche nach oben zeigte, und murmelte einen Zauberspruch. Ich erkannte die Namen von Camulos, dem Kriegsgott, von Manawydan fab

Llyr, Nimues ganz persönlichem Meeresgott, von Agrona, der Göttin des Schlachtens, von Aranrhod, »Silberrad«, der Göttin der Morgenröte, aber die meisten Namen und Wörter waren mir fremd und wurden in einem so hypnotisierenden Ton gesprochen, daß ich schläfrig und ganz ruhig wurde, ohne mich darum zu kümmern, was Nimue sagte oder tat, bis sie plötzlich das Messer quer über meine Handfläche zog; erst dann schrie ich erschrocken auf. Sie beruhigte mich. Sekundenlang lag der Schnitt wie eine haarfeine Linie auf meiner Hand, dann quollen Blutstropfen hervor.

Sie schnitt sich auf dieselbe Art in die eigene Hand, dann legte sie ihren Schnitt auf den meinen und ergriff meine kraftlosen Finger mit den ihren. Sie ließ das Messer fallen, hob einen Zipfel ihres Umhangs und wickelte ihn fest um unsere blutenden Hände. »Derfel«, sagte sie leise, »solange deine Hand diese Narbe trägt, solange die meine diese Narbe trägt, sind wir eins. Einverstanden?«

Als ich ihr in die Augen sah, wurde mir klar, daß es sich hier um keine Kleinigkeit handelte, gewiß nicht um ein Kinderspiel, sondern um einen Eid, der mich auf meinem ganzen Weg durch diese Welt und möglicherweise noch in der nächsten Welt binden würde. Sekundenlang stieg in mir Angst vor allem auf, was mir bevorstand; dann nickte ich, und es gelang mir irgendwie, etwas zu sagen. »Einverstanden«, erklärte ich.

»Und solange du diese Narbe trägst, Derfel«, fuhr sie fort, »gehört dein Leben mir, und solange ich diese Narbe trage, gehört mein Leben dir. Hast du das verstanden?«

»Ja«, antwortete ich. Meine Hand pochte. Sie fühlte sich heiß und geschwollen an, während ihre Hand in meinem blutigen Griff winzig und kühl wirkte.

»Eines Tages, Derfel«, sagte Nimue, »werde ich dich rufen, und wenn du dann nicht kommst, werden die Götter dich an dieser Narbe als falschen Freund, Verräter und Feind erkennen.«

»Ja«, sagte ich.

Schweigend sah sie mich eine Weile an. Dann kletterte sie zu mir auf den Berg aus Pelzen und Decken und rollte sich in meinen Armen zusammen. Es war unbequem, so eng zusammen zu liegen, denn unsere beiden linken Hände waren noch immer verbunden, doch irgendwie richteten wir uns ein und lagen dann still. Draußen ertönten Stimmen, und Staub trieb in das hohe, dunkle Gemach herein, wo die Fledermäuse schliefen und die Kätzchen jagten. Es war kalt, aber Nimue zog ein Fell über uns beide. Dann schlief sie ein, und das Gewicht ihres leichten Körpers ließ meinen Arm empfindungslos werden. Ich blieb wach, voll Ehrfurcht und Verwirrung über das, was das Messer zwischen uns hatte entstehen lassen.

Am späten Nachmittag erwachte sie. »Gundleus ist fort«, verkündete sie schläfrig, obwohl mir nicht klar war, woher sie das wußte. Sie löste sich aus meinem Griff und den zerwühlten Pelzen, bevor sie den Umhangzipfel abnahm, der noch immer um unsere Hände gewickelt war. Das Blut war verkrustet, und als wir uns trennten, platzte der Schorf schmerzhaft von den Wunden. Nimue ging zu dem Bündel Speere hinüber und holte sich eine Handvoll Spinnweben, die sie mir auf die blutende Handfläche legte. »Das heilt schnell wieder«, behauptete sie leichthin. Sie wickelte ein Stück Tuch um ihre eigene Hand und kramte irgendwo ein wenig Brot und Käse hervor. »Hast du Hunger?« fragte sie mich.

»Immer.«

Wir aßen gemeinsam. Das Brot war trocken und hart, der Käse von Mäusen angeknabbert. Jedenfalls glaubte Nimue, daß es Mäuse gewesen waren. »Vielleicht haben auch die Fledermäuse reingebissen«, sagte sie. »Fressen Fledermäuse Käse?«

»Ich weiß es nicht«, antwortete ich und zögerte. »War es eine zahme Fledermaus?« Ich meinte jene, die sie sich in die Haare gesetzt hatte. Natürlich hatte ich derartige Dinge schon öfter gesehen, doch weder Merlin noch seine Gehilfen und Gehilfinnen wollten darüber sprechen, ich nahm aber an, daß mir die seltsame Zeremonie mit den blutenden Händen Nimues Vertrauen verschafft hatte.

Und so war es. Sie schüttelte den Kopf. »Das ist ein alter Trick, um die Dummen zu erschrecken«, sagte sie geringschätzig. »Ich habe ihn bei Merlin gelernt. Man fesselt die Beine der Fledermaus mit Falkenfußriemen und befestigt die Fußriemen dann in den eigenen Haaren.« Sie fuhr sich durch den schwarzen Schopf und lachte. »Und sogar Tanaburs habe ich einen Schreck eingejagt! Stell dir das vor! Ihm – einem Druiden!«

Ich war keineswegs belustigt. Ich wollte an ihre Zauberkraft glauben, nicht aber einen schlauen Trick mit Falkenfußriemen erklärt bekommen. »Und die Schlangen?« erkundigte ich mich.

»Die hält er in einem Korb. Ich mußte sie füttern.« Sie erschauerte und sah meine Enttäuschung. »Was ist?«

»Sind das wirklich alles nur Tricks?« fragte ich sie.

Sie krauste die Stirn und schwieg lange. Ich dachte schon, sie wollte überhaupt nicht antworten, aber schließlich erklärte sie es mir, und ich erkannte beim Zuhören, daß ich all jene Dinge hörte, die Merlin sie gelehrt hatte. Die Magie, berichtete sie, ereigne sich in jenen Momenten, da sich das Leben der Götter und der Menschen berühre, doch über diese Momente besitze der Mensch keine Kontrolle. »Ich kann nicht mit den Fingern schnalzen, damit sich der Raum mit Nebel füllt«, sagte sie, »aber ich habe so etwas schon erlebt. Ich kann die Toten nicht erwecken, aber Merlin sagt, er habe es schon mal beobachtet. Ich kann keinem Blitz befehlen, Gundleus zu töten, obwohl ich es wirklich gern tun würde, weil nur die Götter so etwas bewirken können. Aber es gab eine Zeit, Derfel, da konnten wir all diese Dinge tun, da lebten wir mit den Göttern, machten sie uns geneigt und konnten dann ihre Macht dazu benutzen, Britannien so zu gestalten, wie sie es wollten. Wir gehorchten ihnen, verstehst du, aber ihr Befehl war gleichzeitig unser Wunsch.« Sie legte die Hände aneinander, um ihre Worte zu unterstreichen, und zuckte zusammen, als der Schnitt in ihrer linken Hand unter dem Druck zu schmerzen begann. »Dann jedoch kamen die Römer«, sagte sie, »und brachen den Pakt.«

»Aber warum?« unterbrach ich sie ungeduldig, da ich diesen Teil der Geschichte größtenteils schon kannte. Merlin erzählte uns ständig, wie Rom den Bund zwischen Britannien und seinen Göttern zerschlagen hatte, nie aber hatte er uns erklärt, warum das geschehen konnte, wo doch die Götter so mächtig waren. »Warum haben wir die Römer nicht besiegt?« fragte ich Nimue.

»Weil die Götter es nicht wollten. Manche Götter sind böse, Derfel. Und außerdem sind nicht sie uns verpflichtet, sondern wir ihnen. Vielleicht hat es ihnen einfach gefallen. Aber vielleicht haben auch unsere Vorfahren den Pakt gebrochen, und die Götter bestraften sie, indem sie die Römer herschickten. Wir wissen es nicht, aber wir wissen, daß die Römer fort sind, und Merlin sagt, es besteht die

Möglichkeit, eine ganz geringe Möglichkeit, Britannien wiederherzustellen.« Sie sprach mit leiser, eindringlicher Stimme. »Wir müssen das alte Britannien wiederherstellen, das echte Britannien, das Land der Götter und Menschen, und wenn wir das schaffen, Derfel, wenn wir das schaffen, werden wir die Macht der Götter wiedererlangen.«

Ich wollte ihr glauben. Wie sehr wollte ich glauben, daß unser kurzes, von Krankheiten geplagtes und vom Tod verfolgtes Leben durch den Wohlwollen übernatürlicher, mit wunderbarer Macht begabter Wesen von neuer Hoffnung erfüllt werden konnte! »Aber ihr müßt mit Tricks arbeiten, ja?« fragte ich, ohne meine Enttäuschung zu verbergen.

»Ach, Derfel.« Nimue ließ die Schultern hängen. »Überleg doch mal. Nicht jeder kann die Gegenwart der Götter spüren, deshalb haben ja auch jene, die es können, eine ganz besondere Verpflichtung. Wenn ich Schwäche zeige, wenn ich einen Augenblick lang Unglauben erkennen lasse – was gibt es dann noch an Hoffnung für die Menschen, die glauben wollen? Es sind im Grunde eigentlich keine Tricks, es sind ...« – sie hielt inne und suchte nach dem richtigen Wort – »Insignien. Genau wie Uthers Krone, seine Torques, sein Banner und sein Stein auf Caer Cadarn. Diese Dinge verkünden uns, daß Uther der Großkönig ist, und wir behandeln ihn dementsprechend, und wenn Merlin sich unter sein Volk begibt, muß auch er seine Insignien tragen. Damit zeigt er den Menschen, daß er die Götter berührt, und die Menschen fürchten ihn dafür.« Sie deutete auf die Tür mit dem zersplitterten Speerloch. »Als ich nackt, mit zwei Schlangen und einer Fledermaus, die unter der Haut eines Toten versteckt war, durch diese Tür trat, stand ich einem König, seinem Druiden und seinen Kriegern gegenüber. Ein junges Mädchen, Derfel, gegen einen König, einen Druiden und eine königliche Leibwache. Und wer hat gewonnen?«

»Du.«

»Also hat der Trick gewirkt, aber es war nicht meine Macht, die das zustande gebracht hat. Es war die Macht der Götter. Allerdings mußte ich an diese Macht glauben, damit der Trick wirken konnte. Und um glauben zu können, Derfel, muß man sein ganzes Leben dieser Aufgabe widmen.« Sie sprach jetzt mit einer außergewöhnlich intensiven Leidenschaft. »Jede Minute eines jeden Tages und in jedem Augenblick einer jeden Nacht muß man für die Götter offen sein. Dann werden sie zu einem kommen. Nicht immer dann, wenn man es will, natürlich, aber wenn man sie niemals bittet, werden sie einem nie antworten; doch wenn sie antworten, Derfel, o ja, wenn sie antworten, dann ist es so wundervoll und so schrecklich, als hätte man Schwingen, die einen hoch hinauf in Glanz und Glorie tragen.« Ihre Augen strahlten. Noch nie hatte ich erlebt, daß sie von diesen Dingen sprach. Vor kurzem noch war sie ein Kind gewesen, nun aber hatte sie Merlins Lager geteilt und seine Lehren und seine Macht in sich aufgenommen, und das gefiel mir nicht. Ich war eifersüchtig und zornig, und ich begriff nichts mehr. Sie entwuchs mir, und ich konnte es nicht verhindern.

»Ich bin offen für die Götter«, verkündete ich gereizt. »Ich glaube an sie. Ich wünsche mir ihre Hilfe.«

Mit ihrer bandagierten Hand berührte sie mein Gesicht. »Du wirst ein Krieger werden, Derfel, ein sehr großer. Du bist ein guter Mensch, du bist ehrlich, du bist so gerade wie Merlins Turm, und in dir ist nicht die kleinste Spur von Wahnsinn. Keine Spur; nicht mal ein vereinzelter, verzweifelter Funke. Glaubst du vielleicht, es ist mein *Wunsch*, Merlin zu folgen?«

»Ja«, antwortete ich gekränkt. »Ich weiß genau, daß es so ist!« Damit wollte ich natürlich sagen, daß ich gekränkt war, weil sie sich nicht ausschließlich mir widmen wollte.

Sie holte tief Luft und starrte in das schattige Dachgebälk hinauf, wo zwei Tauben durch den Rauchabzug hereingeflogen waren und nun auf einem Balken entlangtrippelten. »Manchmal«, sagte sie, »würde ich, glaube ich, gern heiraten, Kinder haben, zusehen, wie sie aufwachsen, selber alt werden und sterben; aber von all dem, Derfel« – wieder sah sie mir in die Augen – »wird mir nur das letzte zuteil werden. Ich kann den Gedanken nicht ertragen, die drei Wunden der Weisheit erdulden zu müssen, aber ich muß. Ich muß!«

»Die drei Wunden?« Davon hatte ich noch nie gehört.

»Die Wunde des Körpers«, erklärte mir Nimue, »die Wunde des Stolzes ...« – hier berührte sie sich zwischen den Beinen – »und die Wunde des Geistes. Das ist der Wahnsinn.« Sie hielt inne, und ein Ausdruck des Grauens zog über ihr Gesicht. »Merlin hat alle drei erlitten, deswegen ist er ein so weiser Mann. Morgan hat die schlimmste Wunde des Körpers erlitten, die man sich vorstellen kann, aber sie hat die anderen beiden Wunden nicht erlitten, darum wird sie den Göttern niemals wirklich gehören. Ich selbst habe noch keine der drei erlitten, aber das wird noch kommen. Es muß!« Sie sagte es heftig. »Es muß kommen, weil ich auserwählt bin.«

»Warum wurde ich nicht auserwählt?« wollte ich wissen.

Sie schüttelte den Kopf. »Du verstehst nicht, Derfel. Niemand hat mich auserwählt, einzig ich selbst. Du ganz allein mußt dich entscheiden. Es kann jedem von uns hier geschehen. Deswegen sammelt Merlin Findelkinder, denn er meint, Waisen könnten ganz spezielle Kräfte besitzen, aber das trifft nur auf sehr wenige zu.«

»Aber auf dich«, stellte ich fest.

»Ich sehe die Götter überall«, sagte Nimue schlicht. »Und sie sehen mich.«

»Ich habe noch nie einen Gott gesehen«, antwortete ich bockig.

Sie lächelte über meinen Groll. »Das wirst du schon noch«, sagte sie. »Du mußt dir Britannien als eine mit wehenden Nebelbändern geschmückte Frau vorstellen, Derfel. Nur ein paar dünne Nebelstreifen hier und da, die davontreiben und sich auflösen. Aber diese Streifen sind die Götter, und wenn wir sie finden und sie erfreuen können, wenn wir ihnen das Land wieder übergeben können, werden diese dünnen Streifen stärker werden und sich zu einem einzigen, wundervollen Nebel verdichten, der das ganze Land bedeckt und uns vor allem beschützt, was außerhalb liegt. Deswegen leben wir hier, auf dem Tor. Merlin weiß, daß die Götter diesen Ort lieben, und hier ist der heilige Nebel auch dicht, aber unsere Aufgabe ist es, ihn zu verbreiten.«

»Ist Merlin deswegen unterwegs?«

Sie lächelte. »In diesem Augenblick, Derfel, schläft Merlin. Und das muß ich jetzt ebenfalls tun. Hast du irgendwelche Aufgaben zu erfüllen?«

»Pachtzins ausrechnen«, antwortete ich verlegen. Die unteren Speicher füllten sich mit Räucherfisch, Bleibarren, Wannen voll Holzkohle und sogar ein paar seltenen Stücken Bernstein und Jett: die Winterpacht, die an Beltane fällig war und die Hywel schätzen, in Warenlisten eintragen und in Merlins Anteil und jenen teilen mußte, der den Steuereinnehmern des Großkönigs auszuhändigen war.

»Dann geh und zähle«, sagte Nimue, als wäre nichts Besonderes zwischen uns geschehen, beugte sich aber vor und gab mir einen schwesterlichen Kuß. »Nun geh schon«, sagte sie, und ich verließ Merlins Gemach, um mich den vorwurfsvollen, neugierigen Blikken von Norwennas Damen auszusetzen, die in die große Halle zurückgekehrt waren.

Bald darauf entzündeten wir die großen Beltane-Feuer. Unsere Flammen loderten in der Finsternis, um der wiedererwachenden Welt neues Leben zu bringen. Fern im Osten wurden die ersten sächsischen Plünderer gesichtet, doch keiner gelangte in die Nähe von Ynys Wydryn. Auch Gundleus von Siluria sahen wir nicht wieder. Gudovan, der Schreiber, vermutete, der Heiratsantrag sei abgelehnt worden, und sagte düster einen erneuten Krieg gegen die nördlichen Königreiche voraus.

Merlin kehrte nicht zurück, und wir erhielten auch keine Nachricht von ihm.

Kronprinz Mordred bekam Zähne. Die ersten zeigten sich im Unterkiefer – Omen für ein langes Leben –, und Mordred benutzte sie sofort, um Rallas Brustwarzen blutig zu beißen; dennoch fuhr sie fort, ihn zu stillen, damit ihr eigener, gut gepolsterter Sohn mit der Muttermilch Prinzenblut trinken konnte. Je länger die Tage wurden, desto munterer wurde Nimue. Die Narben an unseren Händen verblaßten von Rosa zu Weiß und waren dann nur noch als Schattenlinien zu sehen. Nimue erwähnte sie nie wieder.

Als der Großkönig eine Woche auf Caer Cadarn verbrachte, wurde der Edling dorthin geschafft, damit der Großvater ihn in Augenschein nehmen konnte. Uther mußte das, was er sah, gefallen haben, und die Frühlingszeichen standen allesamt günstig, denn drei Wochen nach Beltane erfuhren wir, daß die Zukunft des Königreichs, die Zukunft Norwennas und die Zukunft des Kindes Mordred von einem Hohen Rat entschieden werden würde, dem ersten, der nach mehr als sechzig Jahren in Britannien einberufen wurde.

Es war Lenz, die Bäume grünten, und die Menschen in diesem Land waren von hochgespannten Erwartungen erfüllt.

Der Hohe Rat tagte in Glevum, einer römischen Stadt am Severn-Fluß, unmittelbar hinter Dumnonias nördlicher Grenze zu Gwent. Uther wurde mit einem von vier Ochsen gezogenen Karren dorthin gebracht. Die Zugtiere waren mit Maizweigen geschmückt und mit grünen Schabracken bedeckt. Der Großkönig genoß die langsame Reise durch sein frühsommerliches Königreich – vielleicht weil er wußte, daß er Britanniens ganze Schönheit zum letzen Mal sah, bevor er durch Cruachans Höhle und über die Schwerterbrücke in die Anderwelt hinüberging. In den Rainhecken, zwischen denen seine Ochsen einherstapften, leuchteten die Weißdornblüten, die Wälder waren mit Glockenblumen geschmückt, und zwischen den Weizen-, Roggen- und Gerstenhalmen und auf den nahezu mähreifen Wiesen, auf denen die Wachtelkönige lärmten, glühten tiefrote Mohnblumen. Der Großkönig reiste gemächlich, machte immer wieder in Dörfern und an Gutshöfen halt, wo er Ackerland und Gebäude inspizierte und Männern, die weit besser wußten als er, wie man eine Gerbgrube anlegte oder einen Eber verschnitt, gutgemeinte Ratschläge erteilte. In Aquae Sulis badete er in den heißen Quellen, und als er die Stadt verließ, fühlte er sich so wohl, daß er eine ganze Meile weit zu Fuß ging, bevor er sich wieder in seinen mit Pelzen ausgelegten Karren helfen ließ. Begleitet wurde er von seinen Barden, seinen Ratgebern, seinem Arzt, seinen Sängern, einem Troß von Bediensteten und einer Eskorte von Kriegern, die unter dem Kommando von Owain, seinem Champion und Befehlshaber der Leibwache, stand. Zum Zeichen dafür, daß sie in friedlicher Absicht kamen, hatten sich alle Reisenden Blumen angesteckt, und die Krieger trugen ihre Schilde verkehrt herum. Allerdings war Uther zu alt und zu vorsichtig, um sich nicht ständig zu vergewissern, daß die Speerspitzen jeden Tag frisch geschliffen wurden.

Auch ich marschierte mit nach Glevum. Zwar hatte ich dort nichts zu suchen, aber Uther hatte Morgan zum Hohen Rat befohlen. Normalerweise waren Frauen bei Ratsversammlungen, hohen oder weniger hohen, nicht gern gesehen, aber da Uther überzeugt war, daß kein anderer so gut für Merlin sprechen könne wie Morgan, hatte er sich aus Verzweiflung über Merlins Abwesenheit an sie gewandt. Außerdem war sie Uthers außereheliche Tochter, und der Großkönig pflegte zu sagen, in Morgans goldmaskiertem Kopf wohne mehr Verstand als in den Schädeln der Hälfte seiner Ratgeber zusammen. Darüber hinaus war Morgan für Norwennas Gesundheit verantwortlich, und schließlich sollte über Norwennas Zukunft entschieden werden, obwohl Norwenna selbst weder geladen noch dazu befragt wurde. Sie blieb in Ynys Wydryn in der Obhut von Merlins Gemahlin Guendoloen zurück. Morgan hätte niemanden außer ihre Sklavin Sebile nach Glevum mitgenommen, wenn Nimue ihr nicht im letzen Moment kühl und gelassen mitgeteilt hätte, sie werde ebenfalls nach Glevum reisen und ich solle sie begleiten.

Morgan machte natürlich viel Aufhebens davon, doch Nimue nahm die Empörung der Älteren mit aufreizender Ruhe hin. »Es wurde mir befohlen«, erklärte sie Morgan, und als Morgan in schrillem Ton wissen wollte, von wem, lächelte Nimue schweigend. Morgan war doppelt so groß und doppelt so alt wie Nimue, aber als Merlin Nimue in sein Bett holte, hatte er die Macht in Ynys Wydryn auf sie übertragen, und angesichts dieser Autorität war die Ältere hilflos. Gegen meine Teilnahme aber protestierte sie dennoch. Sie wollte wissen, warum Nimue nicht Lunete mitnehme, die zweite Irin unter Merlins Findelkindern. Ein Bursche wie ich, behauptete Morgan, sei keine Gesellschaft für eine junge Frau, und als Nimue weiterhin nur lächelte, fauchte Morgan, sie werde Merlin von Nimues Vorliebe für mich in Kenntnis setzen, dann wäre es mit Nimues Macht vorbei, doch Nimue lachte nur über diese plumpe Drohung und kehrte ihr kurzerhand den Rücken.

Mich kümmerte diese Auseinandersetzung wenig. Ich wollte nur nach Glevum gehen, die Turnierkämpfe erleben, den Barden zuhören, mir die Tänze ansehen und vor allem mit Nimue zusammensein.

Also zogen wir als wenig harmonisches Quartett nach Glevum. Morgan stapfte, den Schlehdornstab in der Hand, voran. Ihre Goldmaske glänzte in der Sommersonne. Jeder ihrer schweren, hinkenden Schritte war eine nachdrückliche Geste des Mißfallens an Nimues Gegenwart. Sebile, die sächsische Sklavin, hastete, tief gebückt unter einem Bündel von Bettlaken, getrockneten Kräutern und Töpfen, hinter ihrer Herrin einher. Ihr folgten Nimue und ich, barfuß, barhäuptig und frei jeglicher Last. Nimue trug einen langen schwarzen Umhang über ihrem weißen Gewand, das sie in der Mitte mit einem Sklavenstrick zusammengefaßt hatte. Das lange schwarze Haar hatte sie hoch aufgesteckt, und sie trug keinerlei Schmuck, nicht einmal eine Knochennadel, um ihren Umhang zusammenzuhalten. An Morgans Hals glänzte ein schwerer goldener Torques, und ihr dunkelbrauner Umhang wurde in Brusthöhe von zwei goldenen Spangen gehalten, von denen die eine die Form eines dreigehörnten Hirschs besaß. Die andere war der schwere Drachenschmuck, den Uther ihr in Caer Cadarn geschenkt hatte.

Ich genoß die Reise. Wir brauchten drei Tage, und das war ziemlich lange, denn Morgan konnte nur langsam gehen, aber die Sonne schien auf uns herab, und die römische Straße erleichterte uns den Marsch. Wenn der Abend dämmerte, suchten wir den Hof des nächsten Häuptlings auf und schliefen als Ehrengäste in seiner mit Stroh gefüllten Scheune. Anderen Reisenden begegneten wir kaum, und die wenigen, die wir trafen, machten uns bereitwillig Platz, denn das helle Leuchten von Morgans Gold galt als Symbol ihrer hohen Stellung. Man hatte uns vor herren- und landlosen Männern gewarnt, die reisende Kaufleute auf den großen Straßen ausraubten, aber wir wurden von niemandem bedroht – vielleicht, weil Uthers Soldaten Vorkehrungen für den Hohen Rat getroffen und Wälder und Hügel gründlich nach Briganten durchsucht hatten. Wir kamen an mehr als einem Dutzend verwesender Leichname vorbei, die zur Warnung am Rand der Straße gepfählt worden waren. Die Leibeigenen und Sklaven, denen wir begegneten, knieten vor Morgan nieder, Kaufleute machten ihr höflich Platz, und nur ein Reisender wagte es, unsere Autorität in Frage zu stellen: ein wildbärtiger Priester mit einem zerlumpten Anhang struppiger Weiber. Diese Christengruppe tanzte die Straße entlang und lobte singend ihren gekreuzigten Gott, doch als der Priester die goldene Maske sah, die Morgans Gesicht bedeckte, sowie das dreifache Geweih und den geflügelten Drachen ihrer Spangen, beschimpfte er sie als eine Kreatur des Teufels. Der Priester muß sich wohl gedacht haben, daß er eine so stark entstellte, hinkende Frau mit seinem Hohn leicht aus dem Gleichgewicht bringen könnte, aber ein Wanderprediger in Begleitung seiner Ehefrau und einiger heiliger Huren konnte es mit Igraines Tochter, Merlins Schützling und Arthurs

Schwester nicht aufnehmen. Morgan versetzte dem Burschen mit ihrem schweren Stab einen einzigen Schlag aufs Ohr, der ihn seitwärts in einen mit Nesseln gefüllten Graben schleuderte; dann schritt sie ohne einen Blick zurück davon. Die Weiber des Priesters stoben kreischend auseinander. Einige beteten, andere stießen Flüche aus, doch Nimue glitt unberührt von ihren Bosheiten wie ein Geist zwischen ihnen hindurch.

Ich selbst trug keine Waffen, es sei denn, man will einen Stab und ein Messer als die Ausrüstung eines Kriegers bezeichnen. Ich hätte nur allzugern Schwert und Speer getragen, denn ich wollte wie ein erwachsener Mann auftreten, aber Hywel hatte gespottet, ein Mann werde man nicht, weil man sich das wünscht, sondern durch Taten. Zu meinem Schutz schenkte er mir einen Bronzetorques, auf dem an beiden Enden Merlins gehörnter Gott dargestellt war. Niemand, erklärte er mir, würde es wagen, Merlin herauszufordern. Dennoch fühlte ich mich ohne echte Männerwaffen wehrlos. Warum, fragte ich Nimue, ging ich überhaupt mit?

»Weil du mein Eidgenosse bist, mein Kleiner«, antwortete Nimue. Ich war zwar inzwischen schon größer als sie, aber aus liebevoller Zuneigung fuhr sie auch weiterhin fort, mich so zu nennen. »Und weil du und ich von Bel auserwählt wurden. Und wenn er uns auserwählt, müssen wir einander auch auserwählen.«

»Aber warum gehen wir beide nach Glevum?« wollte ich wissen.

»Weil Merlin es will, natürlich.«

»Wird er ebenfalls dort sein?« erkundigte ich mich eifrig. Merlin war schon so lange fort, und Ynys Wydryn war ohne ihn wie ein Himmel ohne Sonne.

»Nein«, antwortete sie gelassen, aber woher sie wußte, was Merlin in dieser Hinsicht wollte, war mir ein Rätsel, denn Merlin war noch immer weit fort, und der Aufruf zum Hohen Rat war erst lange nach seiner Abreise erfolgt.

»Und was machen wir, wenn wir in Glevum sind?«

»Das werden wir wissen, sobald wir dort ankommen«, gab sie geheimnisvoll zurück und war zu keiner weiteren Erklärung zu bewegen.

Glevum wirkte, als ich mich erst einmal an den alles überdeckenden Gestank nach Abtrittkot gewöhnt hatte, auf wunderbare Weise fremdartig. Abgesehen von einigen jener Villen auf Merlins Ländereien, die als Bauernhöfe genutzt wurden, war dies das erstemal, daß ich eine echte römische Ortschaft zu sehen bekam, und so staunte ich über die Sehenswürdigkeiten wie ein frisch geschlüpftes Küken. Die Straßen waren mit eingepaßten Steinen gepflastert, und obwohl sie in den vielen Jahren seit dem Abzug der Römer uneben geworden waren, hatten König Tewdrics Mannen ihr Bestes getan, den Schaden zu beheben, indem sie Unkraut jäteten und die Erde wegfegten, so daß die neun Straßen der Stadt wie steinere Wasserläufe in der Trockenzeit wirkten. Es war schwer, auf ihnen zu gehen, und Nimue und ich mußten lachen, wenn wir sahen, wie die Pferde mit den glatten Steinen fertig zu werden trachteten. Die Häuser waren nicht weniger fremdartig als die Straßen. Wir bauten unsere Höfe und Häuser aus Holz, Dachstroh, Lehmbatzen und Flechtwerk, doch diese römischen Bauten waren alle miteinander verbunden und bestanden aus Steinen und sonderbar schmalen Ziegeln. Einige Häuser waren im Laufe der Jahre eingestürzt und hatten Lücken in den langen Reihen der niedrigen Häuser hinterlassen, die seltsamerweise mit gebrannten Lehmziegeln gedeckt waren. Die ummauerte Stadt, die eine Furt des Severn bewachte, befand sich zwischen zwei Königreichen und ganz in der Nähe eines dritten und war dadurch zu einem berühmten Handelsknotenpunkt geworden. In den Häusern arbeiteten Töpfer, Goldschmiede beugten sich über ihre Tische, Kälber blökten auf den Schlachthöfen hinter dem Marktplatz, auf dem zahlreiche Landbewohner Butter, Nüsse, Leder, Räucherfisch, Honig, gefärbtes Tuch und frisch geschorene Wolle verkauften. Das Schönste von allem aber waren – wenigstens für meine geblendeten Augen – König Tewdrics Soldaten. Es waren Römer, jedenfalls behauptete Nimue das, oder wenigstens Briten, die von den Römern gelernt hatten, und alle trugen ihre Bärte kurz geschoren und waren einheitlich in kräftige Lederschuhe und wollene Beinlinge unter den kurzen Lederröckchen gekleidet. Die älteren Soldaten hatten Bronzeplatten auf ihren Röcken befestigt, und wenn sie ausschritten, klimperten diese Bronzeplatten wie Kuhglocken. Jeder Mann trug einen blankpolierten Brustpanzer, einen langen, rostroten Umhang und einen Lederhelm, der auf dem Kopf zu einem Kamm genäht worden war.

Einige Helme waren mit gefärbten Federn geschmückt. Die Soldaten trugen kurze, breite Schwerter, lange Speere mit polierten Schäften und rechteckige Schilde aus Holz und Leder, auf denen Tewdrics Stiersymbol prangte. Die Schilde waren alle gleich groß, die Speere alle gleich lang, und die Soldaten marschierten im Gleichschritt. Für mich war das ein so außerordentlicher Anblick, daß ich anfangs lachen mußte, bis ich mich später daran gewöhnte.

In der Mitte der Stadt, wo die vier Straßen von den vier Toren auf einem geräumigen Platz zusammentrafen, stand ein weitläufiges, erstaunliches Gebäude. Selbst Nimue starrte es sprachlos an, denn kein lebendes Wesen konnte so etwas erbaut haben; so hoch, so weiß und mit so scharfen Kanten. Das hohe Dach wurde von Säulen gestützt, und auf der dreieckigen Fläche zwischen Dachfirst und oberen Säulenenden waren wundervolle Bilder in den weißen Stein gemeißelt worden, auf denen prächtige Männer ihre Feinde von den Hufen ihrer Pferde zertrampeln ließen. Diese Steinmänner trugen ganze Bündel von Steinspeeren und Steinhelme mit hochaufragenden Steinkämmen. Einige der Bilder waren heruntergefallen oder vom Frost zerborsten, aber sie wirkten dennoch wie ein Wunder auf mich, obwohl Nimue sie, nachdem sie sie aufmerksam betrachtet hatte, anspie, um das Böse zu bannen.

»Gefällt es dir nicht?« fragte ich sie verstimmt.

»Die Römer wollten Götter sein«, antwortete sie, »deswegen haben die Götter sie gedemütigt. Der Hohe Rat sollte nicht hier zusammenkommen.«

Aber der Hohe Rat war nun einmal nach Glevum gerufen worden, und Nimue konnte daran nichts ändern. Hier, im Schutz von römischen Wällen aus Erde und Holz, sollte das Schicksal von Uthers Königreich entschieden werden.

Als wir die Stadt erreichten, war der Großkönig schon lange eingetroffen. Er wohnte in einem anderen hohen Gebäude, das der Säulenhalle am Marktplatz gegenüberlag. Er zeigte sich weder überrascht noch verärgert darüber, daß Nimue mitgekommen war – möglicherweise glaubte er, sie gehöre zu Morgans Gefolge –, und wies uns allen einen Raum ganz hinten im Haus zu, in den der Rauch aus den Küchen und das Gezanke der Sklaven drangen. Neben Tewdrics blitzblanken Mannen wirkten die Soldaten des

Großkönigs schäbig. Unsere Soldaten trugen lange Haare und struppige Bärte, geflickte, ausgefranste Umhänge in den verschiedensten Farben sowie lange, schwere Schwerter, roh geschäftete Speere und runde Schilde. Im Vergleich zu Tewdrics sorgfältig gemalten Stieren wirkte Uthers Drachensymbol grobschlächtig.

Während der ersten beiden Tage wurde gefeiert. Die Champions der beiden Königreiche bestritten Freundschaftskämpfe vor den Mauern, und als Owain, Uthers Champion, die Arena betrat, sah König Tewdric sich genötigt, zwei seiner besten Männer gegen ihn in den Kampf zu schicken. Dumnonias berühmter Held galt als unüberwindlich, und genauso sah er auch aus, als er dastand und die Sommersonne sich in seinem langen Schwert spiegelte. Er war ein Riese, mit tätowierten Armen, haariger, nackter Brust und einem gesträubten Bart voll Kriegerringe, die aus den Waffen besiegter Feinde geschmiedet worden waren. Sein Kampf gegen Tewdrics Champions sollte nur ein Scheingefecht sein, aber davon war wenig zu spüren, als die beiden Helden von Gwent ihn abwechselnd attackierten. Die drei Männer fochten, als wären sie von Haß erfüllt; sie tauschten Schwerthiebe, die bis ins ferne Powys hinein zu hören gewesen sein mußten, und schon nach wenigen Minuten mischte sich Blut in ihren Schweiß, waren die stumpfen Seiten ihrer Schwerter voller Scharten, und alle drei hinkten, doch Owain hatte noch immer die Oberhand. Trotz seiner Größe war er sehr schnell und geschickt im Umgang mit dem Schwert, und in seinen Schlägen steckte eine vernichtende Kraft. Die Zuschauermenge, die aus der ganzen Umgebung herbeigeströmt war und daher sowohl aus Uthers wie auch aus Tewdrics Königreich stammte, brüllte wie wild, um ihre Männer anzuspornen, aber Tewdric, der die entfesselte Leidenschaft erkannte, warf schließlich seinen Stab in den Sand, um damit den Kampf zu beenden. »Vergeßt nicht, wir sind Freunde«, sagte er zu den drei Kämpen, und Uther, der, wie es dem Großkönig zustand, eine Stufe höher als Tewdric saß, nickte zustimmend.

Uther sah abstoßend und krank aus; sein Körper war aufgedunsen, sein Gesicht gelblich und schlaff, sein Atem ging mühsam. Er war in einer Sänfte zum Kampfplatz getragen worden und saß in einen dicken Umhang gehüllt auf seinem Thron, so daß sein juwelenbesetzter Gürtel und der glänzende Torques nicht mehr zu sehen waren. König Tewdric war wie ein Römer gekleidet – sein Großvater war ein echter Römer gewesen, und diese Tatsache erklärte wohl auch seinen fremdartigen Namen. Der König trug das Haar sehr kurz geschnitten, war bartlos und in eine weiße Toga gehüllt, die geschickt auf einer Schulter gerafft war. Er war hoch gewachsen, schlank und bewegte sich graziös, und obwohl er noch ein junger Mann war, ließ ihn der traurige, weise Ausdruck seines Gesichtes weit älter wirken. Enid, seine Königin, trug die Haare zu einer seltsamen, geflochtenen Spirale frisiert, die so hoch auf ihrem Kopf aufgetürmt war, daß sie gezwungen war, sich mit der eckigen Unbeholfenheit eines neugeborenen Fohlens zu bewegen. Ihr Gesicht war mit einer weißen Paste zugedeckt, die einen leeren Ausdruck erstaunter Langeweile auf ihren Zügen fixierte. Meurig, ihr Sohn und Edling von Gwent, war ein zappeliger zehnjähriger Knabe, der zu Füßen seiner Mutter saß und jedesmal, wenn er sich in der Nase bohrte, einen Klaps von seinem Vater bekam.

Nach den Kämpfen trugen die Harfenspieler und Barden ihren Wettstreit aus. Cynyr, der Barde von Gwent, sang das hohe Lied von Uthers Sieg über die Sachsen bei Caer Idern. Später fiel mir ein, daß Tewdric es als Tribut an den Großkönig bestellt haben mußte, und tatsächlich schien Uther der Vortrag zu gefallen, denn er lächelte, während die Verse dahinrollten, und nickte, wenn ein bestimmter Krieger gelobt wurde. Cynyr trug den Sieg mit klingender Stimme vor, und als er zu den Zeilen kam, in denen erzählt wurde, wie Owain die Sachsen zu Tausenden abschlachtete, wandte er sich dem erschöpften, zerschlagenen Schwertkämpfer zu, und einer von Tewdrics Champions, der noch vor einer Stunde versucht hatte, den gewaltigen Kämpen zu besiegen, stand auf und hob Owains Schwertarm. Die Menge tobte, dann lachte sie, weil Cynyr eine Frauenstimme nachahmte, um zu schildern, wie die Sachsen um Gnade gebettelt hatten. Mit kleinen, ängstlichen Schritten trippelte er um den Kampfplatz herum, duckte sich, als wollte er sich verstecken, und die Zuhörer jubelten ihm zu. Ich fand es auch wundervoll, denn man konnte gleichsam sehen, wie sich die verhaßten Sachsen vor Angst verkrochen, man konnte den Gestank ihres Todesblutes riechen und die Schwingen der Raben hören, die herbeigeflogen kamen, um sich an ihrem Fleisch gütlich zu tun. Dann richtete sich Cynyr zu seiner vollen Größe auf, ließ den Mantel fallen, damit man sah, daß sein blau bemalter Körper nackt war, und sang die Huldigung an die Götter, die mit angesehen hatten, wie ihr Champion, Großkönig Uther von Dumnonia, Pendragon von Britannien, die Könige, Häuptlinge und Champions der Feinde schlug. Dann warf sich der Barde, immer noch nackt, vor König Uthers Thron zu Boden.

Uther fingerte unter seinem zotteligen Umhang herum und zog einen Torques aus gelbem Gold hervor, den er Cynyr zuwarf. Da sein Wurf schwächlich war, fiel der Torques auf den Rand des Holzpodests, auf dem die beiden Könige saßen. Nimue erbleichte angesichts dieses bösen Zeichens; Tewdric jedoch hob den Torques gelassen auf und trug ihn zu dem weißhaarigen Barden hinüber, den er eigenhändig vom Boden aufhob.

Nachdem die Barden gesungen hatten und als gerade die Sonne hinter dem niedrigen, dunklen Kamm der westlichen Berge, die das Ende der silurischen Gebiete markierten, unterging, brachte eine Gruppe junger Mädchen Blumen für die Königinnen, aber es saß nur eine einzige Königin auf dem Podium, Enid. Sekundenlang wußten die Mädchen, die die Blumen für Uthers Lady trugen, nicht, was sie tun sollten, dann regte sich Uther und zeigte auf Morgan, die neben dem Podium auf einer eigenen Bank saß. Die Mädchen schwenkten ab und häuften Iris, Mädesüß und Bienenragwurz zu ihren Füßen. »Wie ein mit Petersilie garnierter Kloß sieht sie aus«, zischelte mir Nimue ins Ohr.

Am Abend vor der Versammlung des Hohen Rates wurde in der großen Halle des riesigen Gebäudes in der Mitte der Stadt ein christlicher Gottesdient abgehalten. Tewdric war ein begeisterter Christ, und all seine Anhänger drängten in die Halle, die von brennenden Fackeln in eisernen Wandhaltern beleuchtet wurde. Da es an jenem Abend geregnet hatte, stank es in der überfüllten Halle nach Schweiß, nasser Wolle und Holzrauch. Die Frauen standen auf der linken Seite der Halle, während die Männer rechts standen, und nur Nimue mißachtete diese Ordnung gelassen und kletterte auf einen Sockel hinter der dunklen Menge von barhäuptigen Männer in ihren Umhängen. Es gab noch mehr von diesen Sockeln, auf denen meist Statuen standen, doch unser Sockel war leer und bot ausreichend Platz für uns beide, um bequem sitzen und die christlichen Riten beobachten zu können. Obwohl ich anfangs viel mehr über die Ausmaße der riesigen Halle staunte, die höher, breiter und länger war als jede andere Festhalle, die ich jemals gesehen hatte: Sie war so groß, daß sogar Spatzen in ihr wohnten und diese römische Halle wohl für die große, weite Welt hielten. Der Spatzenhimmel war ein gewölbtes Dach, getragen von gedrungenen Backsteinsäulen, die früher einmal mit glattem, weißem Stuck ummantelt und mit Bildern bemalt gewesen waren. Reste dieser Bilder gab es noch immer: Ich entdeckte die rötlichen Umrisse eines dahinjagenden Hirschs, ein Seeungeheuer mit Hörnern und gegabeltem Schwanz und zwei Frauen, die einen zweihenkligen Becher hielten.

Uther war nicht in der Halle, doch seine christlichen Krieger nahmen an dem Ritual teil, und Bischof Bedwin, der Ratgeber des Großkönigs, half bei den Zeremonien, die Nimue und ich von unserem Ausguck aus beobachteten wie zwei ungehorsame Kinder, die Erwachsene belauschen. König Tewdric war anwesend, und mit ihm einige der Fürsten und Prinzen, die am folgenden Tag am Hohen Rat teilnehmen würden. Diese Mächtigen hatten ihre Plätze ganz vorn in der Halle, aber der Großteil des Feuerscheins fiel nicht auf ihre Sessel, sondern auf die Christenpriester, die sich an einer Tafel versammelt hatten. Es war das erste Mal, daß ich diese Kreaturen bei ihren Riten beobachten konnte. »Was genau ist eigentlich ein Bischof?« fragte ich Nimue.

»So was Ähnliches wie ein Druide«, antwortete sie, und tatsächlich hatten alle Christenpriester den vorderen Teil ihres Schädels genauso kahl rasiert wie die Druiden. »Nur daß sie nichts gelernt haben«, ergänzte Nimue spöttisch, »und nichts wissen.«

»Sind das alles Bischöfe?« fragte ich sie, denn es herrschte ein ständiges Kommen und Gehen von geschorenen Männern, die hin und her liefen, immer um die feuerbeschienene Tafel am hinteren Ende der Halle.

»Nein. Einige sind nur Priester. Die wissen sogar noch weniger als Bischöfe.« Sie lachte.

»Keine Priesterinnen?« fragte ich sie.

»In ihrer Religion«, antwortete sie verächtlich, »müssen die

Frauen den Männern gehorchen.« Sie spuckte gegen das Böse aus, und einige in der Nähe stehende Krieger warfen ihr mißbilligende Blicke zu. Nimue beachtete sie nicht. Sie hockte, in ihren schwarzen Umhang gehüllt, auf unserem Sockel und hatte die Arme um die bis an die Brust emporgezogenen Knie geschlungen. Morgan hatte uns verboten, an den christlichen Zeremonien teilzunehmen, aber Nimue ließ sich inzwischen nichts mehr von Morgan befehlen. Im Feuerschein wirkte ihr schmales Gesicht dunkel, und nur ihre Augen glänzten hell.

Die seltsamen Priester sangen und psalmodierten in griechischer Sprache, die keinem von uns geläufig war. Immer wieder verneigten sie sich, woraufhin ein allgemeines Knien und Wiederaufrichten folgte. Jede Verbeugung wurde in der rechten Hälfte der Halle von einem unrhythmischen Geklapper begleitet, weil hundert oder mehr Schwertscheiden auf den gefliesten Boden stießen. Wie die Druiden hielten die Priester die Arme beim Beten seitwärts ausgestreckt. Sie trugen seltsame Gewänder, die Tewdrics Toga glichen und von kurzen, verzierten Überwürfen bedeckt waren. Wenn sie sangen, erwiderten die Zuhörer den Gesang, und einige Frauen, die hinter der zarten, bleichen Königin Enid standen, begannen in Ekstase zu kreischen und zu zittern, aber die Priester beachteten den Krach nicht und fuhren fort, zu singen und zu psalmodieren. Auf der Tafel stand ein schlichtes Kreuz, vor dem sie sich verneigten, während Nimue das Zeichen des Bösen machte und einen schützenden Zauberspruch murmelte. Wir beide begannen uns allmählich zu langweilen, und ich hätte mich gern davongestohlen, damit wir uns einen guten Platz für das große Festmahl, das nach der Zeremonie in Uthers Halle beginnen sollte, sichern konnten. Doch dann wechselte die Sprache dieses Abends plötzlich ins Britische. Ein junger Priester wandte sich mit einer leidenschaftlichen Rede an die Zuhörer.

Dieser junge Priester war Sansum, und ich bekam den Heiligen an jenem Abend zum ersten Mal zu Gesicht. Damals war er noch jung, viel jünger als die Bischöfe, aber er galt allgemein als der kommende Mann, die Hoffnung für die Zukunft der Christen, und die Bischöfe hatten ihm, um ihn in seiner Laufbahn zu fördern, bewußt die Ehre zuteil werden lassen, hier zu predigen.

Sansum war schon immer ein magerer Mann gewesen, kleinwüchsig, mit einem scharfen, glattrasierten Kinn und einer fliehenden Stirn, über der sein Haarkranz steif und schwarz wie eine Dornenhecke emporstieß; allerdings war diese Hecke oben kürzer getrimmt als an den Seiten, so daß ihm über den Ohren schwarze, stachlige Haarbüschel vom Kopf abstanden. »Er sieht aus wie Lughtigern«, flüsterte mir Nimue zu, und ich mußte laut auflachen, denn Lughtigern ist der Mäuselord der Kindermärchen, ein streitbarer Prahlhans, der aber, sobald die Katze auftaucht, immer als erster Fersengeld gibt. Dennoch verstand sich dieser tonsurierte Mäuselord aufs Predigen. Bis zu jenem Abend hatte ich noch nie das heilige Evangelium unseres Herrn Jesus Christus gehört, und noch heute erschauere ich zuweilen, wenn ich daran denke, wie übel ich jene erste Predigt aufnahm. Aber die Kraft dieses Vortrags werde ich nie vergessen. Sansum stand auf einem zweiten Tisch, damit er sehen und gesehen werden konnte, und gelegentlich wäre er in seinem Eifer beim Predigen beinah heruntergefallen und mußte von seinen Priesterfreunden zurückgehalten werden. Ich hoffte inständig, er werde fallen, doch irgendwie gelang es ihm jedesmal, das Gleichgewicht zu wahren.

Die Predigt begann eher herkömmlich. Er dankte Gott für die Anwesenheit der großen Könige und mächtigen Edelherren, die gekommen seien, das Evangelium zu hören; dann machte er König Tewdric ein paar hübsche Komplimente, bevor er sich in eine Schmährede stürzte, in der er die Meinung der Christen von Britanniens Zustand darlegte. Es war, wie mir später klar wurde, weit mehr eine politische Ansprache als eine Predigt.

Gott, führte Sansum aus, liebe die Insel Britannien, Britannien sei ein ganz besonderes Land. Es hebe sich von den anderen Ländern ab und sei von einem glänzenden Meer umgeben, das es vor Pestilenzen, Ketzern und Feinden schütze. Britannien, fuhr er fort, sei außerdem mit großen Herrschern und mächtigen Kriegern gesegnet, und doch sei die Insel in letzter Zeit von Fremden zerrissen worden, und seine Felder, Scheunen und Dörfer seien dem Schwert anheimgefallen. Die heidnischen Sais, die Sachsen, eroberten das Land unserer Väter und verwandelten es in eine Wüste. Die gefürchteten Sais schändeten die Gräber unserer Ahnen, sie vergewaltigten unsere Frauen und erschlügen unsere Kinder, doch solche Dinge könnten nicht geschehen, wenn sie nicht der Wille Gottes seien. Warum aber sollte Gott seinen ganz besonders geliebten Kindern den Rücken kehren?

Weil diese Kinder, erklärte er, sich weigerten, auf seine heilige Botschaft zu hören. Die Kinder Britanniens verehrten immer noch Holz und Stein. Die sogenannten heiligen Haine seien immer noch da, und ihre Schreine bärgen immer noch die Schädel der Toten und würden mit dem Blut der Opfer gewaschen. In den Städten sehe man solche Dinge zwar nicht, sagte Sansum, denn in den Städten lebten zumeist Christen, aber die ländlichen Gebiete, warnte er uns, seien überall von Heiden verseucht. Es gebe zwar nur noch wenige Druiden in Britannien, aber in jedem Tal und auf jedem Farmland gebe es Männer und Frauen, die als Druiden aufträten, die einem toten Stein lebendige Wesen opferten und die einfache Menschen mit Zaubersprüchen und Amuletten in die Irre führten. Sogar Christen – hier funkelte Sansum die Versammlung finster an – gingen mit ihren Kranken zu heidnischen Hexen und mit ihren Träumen zu heidnischen Seherinnen, und solange diese schändlichen Praktiken Unterstützung fänden, würde Gott Britannien mit Vergewaltigung, Metzeleien und Sachsen schlagen. Hier hielt er inne, um Luft zu holen, und ich berührte den Torques an meinem Hals, denn ich erkannte, daß dieser zeternde Mäuselord der Feind meines Lehrmeisters Merlin und meiner Freundin Nimue war. Wir hätten gesündigt, rief Sansum plötzlich und breitete die Arme aus, wodurch er auf der Tischkante ins Schwanken geriet, und müßten nun allesamt Buße tun. Die Könige von Britannien, verkündete er, müßten Christus und seine gebenedeite Mutter lieben, und nur wenn das ganze britische Volk in Gott vereint sei, werde Gott ganz Britannien vereinigen. Inzwischen reagierten die Andächtigen auf seine Predigt; sie brüllten ihre Zustimmung hinaus, baten ihren Gott lautstark um Gnade und forderten hysterisch schreiend den Tod der Druiden und ihrer Anhänger. Es war beängstigend.

»Komm«, flüsterte Nimue mir zu, »ich habe genug gehört.«

Wir rutschten von unserem Podest und schlichen uns durch die Menge, die den Vorplatz unter den äußeren Säulen der Halle füllte. Zu meiner Schande muß ich gestehen, daß ich den Umhang bis an mein bartloses Kinn emporzog, damit man meinen Torques nicht sah, als ich Nimue die Treppe hinab und auf den windigen Platz hinaus folgte, der auf allen Seiten von knisternden Fackeln beleuchtet wurde. Ein leichter Regen kam aus Westen, der die Steine des Platzes im Feuerschein glänzen ließ. Obwohl Tewdrics uniformierte Leibwachen den Platz umringten, führte mich Nimue in die Mitte des weiten Rechtecks, wo sie unvermittelt innehielt und in leises Gelächter ausbrach. Anfangs war es eher ein Kichern, das sich jedoch schnell zu lautem Lachen steigerte und sich schon bald in bissigen Hohn und schließlich in ein trotziges Heulen verwandelte, das an den Dächern von Glevum vorbei hoch in den Himmel aufstieg und in einem wilden, wahnsinnigen Kreischen endete, so animalisch wie der Todesschrei eines in die Enge getriebenen wilden Tieres. Und während sie immer weiter kreischte, drehte sie sich mit der Sonne um ihre Achse, von Norden nach Osten, nach Süden, nach Westen und wieder nach Norden, und kein einziger Soldat rührte sich. Einige der Christen im Portikus des großen Gebäudes warfen uns erboste Blicke zu, griffen aber nicht ein. Denn selbst die Christen erkannten, wenn jemand von den Göttern berührt worden war, und keiner wagte es, Hand an Nimue zu legen.

Als ihr der Atem ausging, sank sie erschöpft auf dem Pflaster zusammen. Sie schwieg, eine winzige Gestalt unter einem schwarzen Umhang, ein formloses Wesen, das zitternd zu meinen Füßen lag. »Ach, mein Kleiner«, sagte sie schließlich mit fast versagender Stimme, »ach, du mein Kleiner…«

»Was ist?« fragte ich sie. Ich muß gestehen, daß mir der Duft brutzelnden Schweinefleischs, der aus Uthers Halle herüberdrang, ungleich verlockender vorkam als diese Trance, die Nimue so furchtbar angegriffen hatte.

Sie streckte ihre vernarbte Linke aus, und ich zog sie auf die Füße. »Wir haben eine Chance«, erklärte sie mir mit leiser, verängstigter Stimme, »nur eine einzige Chance, und wenn wir die vertun, werden uns die Götter verlassen. Sie werden sich von uns abwenden und uns den Untieren überlassen. Und diese Toren da drüben, der Mäuselord und seine Anhänger, werden uns diese Chance verderben, wenn wir sie nicht bekämpfen. Aber es gibt so viele von ihnen, und wir sind nur so wenige!« Vor Verzweiflung weinend, sah sie mir ins Gesicht.

Ich wußte nicht, was ich sagen sollte. Obwohl ich Merlins Findelkind und Kind des Gottes Bel war, verstand ich mich nicht auf die Geisterwelt. »Bel wird uns helfen, nicht wahr?« fragte ich hilflos. »Er liebt uns doch – oder?«

»Uns lieben?« Sie entriß mir ihre Hand. »Uns lieben?« wiederholte sie höhnisch. »Es ist nicht Aufgabe der Götter, uns zu lieben. Liebst du Druidans Schweine? Wieso also sollte uns ein Gott, in Bels Namen, lieben? Liebe! Was weißt du denn schon von Liebe, Derfel, du Sohn einer Sächsin?«

»Ich weiß, daß ich dich liebe.« Heute kann ich ungehindert erröten, wenn ich an das verzweifelte Ringen eines Knaben um die Zuneigung einer Frau zurückdenke. Es hatte mich jeden Funken Mut gekostet, diese Aussage zu machen, jede Spur Courage, die ich, wie ich hoffte, besaß, und nachdem ich die Worte hervorgestoßen hatte, errötete ich im regengestreiften Feuerschein und wünschte, ich hätte den Mund gehalten.

Nimue sah mich lächelnd an. »Ich weiß«, antwortete sie, »ich weiß. Aber jetzt komm. Auf uns wartet ein Festmahl.«

In diesen Tagen, meinen letzten Tagen, die ich schreibend im Kloster in Powys' Bergen verbringe, schließe ich zuweilen die Augen und sehe Nimue vor mir. Nicht so, wie sie wurde, sondern so, wie sie damals war: voller Begeisterung, wach, selbstsicher. Ich weiß, ich habe Christus gewonnen und durch seinen Segen die ganze Welt; aber das, was ich verloren habe, das, was wir alle verloren haben, ist mit nichts aufzuwiegen. Wir haben alles verloren.

Das Festmahl war köstlich.

Der Hohe Rat begann am Vormittag, nachdem die Christen einen weiteren Gottesdienst abgehalten hatten. Sie hielten ziemlich viele davon ab, fand ich, denn zu jeder Stunde des Tages schien ein erneuter Kniefall vor dem Kreuz erforderlich zu sein, doch diese Verzögerung gab den Fürsten und Kriegern Zeit, sich von ihrem nächtlichen Gelage, dem Prahlen und Kämpfen zu erholen. Der Hohe Rat tagte in der großen Halle, die wieder von Fackeln erleuchtet wurde, denn obwohl die Frühlingssonne draußen hell strahlte, waren die wenigen Fenster der Halle hoch und schmal und weniger geeignet, das Licht herein- als den Rauch abziehen zu lassen, obwohl sie auch diese Aufgabe nur unzulänglich erfüllten.

Uther, der Großkönig, saß auf einem Podium über der Plattform, die den Königen, Prinzen und Fürsten vorbehalten war. Tewdric von Gwent, Gastgeber der Ratsversammlung, saß unterhalb von Uther, und zu beiden Seiten von Tewdrics Thron standen ein Dutzend weitere Thronsessel, in denen an diesem Tag die Vasallenkönige oder Fürsten Platz nahmen, die Uther oder Tewdric Tribut zahlten. Fürst Cadwy von Isca war anwesend, der Belgerkönig Melwas, Fürst Gereint, Herr der Steine, während das ferne Kernow, das wilde Königreich an Britanniens westlicher Spitze, seinen Edling Tristan abgesandt hatte, der, in Wolfspelze gehüllt, am Rand der Plattform neben einem der beiden leeren Throne saß.

In Wahrheit waren die Throne nichts weiter als Sessel, die aus der Speisehalle geholt und mit Schabracken bedeckt worden waren; vor jedem dieser Sessel lehnte der Schild des jeweiligen Königreichs an der Plattform. Es hatte eine Zeit gegeben, da bis zu dreiunddreißig Schilde an der Plattform lehnten, heute jedoch lagen die Stämme Britanniens miteinander im Streit, und einige Königreiche waren in Lloegyr durch sächsische Schwerter unter die Erde gebracht worden. Zweck dieses Hohen Rates war es unter anderem, Frieden zwischen den restlichen britischen Königreichen zu stiften. Allerdings schien dieser Frieden schon jetzt gefährdet, denn Powys und Siluria waren nicht zum Rat gekommen. Ihre beiden Throne standen leer, stumme Zeugen für die andauernde Feindschaft zwischen diesen beiden Königreichen und Gwent und Dumnonia.

Vor den Königen und Prinzen jenseits eines Platzes, der für die jeweiligen Sprecher freigehalten worden war, saßen die Räte und wichtigsten Ratgeber der Königreiche. Manche Räte, wie jene von Gwent und Dumnonia, waren sehr zahlreich, während andere nur aus einer Handvoll Männer bestanden. Die Räte und Ratgeber saßen auf dem Boden, der, wie ich jetzt sah, mit Tausenden von winzigen, farbigen Steinchen geschmückt war, die zu einem riesigen Bild arrangiert waren, das zwischen den Sitzenden aufschimmerte. Die Ratgeber hatten sich Decken geholt, um sich daraus Kissen zu falten, denn sie wußten, daß die Erörterungen des Hohen Rates bis weit nach Einbruch der Dunkelheit dauern konnten. Hinter den Ratgebern, und nur als Beobachter zugelassen, standen die bewaffneten Krieger, einige sogar mit ihren Lieblingsjagdhunden an der Leine. Ich stand bei den bewaffneten Kriegern, denn mein bronzener Torques mit dem Cernunnoskopf genügte als Berechtigung für meine Anwesenheit.

Zwei Frauen nahmen am Hohen Rat teil, nur zwei, und selbst ihre Anwesenheit löste protestierendes Gemurmel unter den wartenden Männern aus, bis ein kurzer Blick von Uther dem leisen Grollen ein Ende machte.

Morgan saß unmittelbar vor Uther. Da die Ratgeber von ihr abgerückt waren, saß sie allein, bis Nimue unerschrocken durch die Hallentür hereinkam und sich einen Weg durch die sitzenden Männer bahnte, um sich direkt neben ihr niederzulassen. Nimue war mit einer so kühlen Selbstsicherheit eingetreten, daß niemand den Versuch machte, sie aufzuhalten. Sobald sie saß, starrte sie zu Großkönig Uther empor, als forderte sie ihn heraus, sie hinauszuweisen, aber der König nahm keine Notiz von ihrer Anwesenheit. Auch Morgan beachtete ihre junge Rivalin nicht, die still und hoch aufgerichtet dasaß. Nimue trug ihr weißes Leinengewand mit dem schmalen Sklavengürtel aus Leder und wirkte inmitten der vielen grauhaarigen Männer mit ihren schweren Umhängen sehr zart und verletzlich.

Der Hohe Rat begann, wie alle Ratsversammlungen, mit einem Gebet. Wäre Merlin dabeigewesen, hätte er die Götter angerufen; statt dessen richtete Bischof Conrad von Gwent ein Gebet an den Christengott. Ich sah Sansum in den Reihen der Ratgeber von Gwent sitzen und bemerkte den finsteren, haßerfüllten Blick, den er den beiden Frauen zuwarf, weil sie nicht den Kopf senkten, als der Bischof betete. Sansum wußte, daß die Frauen Merlin vertraten.

Nach dem Gebet übernahm Owain, Dumnonias Champion, der sich zwei Tage zuvor mit Tewdrics besten Kriegern herumgeschlagen hatte, die Herausforderung. Merlin pflegte ihn ein Untier zu nennen, und nun, da er vor dem Großkönig stand, das Gesicht voll blutiger Narben vom Kampf, das Schwert in der Hand, sah er auch wirklich wie ein Untier aus. Er hatte sich einen dicken Umhang aus

Wolfsfell um die mächtigen Muskeln der breiten Schultern gelegt. »Ist jemand hier«, dröhnte er finster, »der Uthers Recht auf den Großthron anfechten will?«

Niemand meldete sich. Owain, der ein wenig enttäuscht darüber zu sein schien, daß man ihm nicht Gelegenheit gab, einen Herausforderer zu erschlagen, steckte sein Schwert in die Scheide zurück und ließ sich voll Unbehagen bei den Ratgebern nieder. Er hätte viel lieber bei seinen Kriegern gestanden.

Nun wurde Neues aus Britannien verkündet. Wie Bischof Bedwin berichtete, der für den Großkönig sprach, habe die Bedrohung Ost-Dumnonias durch die Sachsen nachgelassen, wenn auch zu einem Preis, der so hoch war, daß man gar nicht daran denken mochte. Mordred, Edling von Dumnonia und ein Krieger, dessen Ruhm bis ans Ende der Welt reichte, sei in der Stunde des Sieges getötet worden. Uthers Miene verriet nichts, als er der oft berichteten Erzählung vom Tode seines Sohnes lauschte. Arthurs Name wurde nicht erwähnt, obwohl es Arthur gewesen war, der den Sieg vor Mordreds ungeschickter Feldherrnkunst gerettet hatte, und jeder Anwesende in der Halle davon Kenntnis besaß. Bedwin erklärte, die besiegten Sachsen seien aus den Ländern gekommen, die einstmals vom Stamm der Catuvellauner regiert worden seien, und hätten sich, obwohl man sie ganz von jenem uralten Territorium hatte vertreiben können, einverstanden erklärt, einen jährlichen Tribut an Gold, Weizen und Ochsen an den Großkönig zu entrichten. Gebe Gott, setzte er hinzu, daß der Frieden halten möge.

»Gebe Gott«, unterbrach ihn König Tewdric, »daß die Sachsen aus jenen Ländern vertrieben werden!« Bei seinen Worten stießen die Krieger im Hintergrund und an den Seiten der Halle mit ihren Speerschäften aufs Pflaster, und mehr als ein Speer durchstieß die winzigen Mosaiksteinchen. Hunde jaulten.

Im Norden von Dumnonia, fuhr Bedwin ruhig fort, als sich der tosende Beifall gelegt hatte, herrsche Frieden – dank jenes weisen Freundschaftsvertrages, den der edle Großkönig und der edle König Tewdric geschlossen hatten. Im Westen – hier hielt Bedwin inne, um dem hübschen jungen Prinzen Tristan ein Lächeln zu schenken, gebe es ebenfalls Frieden. »Das Königreich Kernow«, sagte Bedwin, »hält sich zurück. Wie wir hörten, hat König Mark eine neue Gemahlin genommen, und wir beten darum, daß sie, wie ihre ausgezeichneten Vorgängerinnen, ihren Herrn ausgiebig beschäftigt.« Dies löste ein leises Lachen aus.

»Die wievielte Gemahlin ist sie?« wollte Uther plötzlich wissen. »Die vierte oder die fünfte?«

»Ich glaube, mein Vater hat selbst die Übersicht verloren, Lord König«, sagte Tristan, und die ganze Halle lachte. Weitere Mosaiksteine zerbrachen unter den Speerschäften, und eins der winzigen Fragmente rutschte über den Boden, bis es an meinem Fuß hängenblieb.

Anschließend sprach Agricola. Er trug einen römischen Namen und war berühmt dafür, daß er an der römischen Art festhielt. Agricola war Tewdrics Feldherr und, obwohl er inzwischen ein alter Mann war, immer noch wegen seiner Kriegskunst in der Schlacht gefürchtet. Das Alter hatte seine hochgewachsene Gestalt nicht gebeugt, sein kurzgeschorenes Haar aber so grau werden lassen wie eine Schwertklinge. Sein vernarbtes Gesicht war glattrasiert, und er war römisch gewandet, jedoch weit prächtiger als seine Mannen. Seine Tunika war scharlachrot, sein Brustpanzer und seine Beinschienen aus Silber, und unter dem Arm trug er einen silbernen Helm mit einem steifen Kamm aus scharlachrot gefärbtem Pferdehaar. Auch er berichtete, die Sachsen im Osten des Königreichs seines Herrn seien besiegt, aber die Nachrichten aus den verlorenen Ländern von Lloegyr seien beunruhigend, denn er habe gehört, daß noch mehr Schiffe aus den sächsischen Ländern das Germanische Meer überquert hätten, und mehr Schiffe an der sächsischen Küste bedeute, so warnte er, daß mit der Zeit mehr Krieger nach Britannien hineindrängten. Außerdem warnte uns Agricola vor einem neuen Sachsenführer namens Aelle, der unter den Sais nach der Macht strebe. Dabei hörte ich zum erstenmal Aelles Namen, und nur die Götter wußten damals, wie sehr er uns im Laufe der Jahre verfolgen sollte.

Die Sachsen, fuhr Agricola fort, mochten vorläufig zwar ruhig sein, dadurch sei aber keineswegs Friede im Königreich Gwent eingezogen. Britische Kriegshorden seien von Powys heruntergezogen, während andere aus Siluria ostwärts marschiert seien, um Tewdrics Land zu überfallen. Boten seien in beide Königreiche ausgeschickt worden, um die Herrscher zu dieser Ratsversammlung zu laden, aber leider – hier deutete Agricola auf die beiden leeren Sessel auf der königlichen Plattform – sei weder Gorfyddyd von Powys noch Gundleus von Siluria gekommen. Tewdric vermochte seine Enttäuschung nicht zu verbergen, denn er hatte offensichtlich gehofft, Gwent und Dumnonia könnten mit ihren beiden Nachbarn Frieden schließen. Die Hoffnung auf Frieden hatte vermutlich auch Uther dazu bewegt, Gundleus aufzufordern, Norwenna im Frühling einen Besuch abzustatten; aber die leeren Thronsessel schienen nun von einer fortgesetzten Feindschaft zu zeugen. Wenn es nicht zu einem Frieden käme, so warnte Agricola streng, würde der König von Gwent keine Wahl haben, als gegen Gorfyddyd von Powys und seinen Verbündeten, Gundleus von Siluria, in den Krieg zu ziehen. Uther nickte und bestätigte damit diese Gefahr.

Aus dem höheren Norden, berichtete Agricola, komme die Nachricht, daß Leodegan, König von Henis Wyren, aus seinem Königreich vertrieben worden sei, und zwar von Diwrnach, dem irischen Eindringling, der seinem neu eroberten Territorium den Namen Lleyn gegeben habe. Der vertriebene Leodegan, fügte Agricola hinzu, habe bei König Gorfyddyd von Powys Zuflucht gesucht, weil Cadwallon von Gwynedd ihn nicht aufnehmen wollte. Bei dieser Meldung brauste abermals Gelächter auf, denn König Leodegan war berühmt für seine Torheit. »Wie ich ebenfalls hörte«, fuhr Agricola fort, als sich das Gelächter ein wenig gelegt hatte, »sind weitere irische Truppen nach Demetia gekommen und üben starken Druck auf die westlichen Grenzen von Powys und Siluria aus.«

»Für Siluria spreche ich«, kam eine kraftvolle Stimme vom Eingang her, »und sonst niemand.«

Unruhe brauste in der Halle auf, als sich ein jeder Mann zur Tür umwandte. Gundleus war erschienen.

Der silurische König betrat den Raum wie ein Held. Nicht das geringste Zögern lag in seiner Haltung, nicht der geringste Anflug von Schuldbewußtsein, obwohl seine Krieger Tewdrics Land immer und immer wieder überfallen hatten, genau wie sie das Severn-Meer nach Süden überquerten, um Großkönig Uthers Land heimzusuchen. So selbstbewußt wirkte er, daß ich mir in Erinnerung rufen mußte, wie er in Merlins Halle vor Nimue geflohen war. Hinter Gundleus kam schlurfend und sabbernd Tanaburs, der Druide, und wieder einmal versteckte ich mich, weil ich an die Todesgrube denken mußte. Merlin hatte mir einmal gesagt, weil Tanaburs mich nicht hatte töten können, halte ich seine Seele in meiner Hand, und dennoch erschauerte ich immer noch vor Angst, als ich sah, wie der Alte unter dem Klappern der Knöchelchen, die er in seine festen, kleinen Zöpfe geflochten hatte, die Halle betrat.

Hinter Tanaburs schritten Gundleus' Gefolgsleute, die Langschwerter in von rotem Tuch umwickelten Scheiden. Sie alle trugen die Haare zu Zöpfen geflochten und lange Bärte. Sie stellten sich zu den anderen Kriegern, wobei sie die Männer einfach beiseite schoben, um eine feste Phalanx stolzer Kämpfer zu bilden, die zum Hohen Rat ihrer Feinde gekommen waren. Tanaburs in seinem schmutzigen, grauen, mit Halbmonden und hoppelnden Hasen bestickten Gewand fand einen Platz bei den Ratgebern. Owain, der Blut witterte, war aufgestanden, um Gundleus den Weg zu versperren, doch Gundleus bot dem Champion des Königs sein Schwert mit dem Griff nach vorn, um zu beweisen, daß er in Frieden kam, und warf sich vor Uthers Thron auf den Mosaikfußboden.

»Erhebe dich, Gundleus ap Meilyr, König von Silurien«, befahl Uther. Dann reichte er ihm die Hand zur Begrüßung. Gundleus erklomm die Plattform und küßte die Hand, bevor er seinen Schild mit dem Fuchskopfwappen abnahm. Er stellte ihn neben die anderen Schilde, nahm in seinem Thronsessel Platz und ließ den Blick so frei durch die Halle schweifen, als freue es ihn, hier zu sein. Er nickte Bekannten zu, tat bei einigen überrascht, als er sie sah, und schenkte anderen ein freundliches Lächeln. Alle Männer, die er grüßte, waren seine Feinde, und dennoch lümmelte er sich so lässig in seinen Sessel, als säße er am eigenen Herd. Er legte sogar eins seiner langen Beine über die Armlehne. Als er die beiden Frauen sah, zog er eine Braue hoch, und als er Nimue erkannte, glaubte ich die Andeutung eines Stirnrunzelns zu erkennen. Doch als sein Blick weiter über die Menge wanderte, verschwand der finstere

Ausdruck wieder. Tewdric forderte ihn liebenswürdig auf, dem Hohen Rat des Neueste aus seinem Königreich zu berichten, aber Gundleus lächelte nur und erwiderte, in Siluria stehe alles zum besten.

Ich möchte euch nicht mit all den Dingen langweilen, die an diesem Tag besprochen wurden. Wolken sammelten sich über Glevum, während Streitsachen beigelegt, Ehen verabredet und Richtsprüche gefällt wurden. Gundleus gestand zwar seine Übergriffe nicht ein, erklärte sich aber bereit, Tewdric eine Entschädigung in Form von Rindern, Schafen und Gold sowie einen entsprechenden Ausgleich an den Großkönig zu leisten. Zahlreiche kleinere Probleme wurden ähnlich gelöst. Reden und Gegenreden waren lang, die Verhandlungen kompliziert, aber die Streitsachen wurden eine nach der anderen entschieden. Tewdric übernahm den größten Teil der Arbeit, allerdings nie ohne einen Seitenblick zum Großkönig, damit ihm auch nicht die kleinste Geste entgehe, die auf Uthers Meinung schließen ließe. Von diesen Gesten abgesehen, zeigte Uther kaum eine Regung und rührte sich nur, wenn ein Sklave ihm Wasser, Brot oder eine Medizin brachte, die Morgan aus in Honigwein getauchtem Huflattich hergestellt hatte, um seinen Husten zu lindern. Die Plattform verließ er nur ein einziges Mal, um an die Hinterwand der Halle zu pissen, während Tewdric geduldig und vorsichtig einen Grenzstreit zwischen zwei Häuptlingen seines eigenen Königreichs schlichtete. Uther spie in seinen Urin, um das Böse darin abzuwenden, dann kehrte er hinkend auf die Plattform zurück, während Tewdric seinen Urteilsspruch verkündete, der, wie alle anderen, von drei Schreibern, die an einem Tisch hinter der Plattform saßen, auf Pergament festgehalten wurde.

Uther sparte seine geringe Kraft für den wichtigsten Teil des Tages auf, der nach der Abenddämmerung kam. Da es inzwischen kaum noch Tageslicht gab, brachten Tewdrics Diener ein weiteres Dutzend Fackeln herein. Außerdem hatte es stark zu regnen begonnen, und in der Halle wurde es recht kühl, weil sich ganze Ströme von Wasser durch die Löcher im Dach auf den Boden ergossen oder die rohen Backsteinmauern herabrannen. Ja, es wurde auf einmal so kalt, daß ein Kohlebecken, ein Eisenkorb von ganzen vier Fuß Durchmesser, mit Holzscheiten gefüllt und zu Füßen des Großkönigs entzündet wurde. Die königlichen Schilde wurden entfernt und Tewdrics Thronsessel beiseite gerückt, damit die Wärme des Feuers Uther erreichte. Der Rauch zog im Saal umher, sammelte sich in den hohen Schatten und suchte sich einen Weg in den prasselnden Regen hinaus.

Schließlich erhob sich Uther, um sich an den Hohen Rat zu wenden. Er stand unsicher und stützte sich auf einen schweren Speer, um seine Meinung über das eigene Königreich zu verkünden. Dumnonia, sagte er, habe einen neuen Edling, für diese Gnade müsse man den Göttern danken, aber der Prinz sei schwächlich, ein Säugling, und habe einen verkrüppelten Fuß. Als die Anwesenden hörten, wie das Gerücht, das über dieses böse Vorzeichen umging, bestätigt wurde, begannen sie zu tuscheln. Die Unruhe legte sich jedoch, als Uther die Hand hob und Schweigen gebot. Die Rauchschleier, die um ihn herzogen, verliehen ihm eine geisterhafte Aura, als wäre seine Seele bereits mit dem Schattenkörper der Anderwelt bekleidet. Gold glänzte an seinem Hals und an den Handgelenken, und durch seine wirren weißen Haare schlang sich ein dünner Goldreif: die Krone des Großkönigs.

»Ich bin alt«, sagte er, »und habe nicht mehr lange zu leben.« Er beschwichtigte die Proteste mit einer weiteren matten Handbewegung. »Ich will nicht behaupten, daß mein Reich über allen anderen in diesem Land steht, doch eines weiß ich: Wenn Dumnonia an die Sachsen fällt, wird ganz Britannien verloren sein. Fällt Dumnonia, werden wir die Verbindung mit Armorica und unseren Brüdern jenseits des Meeres verlieren. Fällt Dumnonia, haben die Sachsen Britannien geteilt, und ein geteiltes Land kann nicht überleben.« Er hielt inne, und sekundenlang dachte ich, er sei zu müde, um fortzufahren; dann aber hob sich der riesige Stierschädel, und er sprach weiter. »Die Sachsen dürfen nicht bis ans Severn-Meer vordringen!« rief er laut die Überzeugung hinaus, die in all den vielen Jahren stets den eigentlichen Kern seiner Bestrebungen gebildet hatte. Solange die Sachsen von Briten umgeben waren, bestand die Chance, daß man sie eines Tages ins Germanische Meer zurückdrängen konnte, doch wenn sie unsere Westküste erreichten, hätten sie Dumnonia von Gwent getrennt, und damit die Briten des Südens von den Briten des Nordens. »Die Männer von Gwent«, fuhr Uther fort, »sind unsere besten Krieger...« – hier nickte er Agricola anerkennend zu –, »aber es ist kein Geheimnis, daß Gwent von Dumnonias Brot lebt. Wir müssen Dumnonia halten, sonst ist ganz Britannien verloren. Ich habe einen Enkel, und ihm gehört das Königreich! Nach meinem Tod wird Mordred über das Reich herrschen. So lautet mein Gesetz!« Hier stieß er mit dem Speer auf die Plattform, und einen kurzen Moment lang blitzte die alte, unnachgiebige Kraft des Pendragon aus seinen Augen. Was immer sonst hier entschieden werden sollte – das Königreich würde Uthers Geschlecht nicht entrissen werden, denn so lautete Uthers Gesetz, das war jetzt allen im Saal bekannt. Nun blieb nur noch zu entscheiden, wie das verkrüppelte Kind geschützt werden konnte, bis der Knabe alt genug war, den Thron zu besteigen.

Dann begannen die Diskussionen, obwohl allen Anwesenden von vornherein klar war, daß die Entscheidung längst gefällt war. Warum sonst rekelte sich Gundleus so verdammt selbstsicher in seinem Thronsessel? Dennoch nannten manche Anwesende andere Bewerber um Norwennas Hand. Fürst Gereint, Herr der Steine, der in Dumnonias sächsischen Grenzgebieten herrschte, schlug Meurig ap Tewdric vor, Gwents Edling, aber jeder in der Halle wußte, daß dieser Vorschlag nur dazu diente, Tewdric zu schmeicheln, und niemals angenommen werden würde, denn Meurig war noch ein richtiger Rotzjunge und nie und nimmer in der Lage, Dumnonia gegen die Sachsen zu verteidigen. Nachdem Gereint seiner Pflicht Genüge getan hatte, setzte er sich und hörte zu, wie einer von Tewdrics Ratgebern Prinz Cuneglas vorschlug, Gorfyddyds ältesten Sohn und damit Edling von Powys. Eine Eheschließung mit dem Kronprinzen des Feindes, erklärte der Ratgeber, werde Frieden zwischen Powys und Dumnonia, den beiden mächtigsten Königreichen Britanniens, stiften, doch dieser Vorschlag wurde von Bischof Bedwin, der natürlich genau wußte, daß sein Herr sein Königreich niemals dem Sohn von Tewdrics erbittertstem Feind anvertrauen würde, kategorisch abgelehnt.

Tristan, Prinz von Kernow, war ein weiterer Kandidat, doch er äußerte Bedenken, weil er sehr wohl wußte, daß niemand in Dumnonia seinem Vater, König Mark, trauen würde. Meriadoc, Prinz von Stronggore, wurde ebenfalls vorgeschlagen, aber Stronggore, ein Reich östlich von Gwent, war schon zur Hälfte an die Sachsen verloren, und wenn ein Mann sein eigenes Königreich nicht halten konnte, wie konnte er dann ein fremdes halten? Was denn mit den Königshäusern von Armorica sei, erkundigte sich jemand, doch niemand wußte, ob die Prinzen jenseits des Meeres ihr neues Land verlassen würden, um Dumnonia zu verteidigen.

Gundleus. Alles deutete wieder auf Gundleus.

Dann jedoch sprach Agricola den Namen aus, den nahezu jeder Mann in der Halle sowohl hören wollte als auch zu hören fürchtete. Der alte Soldat stand da, in seiner glänzenden römischen Rüstung, straffte die Schultern und sah Uther, dem Pendragon, offen in die tränenden Augen. »Arthur«, sagte Agricola. »Mein Vorschlag lautet: Arthur.«

Arthur. Der Name dröhnte durch die Halle. Dann wurde das ersterbende Echo vom plötzlichen Lärm der Speere übertönt, die auf den Boden gestoßen wurden. Die applaudierenden Speerträger waren Krieger aus Dumnonia, die Arthur in die Schlacht gefolgt waren und wußten, was er wert war; aber ihr Aufbegehren währte nur kurz.

Uther, Pendragon, Großkönig von Britannien, hob seinen eigenen Speer und stieß ihn nur ein einziges Mal auf. Sofort herrschte Stille im Raum, in der nur Agricola es noch wagte, den Großkönig herauszufordern. »Ich schlage vor, daß Arthur Norwenna ehelicht«, sagte er ehrerbietig, und selbst ich, jung wie ich war, wußte sofort, daß Agricola für seinen Herrn, König Tewdric, sprechen mußte, und das verwirrte mich, denn ich hatte angenommen, Tewdrics Kandidat sei Gundleus. Falls man Gundleus dazu bringen konnte, sich von Powys abzuwenden, würde das neue Bündnis zwischen Gwent und Siluria das gesamte Gebiet zu beiden Ufern des Severn-Meeres besitzen, und dieser Dreibund wäre ein Bollwerk sowohl gegen Powys als auch gegen die Sachsen. Ich hätte natürlich wissen müssen, daß Tewdric, indem er Arthur vorschlug, eine Ablehnung heraufbeschwor, die durch eine Gefälligkeit kompensiert werden mußte.

»Arthur ap Neb«, entgegnete Uther – dieses letzte Wort wurde mit erschrockenem Keuchen aufgenommen –, »ist nicht vom Blut.« Gegen eine derartige Feststellung gab es keinen Widerspruch, und

Agricola, der seine Niederlage hinnahm, verneigte sich und setzte sich wieder. Neb bedeutete niemand, und damit leugnete Uther nicht nur, Arthurs Vater zu sein, sondern erklärte auch, daß Arthur nicht von königlichem Geblüt sei und Norwenna daher nicht heiraten könne. Ein belgischer Bischof sprach sich für Arthur aus, indem er anführte, die Könige seien stets aus dem Adel gewählt worden, und Bräuche, die sich in der Vergangenheit bewährt hätten, müßten auch für die Zukunft genügen, doch dieser nörgelnde Einwurf wurde mit einem einzigen finsteren Blick von Uther abgeschmettert. Durch die hohen, schmalen Fenster trieb Regen herein und zischte leise im Feuer.

Wieder erhob sich Bischof Bedwin. Es mag den Anschein haben, daß jedes Wort über Norwennas Zukunft bis hierher nur leeres Gerede gewesen sei, doch wenigstens waren alle Möglichkeiten ausgesprochen worden, und die vernunftbegabten Männer konnten daher die Gründe für die Ankündigung verstehen, die Bedwin jetzt vortrug.

Gundleus von Siluria, führte Bedwin mit sanfter Stimme aus, sei ein Mann ohne Gemahlin. Die Anwesenden begannen zu raunen, weil sie sich an die Gerüchte über Gundleus' skandalöse Vermählung mit seiner niedriggeborenen Buhle Ladwys erinnerten, aber Bedwin ignorierte die Unruhe einfach. Vor einigen Wochen, fuhr der Bischof fort, habe Gundleus bei Uther vorgesprochen und Frieden mit dem Großkönig geschlossen, und nun verkünde Uther mit Freuden, daß Gundleus sich mit Norwenna vermählen und zum Protektor – dieses Wort wiederholte er –, zum Protektor von Mordreds Königreich ernannt werden solle. Als ernsthaftes Unterpfand seiner guten Absichten habe Gundleus bereits einen Preis in Gold an König Uther bezahlt, und dieser Preis sei als angemessen akzeptiert worden. Es gebe natürlich Leute, gestand Bischof Beldwin leichthin ein, die einem Mann, der noch vor kurzem ein Feind war, kein Vertrauen entgegenzubringen vermöchten, daher habe sich Gundleus von Siluria als weiteres Unterpfand für seinen Sinneswandel bereit erklärt, Silurias uralten Anspruch auf das Königreich Gwent aufzugeben und außerdem zum Christentum überzutreten, indem er sich am folgenden Morgen öffentlich im Severn-Fluß unterhalb der Mauern von Glevum taufen lasse. Die anwesenden Christen riefen laut halleluja, ich aber beobachtete Tanaburs, den Druiden, und fragte mich, warum dieser bösartige alte Narr keine Spur von Mißbilligung erkennen ließ, als sein Herr sich öffentlich von seiner alten Religion lossagte.

Ich fragte mich auch, warum diese erwachsenen Männer einen ehemaligen Feind so leichtfertig willkommen hießen, aber sie waren wohl wirklich verzweifelt. Ein Königreich wurde einem verkrüppelten Kind vererbt, und auch wenn Gundleus sich in der Vergangenheit oft als Verräter erwiesen hatte, war er ein ruhmreicher Krieger. Wenn er Wort hielt, war der Friede in Dumnonia und Gwent gesichert. Aber Uther war nicht dumm und tat natürlich alles, was er konnte, um seinen Enkel für den Fall zu schützen, daß Gundleus ein doppeltes Spiel trieb. Dumnonia, bestimmte Uther, solle so lange von einem Rat regiert werden, bis Mordred alt genug sei, ein Schwert zu schwingen. Diesem Rat solle Gundleus vorsitzen, und sechs weitere Männer, mit Bischof Bedwin an der Spitze, sollten seine Ratgeber sein. Tewdric von Gwent, Dumnonias zuverlässiger Verbündeter, wurde aufgefordert, zwei dieser Männer zu stellen, und der so zusammengesetzte Rat solle die Herrschaft über das Land ausüben. Über diese Bestimmung war Gundleus nicht sehr erfreut. Er hatte nicht zwei Körbe voll Gold bezahlt, um in einem Rat aus alten Männern zu sitzen, aber er hütete sich, Protest einzulegen. Schweigend ließ er es zu, daß seine neue Braut und das Königreich seines Stiefsohns durch diese Bedingungen geschützt wurden.

Und immer noch mehr Bedingungen wurden gestellt. Mordred, sagte Uther, werde drei vereidigte Protektoren haben – Männer, die durch Todeseide verpflichtet seien, das Leben des Knaben mit ihrem eigenen zu schützen. Sollte ein Mann Mordred Schaden zufügen, würden die Eidgenossen diesen Schaden rächen oder ihr eigenes Leben opfern. Während diese Verordnung verlesen wurde, saß Gundleus regungslos da, als jedoch die Eidgenossen namentlich genannt wurden, wurde er unruhig, Einer davon war König Tewdric von Gwent, der zweite war Owain, Champion von Dumnonia, der dritte Merlin, Lord von Avalon.

Merlin. Die Männer hatten auf die Erwähnung seines Namens genauso gewartet wie auf die Nennung des Namens Arthur. Uther traf gewöhnlich keine Entscheidung, ohne zuvor Merlins Rat einzuholen, heute aber war Merlin nicht anwesend. Im Gegenteil, in Dumnonia war Merlin seit Monaten nicht mehr gesehen worden. Nach allem, was man wußte, konnte Merlin ohne weiteres auch tot sein.

Dies war der Zeitpunkt, da Uther zum ersten Mal Morgan ansah. Es mußte ihr sehr unangenehm gewesen sein, als Uther die Abstammung ihres Bruders – und damit ihre eigene – leugnete, aber sie war nicht als Uthers uneheliche Tochter zum Hohen Rat geladen worden, sondern als Merlins verläßliche Seherin. Nachdem Tewdric und Owain ihre Todeseide abgelegt hatten, blickte Uther zu der einäugigen, verkrüppelten Frau hinüber. Die Christen in der Halle schlugen das Kreuz, was ihre Art war, sich vor bösen Geistern zu schützen. »Nun?« wandte sich Uther an Morgan. Morgan war nervös. Man verlangte von ihr die Zusicherung, daß Merlin, ihr Gefährte der Mysterien, die immense Aufgabe, die der Eid beinhaltete, akzeptieren werde. Sie war als Priesterin gekommen, nicht als Beraterin, und hätte als Priesterin antworten müssen. Das tat sie nicht, und ihre Antwort war unzureichend. »Mein Lord Merlin wird sich durch diese Ernennung geehrt fühlen, Lord König«, erklärte sie.

Nimue schrie. Der Schrei kam so unvermittelt und war so unheimlich, daß überall in der Halle Männer erschauerten und ihre Speere fester packten. Auf dem Rücken der Jagdhunde sträubten sich die Haare. Dann verebbte der Schrei. In der Halle war es totenstill. Rauch stieg in dicken, vom Feuerschein beleuchteten Schwaden zum dunklen Dach der Halle empor, wo der Regen auf die Ziegel prasselte, und dann ertönte, sozusagen als Nachhall des Schreis und weit entfernt in der sturmdurchtosten Nacht, das Grollen des Donners.

Donner! Wieder schlugen die Christen das Kreuz, doch keiner der Anwesenden konnte dieses Zeichen in Zweifel ziehen. Taranis, der Gott des Donners, hatte gesprochen – ein Beweis dafür, daß die Götter zum Hohen Rat erschienen waren, erschienen außerdem auf die Anrufung eines jungen Mädchens hin, das trotz der Kälte, die die Männer veranlaßte, ihre Umhänge enger um sich zu ziehen, nichts am Leib trug als ein schlichtes weißes Gewand mit einer Sklavenleine als Gürtel.

Niemand regte sich, niemand sprach, niemand rührte auch nur einen Finger. Die Methörner ruhten, die Läuse der Männer blieben ungekratzt. Es waren keine Könige mehr anwesend, keine Krieger. Es gab keine Bischöfe, keine tonsurierten Priester, keine alten, weisen Männer mehr. Es gab nur noch eine schweigende, verängstigte Menge, die ehrfürchtig auf ein junges Mädchen starrte, das dastand und seine Haare löste, so daß sie ihm schwarz und lang über den schmalen weißen Rücken fielen. Morgan blickte zu Boden, Tanaburs starrte offenen Mundes, und Bischof Bedwin sprach stumme Gebete, als Nimue den Redeplatz neben dem Feuerbecken einnahm. Beide Arme seitlich ausgestreckt, drehte sich sich langsam, in Sonnenlaufrichtung, um ihre Achse, so daß jeder Anwesende in der Halle ihr Gesicht sehen konnte. Es war ein Gesicht des Grauens. Von ihren Augen war nur noch das Weiße zu sehen, sonst nichts, und die Zunge hing ihr aus dem verzerrten Mund. Wieder und wieder drehte sie sich, mit jedem Mal schneller, und ich schwöre, daß uns allen gleichzeitig ein Schauer überlief. Inzwischen zitterte sie, während sie herumwirbelte, und geriet dabei immer näher an das große, lodernde Feuer, bis sie in die Flammen zu fallen drohte. Plötzlich sprang sie hoch in die Luft und stieß einen kreischenden Schrei aus, bevor sie auf den Mosaiksteinchen des Bodens zusammenbrach. Gleich darauf kroch sie wie ein Tier auf allen vieren und suchte die Reihe der Schilde ab, die geteilt worden war, damit die Wärme des Feuers an die Füße des Großkönigs gelangen konnte. Als sie Gundleus' Fuchsschild erreichte, bäumte sie sich auf wie eine zum Zustoßen bereite Schlange und spie einmal aus.

Der Speichel landete auf dem Fuchs.

Gundleus wollte von seinem Thronsessel aufspringen, Tewdric aber hielt ihn zurück. Tanaburs versuchte sich ebenfalls aufzurappeln, doch Nimue wandte sich zu ihm um und schrie. Von ihren Augen sah man immer noch nur das Weiße. Sie zeigte auf ihn, während ihr heulender Schrei durch die riesige römische Halle echote. Die Kraft ihres Zaubers ließ Tanaburs hilflos auf den Boden zurücksinken.

Dann erschauerte Nimue plötzlich; sie rollte die Augen, bis wir die Pupillen und die braune Iris wieder sahen. Blinzelnd starrte sie auf die Versammlung, als wäre sie erstaunt, an diesem Ort zu weilen. Dann wurde sie, mit dem Rücken zum Großkönig, ganz starr. Diese Starre bedeutete, daß sie sich im Bann der Götter befand und daß diese, sobald sie nun zu sprechen begann, durch ihren Mund sprechen würden.

»Ist Merlin am Leben?« fragte Tewdric ehrerbietig.

»Natürlich ist er am Leben.« Nimues Ton war geringschätzig, und sie sprach den König, der sie da befragte, nicht mit seinem Titel an. Sie war bei den Göttern und brauchte einfachen Sterblichen keine Hochachtung zu zollen.

»Wo ist er?«

»Fort«, antwortete Nimue und wandte sich um, so daß sie den mit seiner Toga bekleideten König auf der Plattform ansehen konnte.

»Wohin?« fragte Tewdric.

»Das geheime Wissen von Britannien suchen«, antwortete Nimue. Alle hörten aufmerksam zu, denn hier gab es endlich handfeste Neuigkeiten. Ich sah, daß Sansum, der Mäuselord, verzweifelt auf seinem Platz hin und her rutschte, weil er gegen diese heidnische Einmischung in die Beratungen des Hohen Rates unbedingt Protest erheben wollte; solange König Tewdric jedoch das Mädchen befragte, war es unvorstellbar, daß ihn ein einfacher Priester unterbrach.

»Was ist das geheime Wissen von Britannien?« fragte Großkönig Uther.

Wieder drehte sich Nimue um sich selbst, eine ganze Drehung in Sonnenlaufrichtung, aber nur, um über die Antwort nachzudenken, die sie schließlich mit singender, hypnotischer Stimme kundtat. »Das geheime Wissen von Britannien ist die Überlieferung unserer Ahnen, ein Geschenk unserer Götter, die dreizehn Eigenschaften der dreizehn Kleinodien, die uns, wenn sie alle zusammengetragen sind, die Macht verleihen werden, unser Land zurückzuerobern.« Sie hielt inne, und als sie dann sprach, hatte ihre Stimme wieder ihren normalen Tonfall angenommen. »Merlin versucht dieses Land zu einen, zu einem britischen Land.« Hier wirbelte Nimue so herum, daß sie Sansum direkt in die kleinen, glitzernden, empörten Augen sehen konnte. »Mit britischen Göttern.« Sie wandte sich zum Großkönig zurück. »Und wenn Meister Merlin versagt, Uther von Dumnonia, werden wir alle sterben.«

Leises Gemurmel entstand im Saal. Jetzt zeterten Sansum und die Christen ihren Protest heraus, aber Tewdric, der christliche König, befahl ihnen mit einem Wink zu schweigen. »Sind das Merlins Worte?« wollte er von Nimue wissen.

Nimue zuckte die Achseln, als wäre die Frage unwichtig. »Meine Worte sind es nicht«, gab sie anmaßend zurück.

Uther bezweifelte nicht, daß Nimue, ein Kind an der Schwelle zur Frau, nicht für sich selbst sprach, sondern für ihren Meister; darum beugte er sich zu ihr vor und musterte sie stirnrunzelnd. »Frag Merlin, ob er meinen Eid schwören will! Frag ihn! Wird er meinen Enkel beschützen?«

Nimue schwieg lange. Ich glaube, sie spürte die Wahrheit über Britannien schon früher als wir alle, früher sogar als Merlin, und ganz gewiß früher als Arthur, falls Arthur sie überhaupt jemals erkannte. Ein gewisser Instinkt jedoch verbot es ihr, diesem alten, sterbenden und sturköpfigen Mann die Wahrheit zu sagen. »Merlin, mein Lord und König«, sagte sie schließlich mit müder Stimme, die andeutete, daß sie lediglich eine notwendige, doch zeitraubende Pflicht erfülle, »verspricht in diesem Augenblick beim Leben seiner Seele, daß er den Todesschwur, Euren Enkel zu schützen, ablegen wird.«

»Solange!« Mit ihrem Einwurf überraschte Morgan uns alle. Sie stand auf. Neben Nimue wirkte sie gedrungen und dunkel. Der Feuerschein glänzte auf ihrem Goldhelm. »Solange!« rief sie abermals. Dann fiel ihr ein, daß sie im Rauch des Feuerbeckens ein wenig schwanken mußte, als übernähmen die Götter ihren Körper. »Solange, sagt Merlin, solange Arthur diesen Eid auch ablegt. Arthur und seine Mannen sollen die Schutzherren Eures Enkels sein. Merlin hat gesprochen!« Sie äußerte diese Worte mit der ganzen Würde eines Menschen, der daran gewöhnt ist, Orakel und Seherin zu sein, aber wenn es schon keinem anderen auffiel, so bemerkte doch wenigstens ich, daß in der regengepeitschten Nacht draußen kein Donner ertönte.

Gundleus war aufgesprungen, um gegen Morgans Verkündigung zu protestieren. Er hatte bereits zugelassen, daß ein Zwölferrat und ein Trio von Eidschwörern seine Macht beschnitt, nun aber wurde darüber hinaus verlangt, sein neues Königreich müsse eine Kriegshorde von potentiell feindlichen Kriegern unterhalten. »Nein!« rief er abermals, doch Tewdric ignorierte den Protest; er stieg von der Plattform herab und stellte sich neben Morgan, um dem Großkönig gegenüberzutreten.

So machte er den meisten von uns in der Halle klar, daß Morgan, wenn auch mit Merlins Stimme, tatsächlich nur gesagt hatte, was Tewdric von ihr hören wollte. König Tewdric von Gwent mag ein guter Christ gewesen sein, aber er war ein noch besserer Politiker und wußte genau, wann er sich der Unterstützung der alten Götter versichern mußte.

»Arthur ap Neb und seine Krieger«, sagte Tewdric jetzt zum Großkönig, »werden eine bessere Garantie für das Leben Eures Enkels sein als jeder Eid, den ich ablege, obwohl Gott weiß, daß mein Eid feierlich und ernst gemeint ist.«

Fürst Gereint, Uthers Neffe und nach Owain zweitmächtigster Kriegsherr in Dumnonia, hätte gegen Arthurs Ernennung Widerspruch einlegen können, aber der Herr der Steine war ein aufrechter Mann mit begrenzten Ambitionen, der an seiner Fähigkeit, alle Armeen Dumnonias zu führen, Zweifel hegte; also nahm er neben Tewdric Aufstellung und sagt seine Unterstützung zu. Owain, Befehlshaber von Uthers königlicher Leibwache und Champion des Großkönigs, schien über die Ernennung seines Rivalen weniger glücklich zu sein, gesellte sich aber ebenfalls zu Tewdric und erklärte grollend seine Zustimmung.

Uther zögerte immer noch. Drei war eine Glückszahl, drei Eidgenossen hätten genügen sollen, und die Ernennung eines vierten konnte das Mißfallen der Götter erregen, aber Uther schuldete Tewdric eine Gefälligkeit, weil er dessen Vorschlag, Norwenna mit Arthur zu vermählen, abgelehnt hatte, und nun beglich der Großkönig seine Schuld. »Arthur soll den Eid leisten«, stimmte er zu, und nur die Götter wußten, wie schwer es ihm fiel, den Mann zu ernennen, den er für den Tod seines geliebten Sohnes verantwortlich machte. Nichtsdestoweniger ernannte er ihn, und die Halle erbebte unter frohen Zurufen. Nur Gundleus' Silurier verhielten sich still, während die Speerschäfte die römischen Fliesen zersplitterten und der Jubel der Krieger im rauchigen Höhlendunkel widerhallte.

So kam es, daß Arthur, Niemands Sohn, am Ende des Hohen Rates zu einem von Mordreds eingeschworenen Schutzherrn wurde.

Zwei Wochen nach Beendigung des Hohen Rates wurden Norwenna und Gundleus vermählt. Die Zeremonie fand in einem christlichen Schrein in Abona statt, einer Hafenstadt an der Mündung des Severn-Flusses an unserer Nordküste, die Siluria gegenüberlag, und es kann keine sehr fröhliche Feier gewesen sein, denn Norwenna kehrte am selben Abend noch nach Ynys Wydryn zurück. Keiner von uns auf dem Tor nahm an der Trauung teil, nur ein Rudel von Ynys Wydryns Mönchen mit ihren Ehefrauen begleiteten die Prinzessin, die als Königin Norwenna von Silurien zu uns zurückkehrte, obwohl diese Ehre ihr weder neue Leibwachen noch zusätzliche Hofdamen einbrachte. Gundleus segelte in sein eigenes Land zurück, wo es, wie wir vernahmen, Scharmützel mit den Ui Liathain gab, den Schwarzschild-Iren, die sich im alten britischen Königreich Dyfed niedergelassen hatten, das die Schwarzschilde Demetia nannten.

Unser Leben hatte sich kaum verändert, auch wenn eine Königin unter uns weilte. Wir vom Tor wirkten im Vergleich zu den Menschen am Fuß des Berges wie Müßiggänger, hatten aber dennoch unsere Pflichten. Wir schnitten Heu und breiteten es in Reihen zum Trocknen aus, wir schoren die Schafe und legten den frisch geschnittenen Flachs in stinkende Röstteiche, damit Leinen daraus gemacht werden konnte. Die Frauen von Ynys Wydryn trugen Spinnrocken und Spindeln mit sich herum, mit deren Hilfe sie die frisch geschorene Wolle aufwickelten, und nur die Königin, Morgan und Nimue waren von dieser niemals endenden Pflicht befreit. Druidan kastrierte Schweine, Pellinore befehligte Phantasie-Armeen, und Hywel, der Verwalter, bereitete seine Kerbhölzer vor, um den Sommerpachtzins zu berechnen. Merlin kehrte nicht heim nach Avalon, und wir erhielten auch keine Nachricht von ihm. Uther ruhte in seinem Palast in Durnovaria, während Mordred, sein Erbe, unter Morgans und Guendoloens Pflege wuchs und gedieh.

Arthur blieb in Armorica. Irgendwann werde er nach Dumnonia kommen, teilte man uns mit, doch erst müsse er seinen Pflichten Ban gegenüber nachkommen, dessen Königreich Benoic an Broceliande stieß, das Reich König Budics, der mit Arthurs Schwester Anna verheiratet war. Wir fanden die Königreiche in Armorica ziemlich geheimnisvoll, denn niemand aus Ynys Wydryn hatte jemals das Meer überquert, um jene Orte zu besuchen, an denen so viele von Sachsen vertriebene Briten Zuflucht gefunden hatten. Wir wußten nur, daß Arthur Bans Kriegsherr war und daß er das Land östlich von Benoic verwüstet hatte, um die fränkischen Feinde im Zaum zu halten, denn die langen Winterabende waren uns von Reisenden verkürzt worden, die uns mit Erzählungen von Arthurs Heldentaten unterhielten und durch ihre Geschichten von König Ban mit Neid erfüllten. Der König von Benoic war mit einer Königin namens Elaine vermählt, und diese beiden hatten sich ein wundervolles Königreich geschaffen, in dem Gerechtigkeit schnell und fair geübt und wo noch der ärmste Leibeigene in den Wintermonaten mit Lebensmitteln aus den königlichen Speichern versorgt wurde. Das alles klang zu schön, um wahr zu sein, doch als ich Bans Reich viel später einen Besuch abstattete, stellte ich fest, daß die Berichte nicht übertrieben waren. Ban hatte seine Hauptstadt auf einer Inselfestung namens Ynys Trebes errichtet, die für ihre Dichter berühmt war. Der König überschüttete die Stadt, die noch schöner sein sollte als Rom, mit Zuneigung und Geld. Wie es hieß, gab es Quellen in Ynys Trebes, die Ban kanalisiert und eingedämmt hatte, so daß jeder Hausbesitzer nicht weit von seiner eigenen Tür sauberes Wasser fand. Die Waagen der Händler wurden auf ihre Zuverlässigkeit geprüft, der Königspalast stand Bittstellern, die Wiedergutmachung für erlittene Unbill suchten, Tag und Nacht offen, und die verschiedenen Religionen hatten Befehl, Frieden untereinander zu halten, sonst würden ihre Tempel und Kirchen niedergerissen und zu Staub zermahlen. Ynys Trebes war ein Ort des Friedens, doch nur so lange, wie Bans Soldaten die Feinde von ihren Mauern fernzuhalten vermochten. Deswegen zögerte König Ban so lange, Arthur nach Britannien reisen zu lassen. Aber auch Arthur wollte vermutlich nicht nach Dumnonia kommen, solange Uther noch am Leben war.

Jener Sommer in Dumnonia war wundervoll. Wir türmten das Heu zu großen Schobern, errichtet auf dicken Polstern aus Farn, die die Ratten fernhielten und verhinderten, daß die Feuchtigkeit aufstieg. Roggen und Gerste reiften auf den langen, schmalen Feldern, die das ganze Land zwischen Avalons Sümpfen und Caer Cadarn überzogen, in den Obstgärten im Osten wurden die Äpfel dick und rot, während in unseren Weihern und Bächen Aale und Hechte fett wurden. Es gab weder Pestilenzen noch Wölfe, und nur sehr wenige Sachsen. Gelegentlich entdeckten wir fern am südöstlichen Horizont eine Rauchsäule und vermuteten, daß sächsische Piraten mit ihren Schiffen gelandet waren und einen Weiler in Brand gesteckt hatten, doch nach dem dritten Brand dieser Art machte sich Fürst Gereint mit einer Kriegerschar auf, um Dumnonia zu rächen, und die Übergriffe der Sachsen hörten auf. Der Sachsenhäuptling entrichtete seinen Tribut sogar pünktlich, obwohl das viele Jahre hinaus der letzte Tribut sein sollte, den wir von einem Sachsen erhielten, und ein großer Teil dieser Zahlung stammte ganz zweifellos aus der Plünderung unserer eigenen Grenzdörfer. Dennoch war der Sommer eine schöne Zeit, und Arthur, sagten die Männer, würde vor Langeweile sterben, wenn er mit seinen berühmten Reitersoldaten ins friedliche Dumnonia kam. Sogar in Powys herrschte Ruhe. König Gorfyddyd hatte die Gefolgschaft Silurias verloren, doch statt sich gegen Gundleus zu wenden, ignorierte er die dumnonianische Vemählung und richtete seine Speere auf die Sachsen, die seine nördlichen Gebiete bedrohten. Gwynedd, das Königreich nördlich von Powys, war in Kämpfe mit den furchteinflößenden irischen Soldaten des Diwrnach von Lleyn verwickelt, aber in Dumnonia, dem glücklichsten Königreich ganz Britanniens, herrschte satter Friede unter einem warmen Himmel.

Und dennoch geschah es in jenem Sommer, jenem warmen, idyllischen Sommer, daß ich meinen ersten Feind tötete und zum Mann wurde.

Denn Friede währet niemals ewig, und der unsere wurde auf das grausamste gebrochen. Uther, Großkönig und Pendragon von Britannien, starb. Wir hatten gewußt, daß er krank war, wir hatten gewußt, daß er bald sterben mußte, wir hatten sogar gewußt, daß er alles getan hatte, um sich auf seinen Tod vorzubereiten, und dennoch hatten wir irgendwie gedacht, dieser Augenblick werde nie kommen. Er war so lange König gewesen, und Dumnonia war unter seiner Regierung so wundervoll gediehen, daß wir das Gefühl hatten, es werde sich niemals etwas ändern. Dann aber, kurz vor der Ernte, starb der Pendragon. Nimue behauptete, sie hätte im selben Moment einen Hasen in der Mittagssonne schreien hören, während Morgan, die ihren Vater verloren hatte, sich in ihrer Hütte einschloß und klagte wie ein Kind.

Uthers Leichnam wurde nach den uralten Riten verbrannt. Bedwin hätte es vorgezogen, dem Großkönig ein christliches Begräbnis zu geben, aber der Rest des Rates weigerte sich, ein derartiges Sakrileg zuzulassen, und so wurde sein aufgedunsener Leichnam auf dem Gipfel von Caer Maes auf einen Scheiterhaufen gebettet und den Flammen übergeben. Sein Schwert wurde von dem Schmied Ystrwth eingeschmolzen, und der geschmolzene Stahl in einen See gegossen, damit Gofannon, der Gott der Schmiede in der Anderwelt, das Schwert für Uthers wiedergeborene Seele neu schmieden konnte. Das brennend heiße Metall zischte, als es die Wasserfläche berührte, und der Dampf stieg auf wie eine dichte Wolke, während die Seher sich über den See beugten, um aus den verzerrten Formen, zu denen das Metall erstarrte, die Zukunft des Königreichs zu lesen. Sie hatten gute Nachrichten für uns, doch Bischof Bedwin schickte vorsichtshalber seine schnellsten Boten in den Süden nach Armorica, um Arthur zurückzurufen, während langsamere Abgesandte den Weg nach Norden, nach Siluria, antraten, um Gundleus mitzuteilen, das Königreich seines Stiefsohns bedürfe nunmehr seines offiziellen Schutzherrn.

Uthers Scheiterhaufen brannte drei Nächte lang. Erst dann ließ man die Flammen ersterben – ein Abschluß, der von einem mächtigen Unwetter beschleunigt wurde, das vom Westmeer hereingefegt kam. Dicke Wolken türmten sich am Himmel, Blitze zuckten über dem Land des Toten, und dichter Regen peitschte über breite Streifen reifenden Getreides hinweg. In Ynys Wydryn verkrochen wir uns in den Hütten, lauschten dem Trommeln des Regens und dem Dröhnen des Donners und sahen zu, wie das Wasser in Kaskaden von den Strohdächern rann. Während dieses Ungewitters brachte Bischof Bedwins Bote das große Drachenbanner des Reichs zu Mordred. Der Bote mußte wie wahnsinnig schreien, um die Aufmerksamkeit von irgend jemandem innerhalb der Palisade zu erregen, aber schließlich öffneten Hywel und ich das Tor. Sobald das Wetter vorüber war und der Wind sich gelegt hatte, pflanzten wir die Flagge zum Zeichen dafür, daß Mordred nunmehr König von Dumnonia war, vor Merlins Halle auf. Der Säugling war natürlich nicht der Großkönig, denn das war eine Ehre, die nur einem König gebührte, der von anderen Königen als der eine akzeptiert wurde, der über allen stand, und auch der Pendragon war Mordred nicht, denn dieser Titel ging nur an einen Großkönig, der seine Stellung in der Schlacht erobert hatte. Eigentlich war Mordred jetzt noch nicht einmal König von Dumnonia, sondern würde es erst dann sein, wenn er nach Caer Cadarn gebracht und dort mit Schwert und Zuruf über dem Krönungsstein zum König proklamiert worden war; da ihm jedoch das Banner zustand, wehte der rote Drache vor Merlins Halle.

Das Banner war ein Rechteck aus weißem Leinen, so breit und so hoch wie der Schaft eines Kriegerspeers. Es wurde ausgespreizt durch Weidenzweige, die in seinen Säumen steckten, und war an einem langen Ulmenstecken befestigt, den eine goldene Drachenfigur krönte. Der Drache auf dem Banner war mit roten Wollfäden aufgestickt worden, die im Regen ihre Farbe verloren und den unteren Teil des Leinenrechtecks rosa gefärbt hatten. Dem Banner folgte innerhalb weniger Tage die Leibwache des Königs, einhundert Mann unter dem Befehl von Owain, dem Champion, dessen Aufgabe es war, Mordred von Dumnonia zu beschützen. Owain brachte den Vorschlag von Bischof Bedwin mit, Norwenna und Mordred sollten sich ins südlich gelegene Durnovaria begeben, ein Vorschlag, den Norwenna freudig akzeptierte, denn sie wollte ihren Sohn weit lieber in einer christlichen Gemeinschaft großziehen als in der eindeutig heidnischen Atmosphäre des Tor. Bevor die Reisevorbereitungen jedoch getroffen werden konnten, trafen schlechte Nachrichten aus dem Norden des Landes ein. Als Gorfyddyd von Powys vom Tod des Großkönigs hörte, hatte er seine Speerträger zu einem Überfall auf Gwent ausgeschickt, und nun brandschatzten und plünderten die Männer aus Powys bis tief in Tewdrics Land hinein und machten überall Gefangene. Agricola,

Tewdrics römischer Feldherr, wehrte sich, aber die verräterischen Sachsen, die sich zweifellos mit Gorfyddyd verbündet hatten, hatten selbst Kriegshorden nach Gwent entsandt, und plötzlich mußte unser ältester Verbündeter um die bloße Existenz seines Reiches kämpfen. Owain, der Norwenna und den Säugling nach Durnovaria begleiten sollte, zog mit seinen Kriegern statt dessen nach Norden, um König Tewdric zu helfen, und da Ligessac, der Mordreds Leibwache befehligte, behauptete, das Kind würde hinter Ynys Wydryns leicht zu verteidigender Landbrücke sicherer sein als in Caer Cadarn oder Durnovaria, blieb Norwenna widerstrebend auf dem Tor.

Mit angehaltenem Atem fragten wir uns, auf wessen Seite sich Gundleus von Siluria schlagen würde, und die Antwort erfolgte prompt: Er wollte für Tewdric gegen seinen alten Verbündeten Gorfyddyd kämpfen. An Norwenna schickte er eine Nachricht, in der er ihr mitteilte, daß seine Truppen über die Bergpässe marschieren würden, um Gorfyddyds Männer von hinten anzugreifen, und daß er, sobald die Kriegshorden von Powys besiegt seien, sofort nach Süden kommen werde, um seine Gemahlin und ihren königlichen Sohn zu beschützen.

Wir warteten auf Nachrichten und suchten die fernen Berge Tag und Nacht nach Leuchtfeuern ab, die uns vor Katastrophen oder dem Nahen des Feindes warnen würden, erlebten aber trotz der Unsicherheiten des Krieges eine glückliche Zeit. Die Sonne heilte das sturmzerfetzte Land und trocknete das Getreide, während Norwenna nun, da ihr Sohn König war, ein wenig zuversichtlicher wirkte, selbst wenn sie auf diesem heidnischen Tor festsaß. Mordred war ein finsteres Kind mit roten Haaren und störrischem Herzen, in jenen sanften Tagen jedoch wirkte er recht glücklich, wenn er mit seiner Mutter oder Ralla, seiner Amme, und deren dunkelhaarigem Sohn spielte. Rallas Ehemann, Gwlyddyn der Zimmermann, schnitzte Mordred ein paar Tiere: Enten, Schweine, Kühe und Hirsche, und der König spielte gern mit ihnen, obwohl er noch zu jung war, um zu wissen, was die Figuren darstellten. Norwenna war glücklich, wenn ihr Sohn glücklich war. Oft sah ich zu, wenn sie Mordred kitzelte, um ihn zum Lachen zu bringen, ihn in ihren Armen wiegte, wenn er sich weh getan hatte, und ihm ihre

Liebe zeigte. Sie nannte ihn ihren kleinen König, ihren ewig liebenden, geliebten Jungen, ihr Wunder, und Mordred erwiderte ihr Lachen und wärmte ihr unglückliches Herz. Wenn er nackt in der Sonne umherkrabbelte, konnten wir alle sehen, daß sein linker Fuß ein Klumpfuß und einwärts gewachsen war wie eine geballte Faust; davon abgesehen aber wurde er durch Rallas Milch und die Liebe seiner Mutter groß und stark. In der Steinkirche neben dem heiligen Dornbusch wurde er getauft.

Dann kamen Nachrichten über den Krieg, und alle waren sie gut. Fürst Gereint hatte eine sächsische Kriegshorde an Dumnonias Ostgrenze geschlagen, während Tewdric weiter nördlich eine andere Truppe sächsischer Marodeure vernichtet hatte. Agricola, der den Rest von Gwents Armee zusammen mit Owain von Dumnonia befehligte, hatte Gorfyddyds Invasoren in die Berge von Powys zurückgetrieben. Dann kam ein Bote von Gundleus, der berichtete, daß Gorfyddyd von Powys Frieden schließen wolle, und dieser Bote warf Norwenna als Beweis für den Sieg ihres Gemahls zwei erbeutete Powys-Schwerter vor die Füße. Und besser noch, der Mann erzählte, Gundleus von Siluria sei bereits auf dem Weg nach Süden, um seine Gemahlin und ihren geliebten Sohn abzuholen. Es werde Zeit, sagte Gundleus, daß Mordred auf Caer Cadarn zum König ausgerufen werde. Nichts hätte süßer in Norwennas Ohren klingen können, darum schenkte sie dem Boten in ihrer Freude einen schweren Goldarmreif, bevor sie ihn nach Süden schickte, damit er die Nachricht ihres Gemahls an Bedwin und den Rat überbringe. »Sagt Bedwin«, wies sie den Boten an, »daß wir Mordred noch vor der Ernte ernennen werden. Gott sei mit Euch!«

Während der Bote gen Süden ritt, begann Norwenna mit den Vorbereitungen für die Ernennungszeremonie auf Caer Cadarn. Sie befahl den Mönchen vom heiligen Dornbusch, sich als ihre Reisebegleitung bereit zu halten, verbot aber sowohl Morgan als auch Nimue strikt, an der Zeremonie teilzunehmen. Von diesem Tage an, erklärte sie, werde Dumnonia ein christliches Königreich sein, und seine heidnischen Hexen würden vom Thron ihres Sohnes möglichst weit ferngehalten werden. Gundleus' Sieg hatte Norwenna Selbstsicherheit verliehen und ermutigte sie, mit einer Autorität aufzutreten, die Uther ihr niemals zugestanden hätte.

Wir erwarteten, daß Morgan oder Nimue gegen ihren Ausschluß von der Ernennungszeremonie protestierten, doch beide Frauen nahmen das Verbot mit überraschender Gelassenheit hin. Morgan zuckte nur die schwarzen Schultern, trug aber an jenem Tag in der Abenddämmerung einen Bronzekessel in Merlins Gemächer und schloß sich dort mit Nimue ein. Norwenna, die den Obermönch vom heiligen Dornbusch mit seiner Gemahlin zur Abendmahlzeit auf den Tor eingeladen hatte, erklärte, die Hexen brauten Böses zusammen, woraufhin alle Anwesenden in der Halle lachten. Die Christen fühlten sich als Sieger.

Ich war mir nicht so sicher, ob sie gesiegt hatten. Nimue und Morgan konnten einander nicht leiden, und dennoch hatten sie sich zusammengesetzt. Ich vermutete, daß nur eine Angelegenheit von allerhöchster Bedeutung eine derartige Versöhnung zustande gebracht haben konnte. Aber Norwenna hegte keinerlei Zweifel. Uthers Tod und die Siege ihres Gemahls schenkten ihr eine wundervolle Freiheit. Bald würde sie den Tor verlassen und ihren rechtmäßigen Platz als Königinmutter an einem christlichen Hof einnehmen, wo ihr Sohn mit Jesu Bild vor Augen heranwachsen würde. Nie war sie so glücklich wie an jenem Abend, an dem sie die unbestrittene Herrscherin war: eine Christin im Herzen von Merlins heidnischer Burg.

Dann aber erschienen Morgan und Nimue.

Stille herrschte in der Halle, als die beiden Frauen auf Norwennas Sessel zugingen, wo sie mit geziemender Demut niederknieten. Der Obermönch, ein kleiner, fanatischer Mann mit borstigem Bart, der Gerber gewesen war, bevor er zum Christentum übertrat, und der noch immer nach dem Dung stank, den sein ehemaliges Handwerk erforderte, verlangte zu wissen, was sie wollten. Seine Gemahlin schützte sich vor dem Bösen, indem sie das Kreuz schlug, spie aber, um ganz sicherzugehen, zusätzlich aus.

Morgan antwortete dem Mönch durch ihre goldene Maske. Sie sprach mit ungewohnter Ehrerbietung, als sie erklärte, Gundleus' Bote habe gelogen. Sie und Nimue, fuhr Morgan fort, hätten in den Kessel geschaut und in seiner Wasserfläche die Wahrheit gespiegelt gesehen. Es habe im Norden weder einen Sieg noch eine Niederlage gegeben, und Morgan warnte, daß der Feind Ynys

Wydryn näher sei, als wir alle ahnten, wir sollten uns bereitmachen, den Tor beim ersten Morgenlicht zu verlassen, um im Innern des südlichen Dumnonia Zuflucht zu suchen. Morgan sprach ruhig und betont, und als sie endete, verneigte sie sich vor der Königin. Dann beugte sie sich ungeschickt vor, um den Saum von Norwennas blauem Gewand zu küssen.

Hastig riß ihr Norwenna den Stoff aus den Händen. Sie hatte sich die schlimme Weissagung schweigend angehört; nun aber begann sie plötzlich zu weinen, und mit den Tränen kam eine Aufwallung von Zorn. »Du bist nichts weiter als eine verkrüppelte Hexe!« schrie sie Morgan entgegen. »Du willst nur, daß dein Bastard von Bruder König wird. Das wird nicht geschehen! Hast du gehört? Es wird niemals geschehen! Mein Sohn ist König!«

»Herrin ...«, versuchte Nimue zu begütigen, wurde aber sofort unterbrochen.

»Du bist nichts!« wandte sich Norwenna wütend an Nimue. »Du bist nichts als ein hysterisches, boshaftes Kind des Teufels. Du hast mein Kind mit einem Fluch belegt! Das weiß ich genau! Er wurde nur verkrüppelt geboren, weil du bei seiner Geburt anwesend warst. O Gott! Mein Kind!« Sie schrie und weinte und schlug mit der Faust auf den Tisch, während sie ihren Haß auf Nimue und Morgan hinausschrie. »Geht jetzt! Alle beide! Geht!« In der Halle wurde es still, als Nimue und Morgan in die Nacht hinausgingen.

Am folgenden Morgen schien es, als hätte Norwenna recht gehabt, denn auf den nördlichen Bergen loderten keine Leuchtfeuer. Es war sogar der schönste Tag jenes wunderschönen Sommers. Das Land wurde schwer, als die Ernte näher rückte, die träge Hitze hüllte die Berge in einen Dunstschleier, und der Himmel war nahezu wolkenlos. Mohn und Kornblumen blühten in dem Dornengestrüpp am Fuß des Tor, und weiße Schmetterlinge segelten auf den warmen Luftströmen, die unsere grün gemusterten Hänge heraufzogen. Ohne auf die Schönheit des Tages zu achten, sprach Norwenna mit den zu Besuch weilenden Mönchen ihre Morgengebete. Dann entschied sie, daß sie vom Tor herabsteigen und die Ankunft ihres Gemahls in den Pilgergemächern im Schrein des Heiligen Dornbuschs erwarten wolle. »Ich habe schon zu lange unter den Gottlosen gelebt«, verkündete sie gerade voll Überheblichkeit, als ein Wächter auf der Ostmauer einen Warnruf ausstieß.

»Reiter!« rief der Mann. »Reiter!«

Norwenna lief zum Zaun, wo viele Neugierige zusammenkamen, um zuzusehen, wie eine Schar bewaffneter Reiter die Landbrücke überquerte, die von der Römerstraße zu den grünen Hügeln von Ynys Wydryn führte. Ligessac, Befehlshaber von Mordreds Leibwache, schien zu wissen, wer da kam, denn er ließ seinen Männern ausrichten, sie sollten die Reiter durch den Erdwall hereinlassen. Die Reiter sprengten durch das Tor im Wall und kamen mit ihrem leuchtendbunten Banner auf uns zu, das den roten Fuchskopf zeigte. Es war Gundleus persönlich, und Norwenna lachte vor Glück, weil ihr Gemahl als Sieger aus dem Krieg zurückkehrte und die Morgendämmerung eines neuen christlichen Königsreichs auf seiner Speerspitze glänzte. »Seht ihr?« wandte sie sich an Morgan. »Seht ihr? Euer Kessel hat gelogen. Es gibt doch einen Sieg!«

Mordred begann bei all der Unruhe zu weinen, und Norwenna befahl schroff, den Kleinen seiner Amme Ralla zu übergeben; dann verlangte sie, daß ihr schönster Umhang geholt und ihr ein Goldreif ins Haar gesetzt werde. So stand sie vor der Tür von Merlins Halle und erwartete ihren König.

Ligessac öffnete das Landtor des Tor. Druidans zusammengewürfelte Wache nahm in einer windschiefen Reihe Aufstellung, während der arme, verrückte Pellinore in seinem Käfig laut heulend nach Neuigkeiten verlangte. Nimue hastete zu Merlins Gemächern hinüber, während ich loslief, um Hywel zu holen, Merlins Verwalter, der den König bestimmt willkommen heißen wollte.

Die zwanzig silurischen Reiter saßen am Fuß des Tor ab. Da sie aus dem Krieg kamen, trugen sie Lanzen, Schilde und Schwerter. Der einbeinige Hywel, der sich mit seinem eigenen Schwert gürtete, krauste die Stirn, als er sah, daß der Druide Tanaburs zur Gruppe der Silurier gehörte. »Ich dachte, Gundleus hätte dem alten Glauben abgeschworen«, sagte der Steuereinnehmer.

»Ich dachte, er hätte Ladwys abgeschworen!« kicherte Gudovan, der Schreiber; dann reckte er das Kinn in Richtung der Reiter, die sich anschickten, den steilen, schmalen Pfad des Tor zu erklimmen. »Seht ihr?« sagte Gudovan, und tatsächlich, unter den Männern in ihren Lederrüstungen befand sich auch eine Frau. Sie war zwar wie ein Mann gekleidet, doch ihre langen schwarze Haare flatterten frei. Sie trug ein Schwert, doch keinen Schild, und Gudovan lachte, als er sie sah. »Unsere kleine Königin wird sich schwertun, diesen Satansbraten auszustechen.«

»Wer ist Satan?« wollte ich wissen, aber Gudovan versetzte mir eine Kopfnuß, weil ich seine Zeit mit dummen Fragen verschwendete.

Hywel runzelte noch immer die Stirn, und seine Hand umklammerte den Schwertgriff, während die silurischen Krieger sich den letzten steilen Treppen näherten, die zu dem Tor führten, an dem unsere buntgemischten Wachen in zwei krummen und schiefen Reihen warteten. Dann weckte irgendein Instinkt, der noch immer so scharf war wie zu seinen Kriegerzeiten, Hywels Befürchtungen. »Ligessac!« brüllte er. »Schließt das Tor! Schließt es! Macht schon!«

Statt dessen zog Ligessac sein Schwert. Dann wandte er sich um und legte die Hand ans Ohr, als hätte er Hywel nicht recht verstanden.

»Schließt das Tor!« brüllt Hywel. Einer von Ligessacs Männern machte Miene, den Befehl zu befolgen, doch Ligessac rief den Mann zur Ordnung und starrte statt dessen Norwenna an, um auf ihren Befehl zu warten.

Norwenna wandte sich mißbilligend an Hywel. »Der da kommt, ist mein Gemahl«, erklärte sie, »und kein Feind.« Dann sah sie wieder Ligessac an. »Laßt das Tor offen«, befahl sie majestätisch, und Ligessac verneigte sich gehorsam.

Hywel fluchte; dann kletterte er ungeschickt von der Brustwehr herab und hinkte auf seiner Krücke zu Morgans Hütte, während ich nur auf dieses leere, sonnenbeschienene Tor hinabstarrte und mich fragte, was wohl geschehen werde. Hywel hatte in der Sommerluft Ärger gewittert, aber wie, das sollte ich nie erfahren.

Gundleus erreichte das offene Tor. Er spie auf die Schwelle; dann lächelte er Norwenna an, die ihn ein paar Schritte entfernt erwartete. Sie hob die rundlichen Arme, um ihren Herrn zu begrüßen, der stark verschwitzt und atemlos war, und das war kein Wunder, denn er hatte den steilen Tor in voller Kriegsausrüstung erklommen. Er trug einen ledernen Brustharnisch, gepolsterte Beinschienen, Stiefel, einen von einem Fuchsschwanz gekrönten Eisenhelm und um die Schultern einen dicken roten Mantel. Sein Schild mit dem Fuchskopf hing an seiner linken Seite, das Schwert steckte an seiner Hüfte, und in der Rechten trug er einen schweren Kampfspeer. Ligessac kniete nieder und bot dem König den Griff seines eigenen Schwertes, und Gundleus trat vor, um den Knauf der Waffe mit einer lederbehandschuhten Hand zu berühren.

Hywel war in Morgans Hütte verschwunden, nun aber kam Sebile mit Mordred in den Armen daraus hervorgerannt. Sebile? Nicht Ralla? Das verwirrte mich, und auch Norwenna muß verwirrt gewesen sein, als die sächsische Sklavin herbeigelaufen kam und sich mit dem kleinen, in sein kostbares Gewand aus goldenem Tuch gehüllten Mordred neben sie stellte. Aber Norwenna blieb keine Zeit, Fragen an Sebile zu stellen, denn nun kam Gundleus auf sie zu. »Ich entbiete Euch mein Schwert, geliebte Königin!« sagte er mit laut schallender Stimme, und Norwenna lächelte glücklich – vielleicht, weil sie bisher weder Tanaburs noch Ladwys entdeckt hatte, die mit Gundleus' Kriegern durch Merlins weit geöffnetes Tor hereinkamen.

Gundleus rammte seinen Speer in den Erdboden und zog sein Schwert; doch statt es Norwenna mit dem Griff nach vorn darzubieten, hielt er ihr die scharfe Spitze der Klinge vors Gesicht. Norwenna, die nicht recht wußte, was sie tun sollte, streckte zögernd die Hand aus, um die glänzende Spitze zu berühren. »Ich freue mich über Eure Rückkehr, mein geliebter Lord«, sagte sie pflichtschuldigst und sank, wie es der Brauch verlangte, zu seinen Füßen auf die Knie.

»Küßt dieses Schwert, welches das Königreich Eures Sohnes verteidigen wird«, verlangte Gundleus, und Norwenna beugte sich ungeschickt vor, um ihre schmalen Lippen auf den dargebotenen Stahl zu pressen.

Sie küßte das Schwert, wie es ihr befohlen worden war, und im selben Moment, da ihre Lippen den grauen Stahl berührten, stieß Gundleus zu. Er lachte, als er seine Gemahlin tötete, er lachte, als er das Schwert an ihrem Kinn vorbei in ihre Halsgrube rammte, und lachte immer noch, als er die lange Klinge gegen den erstickten

Widerstand ihres sich aufbäumenden Körpers nach unten zog. Norwenna hatte keine Zeit zu schreien, hatte auch keine Stimme mehr zum Schreien. Die Schneide riß ihr die Kehle auf und wurde ihr mitten ins Herz gestoßen. Gundleus grunzte, als er zustieß. Er hatte sich den schweren Kampfschild über die Schultern gehängt, so daß er den Griff der Waffe mit beiden behandschuhten Händen umklammern konnte, um sie tief hineinzurammen und die Klinge dabei zu drehen. Blut klebte an seinem Schwert, Blut glänzte auf dem Gras, Blut befleckte den blauen Umhang der sterbenden Königin, und noch mehr Blut schoß hervor, als Gundleus die lange Klinge gewaltsam herausriß. Ohne den Halt des Schwertes sank Norwennas Leichnam seitlich zusammen, zitterte sekundenlang und lag dann still.

Sebile ließ das Kind fallen und ergriff laut schreiend die Flucht. Mordred weinte laut protestierend, doch Gundleus brachte den Kleinen mit seinem Schwert schnell zum Schweigen. Nur einmal stieß er mit der blutroten Klinge zu, und schon war das goldene Tuch mit Scharlachrot getränkt. So viel Blut von einem so kleinen Kind!

Das alles war so schnell geschehen! Gudovan, der neben mir stand, starrte noch ungläubig auf die Szene, während Ladwys, eine hochgewachsene Schönheit mit langen Haaren, dunklen Augen und scharfgeschnittenem, hartem Gesicht, laut und glücklich über den Sieg ihres Geliebten lachte. Tanaburs hatte ein Auge geschlossen, eine Hand gen Himmel erhoben, hüpfte auf einem Bein herum – Zeichen dafür, daß er sich in heiliger Zwiesprache mit den Göttern befand – und murmelte schicksalsschwere Beschwörungen, während Gundleus' Männer sich mit gezückten Speeren über das ganze Gelände verteilten, um dieses Schicksal eilends herbeizuführen. Ligessac hatte sich den Reihen der Silurier angeschlossen und half den Lanzenträgern, die eigenen Männer abzuschlachten. Einige Dumnonier versuchten sich zu wehren, aber sie waren aufgestellt worden, um Gundleus zu ehren, nicht um sich gegen ihn zu wehren, und so machten die Silurier kurzen Prozeß mit Mordreds Leibwache und noch kürzeren mit Druidans jämmerlichem Häuflein Soldaten. Zum allerersten Mal in meinem Erwachsenenleben sah ich Männer auf Speerspitzen sterben, hörte ich die furchtbaren

Schreie, die ein Mann ausstößt, wenn seine Seele mit dem Speer in die Anderwelt geschickt wird.

Ein paar Sekunden lang war ich hilflos vor panischer Angst. Norwenna und Mordred waren tot, der ganze Tor schrie, und der Feind stürmte auf Merlins Halle und Merlins Turm zu. Neben dem Turm tauchten Morgan und Hywel auf, doch während Hywel mit dem Schwert in der Hand vorwärts hinkte, floh Morgan den Weg zum Meerestor hinab, gefolgt von einer Schar Frauen, Kindern und Sklaven, einer entsetzten Menschenmasse, die Gundleus bereitwillig entfliehen zu lassen schien. Ralla, Sebile und jene von Druidans mißgestalteten Wachen, denen es gelungen war, den grimmigen silurischen Kriegern zu entkommen, liefen mit ihnen. Pellinore, den dieses Grauen begeisterte, hüpfte nackt und kichernd in seinem Käfig auf und ab.

Ich sprang von der Brustwehr und rannte zur Halle. Nicht etwa, weil ich tapfer war, sondern ganz einfach, weil ich Nimue liebte und mich vergewissern wollte, daß sie in Sicherheit war, bevor ich selbst vom Tor floh. Ligessacs Wachen waren tot, und Gundleus' Krieger begannen bereits die Hütten zu plündern, als ich durch die Tür hineinstürzte und auf Merlins Gemächer zulief. Doch ehe ich die kleine schwarze Innentür erreichen konnte, stolperte ich über einen Lanzenschaft. Ich stürzte schwer; dann packte mich eine kleine Hand am Kragen und zerrte mich mit erstaunlicher Kraft zu meinem alten Versteck hinter den Körben mit den festlichen Tuchbahnen. »Du kannst ihr nicht helfen, Dummkopf«, hörte ich Druidans Stimme an meinem Ohr. »Und nun sei still!«

Kaum war ich in Sicherheit, da kamen Gundleus und Tanaburs in die Halle, und nun konnte ich nur noch zusehen, wie der König, sein Druide und drei behelmte Männer auf Merlins Tür zumarschierten; ich wußte, was geschehen würde, und konnte nichts dagegen tun, denn Druidan hielt mir mit seiner kleinen Hand ganz fest den Mund zu, damit ich nicht aufschreien konnte. Ich bezweifelte, daß Druidan sich in der Halle versteckt hatte, um Nimue zu retten. Vermutlich war er gekommen, um so viel Gold mitzunehmen, wie nur möglich, bevor er mit den anderen Männern floh, doch die Tatsache, daß er hier war, hatte mir zumindest das Leben gerettet. Nimue allerdings rettete sie vor gar nichts.

Tanaburs trat den Geisterzaun beiseite und stieß die Tür auf. Gefolgt von seinen Speerträgern, schlüpfte Gundleus hinein.

Ich hörte Nimue schreien. Ich weiß nicht, ob sie Tricks benutzte, um Merlins Gemächer zu verteidigen, oder ob sie schon alle Hoffnung hatte fahren lassen. Ich weiß nur, daß Stolz und Pflichtbewußtsein sie veranlaßt hatten zu bleiben, um die Geheimnisse ihres Meisters zu schützen, und daß sie für diesen Stolz nunmehr bezahlen mußte. Ich hörte Gundleus lachen. Dann hörte ich kaum etwas bis auf den Lärm, den die Silurier machten, als sie Merlins Kästen, Ballen und Körbe durchwühlten. Nimue wimmerte, Gundleus ließ einen Triumphruf hören, und dann stieß sie auf einmal einen grauenvollen Schmerzensschrei aus. »Das wird dich lehren, auf meinen Schild zu speien, Mädchen«, sagte Gundleus, während Nimue hilflos schluchzte.

»Inzwischen ist sie von allen vergewaltigt worden«, flüsterte mir Druidan mit boshafter Genugtuung ins Ohr. Immer mehr von Gundleus' Bewaffneten stürmten durch die Halle, um in Merlins Gemächer einzudringen. Mit seinem Speer bohrte Druidan ein Loch in die Wand aus Lehm und Flechtwerk und befahl mir, hindurchzukriechen und ihm den Hügel hinab zu folgen, aber solange Nimue noch lebte, wollte ich nicht von der Stelle weichen. »Bald werden sie auch diese Körbe durchsuchen«, warnte mich der Zwerg, aber noch immer wollte ich nicht auf ihn hören. »Dummkopf«, sagte Druidan, zwängte sich durch das Loch und huschte zu dem dunklen Winkel zwischen einer nahen Hütte und einem Hühnerstall hinüber.

Ligessac war meine Rettung. Nicht, weil er mich sah, sondern weil er den Siluriern versicherte, in den Körben, hinter denen ich mich versteckte, seien nur Tafeltücher. »Die Schätze sind alle da drinnen«, erklärte er seinen neuen Verbündeten, und ich duckte mich tiefer und wagte mich nicht zu rühren, während seine siegreichen Soldaten Merlins Gemächer plünderten. Die Götter allein wissen, was sie alles fanden: Häute von toten Menschen, alte Knochen, neue Talismane und uralte Donnerkeile, aber nur sehr wenige wirkliche Schätze. Und die Götter allein wissen, was sie Nimue antaten, denn das wollte sie mir niemals sagen, obwohl das gar nicht nötig war. Sie taten, was alle Soldaten den Frauen ihrer besiegten Feinde antun, und als sie mit ihr fertig waren, ließen sie sie blutend und halb wahnsinnig zurück.

Und überließen sie dem Tod, denn als sie die Schatzkammern durchwühlten und feststellen mußten, daß sie mit verstaubtem Trödel und nur sehr wenig Gold gefüllt waren, holten sie sich eine Fackel aus der Halle und warfen sie zwischen die aufgerissenen Körbe. Dicke Rauchwolken quollen aus der Tür. Eine weitere brennende Fackel wurde zwischen die Körbe geworfen, hinter denen ich mich versteckte. Dann zogen sich Gundleus' Krieger aus der Halle zurück. Einige trugen Gold, ein paar hatten silberne Schmuckstücke gefunden, die meisten aber flohen mit leeren Händen. Als der letzte Mann verschwunden war, bedeckte ich meinen Mund mit einem Zipfel meines Kollers, lief durch den erstickenden Rauch zu Merlins Tür und fand Nimue unmittelbar dahinter. »Komm schnell!« rief ich ihr verzweifelt zu. Die Luft füllte sich immer mehr mit Rauch, während die Flammen lodernd an den Behältern emporschlugen, wo in Panik Katzen schrien und Fledermäuse flatterten.

Nimue rührte sich nicht. Sie lag auf dem Bauch, die Hände vors Gesicht geschlagen, nackt, und ihre Schenkel waren mit Blut bedeckt. Sie weinte.

Ich lief zu der Tür, die zu Merlins Turm führte, weil ich dachte, es gebe da vielleicht eine Fluchtmöglichkeit; doch als ich die Tür aufstieß, fand ich keinerlei Öffnung in den Wänden. Außerdem entdeckte ich, daß der Turm, weit entfernt davon, eine Schatzkammer zu sein, so gut wie leer war. Ich fand nur den nackten Erdboden, vier Holzwände und ein offenes Dach. Das Gemach war zum Himmel hin offen. In halber Höhe des offenen Runds, an zwei Balken aufgehängt und über eine kräftige Leiter zu erreichen, entdeckte ich eine hölzerne Plattform, die aber sehr schnell von dem dichten Rauch verhüllt wurde. Der Turm war eine Traumkammer, ein leerer Ort, in dem das Flüstern der Götter an Merlins Ohr dringen konnte. Ich starrte kurz zu der Traumplattform hinauf, dann quoll hinter mir immer mehr Rauch herein und stieg in dem kaminartigen Traumturm empor. Ich eilte zu Nimue zurück, riß ihren schwarzen Umhang von der zerwühlten Bettstatt und wikkelte sie wie ein krankes Tier in den Wollstoff. Ich packte die Ecken des Umhangs, kämpfte mich mit dem leichten Körper im Bündel in die Halle hinaus und nahm Kurs auf die entfernte Tür. Das Feuer wütete jetzt mit der Gier von Flammen, die sich an trockenem Holz gütlich tun. Meine Augen tränten, und meine Lunge brannte von dem Rauch, der in der Nähe der Haupttür am dichtesten war; also zog ich Nimues leblosen Körper über den Boden zu dem Fluchtloch, das Druidan in die Wand gebohrt hatte. Mein Herz hämmerte vor Angst, als ich hindurchspähte, doch ich konnte keinen Feind entdecken. Mit Fußtritten vergrößerte ich das Loch, bog das Weidengeflecht nach außen und brach ganze Platten des Lehmputzes heraus; dann zwängte ich mich hindurch und zerrte Nimue hinter mir her. Sie stieß hilflose Protestlaute aus, als ich sie durch die primitive Öffnung zog, aber die frische Luft schien sie so weit zu beleben, daß sie schließlich versuchte, sich selbst zu helfen, und so sah ich, als sie die Hände vom Gesicht nahm, warum ihr letzter Schrei so gräßlich geklungen hatte. Gundleus hatte ihr ein Auge ausgerissen. Die Höhle war eine blutgefüllte Grube, die sie sofort wieder mit einer blutverschmierten Hand bedeckte. Da sie, nachdem sie sich durch das Loch gekämpft hatte, völlig nackt war, löste ich ihren Umhang von dem zersplitterten Weidengeflecht und legte ihn ihr um die Schultern. Anschließend packte ich ihre freie Hand und lief mit ihr auf die nächst liegende Hütte zu.

Einer von Gundleus' Männern entdeckte uns; dann erkannte auch Gundleus Nimue und rief, die Hexe solle gepackt und lebendig in die Flammen zurückgeworfen werden. Jagdgeschrei ertönte, lautes Gebrüll wie der Lärm von Jägern, die einen verletzten Keiler zu Tode jagen. Sie hätten uns sicher gefangen, wenn nicht einige andere Flüchtlinge bereits eine Öffnung in die Palisade auf der Südseite des Tor gerissen hätten. Als ich auf die neue Öffnung zulief, entdeckte ich Hywel, den guten Hywel, der mit seiner Krücke tot in der Lücke lag, den Kopf halb vom Hals getrennt; das Schwert noch in der Hand. Ich griff mir das Schwert und schleifte Nimue mit. Wir erreichten den steilen Südhang und stürzten uns hinab. Auf dem nassen Gras rutschten wir sofort aus und glitten laut schreiend darauf hinab. Nimue war halb blind und fast rasend vor Schmerzen, während ich hysterisch vor Angst war; dennoch hielt ich Hywels Kampfschwert umklammert und schaffte es auch irgendwie, Nimue am Fuß des Tor auf die Beine zu stellen und mit ihr weiterzustolpern, an der heiligen Quelle vorbei, am Obstgarten der Christen vorbei, durch einen Erlenhain und immer weiter hinab bis dahin, wo Hywel, wie ich wußte, neben einer Fischerhütte seinen Moorkahn vertäut hatte. Ich warf Nimue in das kleine Boot aus gebündelten Schilfhalmen, durchschlug die Fangleine mit meinem neuen Schwert und stieß das Boot vom Holzsteg ab, nur um sogleich festzustellen, daß ich keine Stakstange hatte, um das schwerfällige Wasserfahrzeug in das verschlungene Labyrinth von Kanälen und Teichen zu manövrieren, die den Sumpf durchzogen. Statt dessen benutzte ich mein Schwert. Hywels Klinge war zwar eine erbärmliche Stake, aber sie war alles, was ich hatte, bis der erste unserer Verfolger das verschilfte Ufer erreicht hatte und, da er wegen des zähen Moorschlamms nicht hinauswaten konnte, seinen Speer nach uns schleuderte.

Pfeifend sauste der Speer auf uns zu. Sekundenlag vermochte ich mich nicht zu rühren und starrte wie gebannt auf die schwere Waffe mit der glänzenden Speerspitze, die durch die Luft geflogen kam; aber sie verfehlte uns und blieb in dem aus Schilfrohr bestehenden Dollbord des Kahns stecken. Ich packte den federnden Eschenstab und benutzte ihn sogleich als Stake, um das Boot mit starken, schnellen Stößen in die Wasserwege hinauszusteuern. Dort waren wir sicher. Einige von Gundleus' Männern rannten einen hölzernen Uferweg entlang, der parallel zu unserem Kurs verlief, aber ich drehte bald von ihnen ab. Andere sprangen in Coracles und benutzten ihre Speere als Paddel, aber kein Coracle konnte es mit einem Moorkahn an Geschwindigkeit aufnehmen, und so ließen wir sie weit hinter uns. Ligessac schoß uns einen Pfeil hinterher, aber wir waren schon außer Reichweite, und sein Geschoß fiel lautlos ins dunkle Wasser. Hinter unseren enttäuschten Verfolgern, hoch oben auf dem grünen Tor, leckten die Flammen gierig an Hütten, Halle und Turm, und in den blauen Sommerhimmel reckten sich graue, kräuselnde Rauchsäulen.

»Zwei Wunden.« Zum erstenmal, seit ich sie aus den Flammen gerettet hatte, sprach Nimue mit mir.

»Was?« Ich wandte mich zu ihr um. Sie kauerte im Bug, den

mageren Körper in den dunklen Umhang gewickelt, eine Hand über die leere Augenhöhle gelegt.

»Ich habe zwei Wunden der Weisheit erlitten, Derfel«, sagte sie in einem Ton, der von irrwitzigem Staunen sprach. »Die Wunde des Körpers und die Wunde des Stolzes. Nun muß ich nur noch den Wahnsinn erleiden, dann werde ich so weise sein wie Merlin.« Sie wollte lächeln, in ihrer Stimme lag jedoch eine wilde Hysterie, bei der ich mich fragte, ob sie nicht jetzt schon im Banne des Wahnsinns stand.

»Mordred ist tot«, berichtete ich ihr, »Norwenna und Hywel auch. Der Tor brennt.« Unsere ganze Welt wurde zerstört, doch Nimue wirkte seltsam unbewegt von der Katastrophe. Im Gegenteil, sie schien fast freudig erregt zu sein, weil sie zwei der drei Weisheitsproben bestanden hatte.

Ich stakte an einer Reihe von Weidenreusen vorbei und steuerte dann in Lissa's Mere hinein, einen großen, schwarzen See am Südende des Sumpflandes. Mein Ziel war Ermids Halle, ein Weiler aus Holzhütten, in der Ermid, Häuptling eines einheimischen Stammes, seinen Hof hatte. Ich wußte, daß Ermid nicht zu Hause sein würde, denn er war mit Owain nach Norden marschiert, doch seine Leute würden uns helfen, und ich wußte auch, daß wir mit unserem Boot den Hof erreichen würden, lange bevor Gundleus' schnellste Reiter um das langgestreckte, dicht mit Schilf bewachsene, morastige Seeufer herumgaloppieren konnten. Sie würden fast bis zum Fosse Way reiten müssen, der großen Römerstraße, die östlich am Tor vorbeiführte, bevor sie um den östlichen Zipfel des Sees biegen und auf Ermids Halle zuhalten konnten, aber bis dahin würden wir längst nach Süden weitergezogen sein. Vor mir auf dem See entdeckte ich weitere Boote und nahm an, daß es die Flüchtlinge aus dem Tor waren, die von Ynys Wydryns Fischern in Sicherheit gebracht wurden.

Ich erklärte Nimue, daß ich Ermids Halle zu erreichen versuchen und dann so lange weiter nach Süden fahren wolle, bis die Nacht hereinbrach oder wir auf Freunde trafen. »Gut«, gab sie stumpf zurück, aber ich war mir nicht ganz sicher, ob sie etwas von dem verstanden hatte, was ich sagte. »Gut, Derfel«, ergänzte sie. »Jetzt weiß ich, warum mich die Götter hießen, dir zu vertrauen.«

»Du vertraust mir«, entgegnete ich bitter und stieß den Speer in den schlammigen Grund des Sees, um das Boot vorwärtszutreiben, »weil ich dich liebe und dir das Macht über mich verleiht.«

»Gut«, sagte sie abermals, dann schwieg sie, bis unser Schilfboot in den baumumstandenen Anlegeplatz unterhalb von Ermids Palisade hineinglitt, wo ich, als ich das Boot tiefer in den Schatten am Bach lenkte, die anderen Flüchtlinge vom Tor entdeckte. Morgan war da, zusammen mit Sebile, und Ralla saß, ihr Baby sicher in den Armen, weinend neben Gwlyddyn, ihrem Gemahl. Lunete, das irische Mädchen, war da und lief weinend ans Wasser hinunter, um Nimue zu helfen. Ich berichtete Morgan von Hywels Tod, und sie erwiderte, sie habe gesehen, wie Guendoloen, Merlins Gemahlin, von einem Silurier niedergemetzelt wurde. Gudovan war in Sicherheit, doch niemand wußte, was aus dem armen Pellinore oder aus Druidan geworden war. Keiner von Norwennas Leibwachen hatte überlebt, nur eine Handvoll von Druidans elenden Soldaten hatten sich in die zweifelhafte Sicherheit von Ermids Halle retten können, dazu drei von Norwennas weinenden Hofdamen und ein Dutzend von Merlins verängstigten Findelkindern.

»Wir müssen bald weiter«, erklärte ich Morgan. »Sie sind hinter Nimue her.« Nimue wurde gerade von Ermids Dienerinnen verbunden und eingekleidet.

»Nicht hinter Nimue sind sie her, Dummkopf«, fuhr Morgan mich an, »sondern hinter Mordred.«

»Aber Mordred ist tot!« protestierte ich, doch Morgan antwortete nicht, sondern wandte sich um und riß Ralla das Baby aus den Armen. Als sie das grobe braune Tuch vom Körper des Kindes zurückschlug, sah ich den Klumpfuß.

»Hast du geglaubt, du Dummkopf«, sagte Morgan zu mir, »ich hätte zugelassen, daß unser König ermordet wird?«

Ich starrte Ralla und Gwlyddyn an und fragte mich, wie sie es hatten zulassen können, daß ihr eigener Sohn ermordet wurde. Es war Gwlyddyn, der meine stumme Frage beantwortete. »Er ist der König«, erklärte er schlicht und zeigte auf Mordred, »während unser Sohn nur das Kind eines Zimmermanns war.«

»Und bald«, setzte Morgan zornig hinzu, »wird Gundleus entdecken, daß das Kind, das er getötet hat, zwei gesunde Füße besitzt.

Dann wird er mit jedem Mann, der ihm zur Verfügung steht, nach uns suchen. Wir gehen nach Süden.« In Ermids Halle gab es nicht genügend Sicherheit. Der Häuptling war mit seinen Männern in den Krieg gezogen und hatte nur eine Handvoll Diener und Kinder im Dorf zurückgelassen.

Kurz vor Mittag brachen wir auf, in die grünen Wälder südlich von Ermids Ansiedlung. Einer von Ermids Jägern führte uns über schmale Pfade und geheime Wege. Wir waren dreißig, zumeist Frauen und Kinder, mit nur einem halben Dutzend waffenfähiger Männer, und auch von denen hatte nur Gwlyddyn je in der Schlacht einen Mann getötet. Die paar Narren von Druidans Truppe, die überlebt hatten, waren zu nichts zu gebrauchen, und ich hatte noch nie im Zorn gekämpft. Dennoch bildete ich jetzt, mit Hywels nacktem Schwert in meinem Gürtelstrick und dem schweren Silurierspeer in der Rechten, die Nachhut.

Langsam zogen wir unter Eichen und Haselsträuchern dahin. Von Ermids Halle bis nach Caer Cadarn waren es nicht mehr als vier Stunden zu Fuß, obwohl wir vermutlich weit länger brauchen würden, denn wir marschierten heimlich, auf gewundenen Pfaden, und wurden durch die Kinder aufgehalten. Morgan hatte zwar nicht gesagt, daß sie nach Caer Cadarn wollte, aber ich ahnte, daß die königliche Zuflucht ihr Ziel war, denn dort würden wir vermutlich Soldaten aus Dumnonia finden. Leider würde Gundleus wohl dieselbe Schlußfolgerung ziehen, und er war nicht weniger verzweifelt als wir. Morgan, die scharfsinnig erkannt hatte, wie schlecht die Welt war, argwöhnte, daß der silurische König diesen Krieg schon seit dem Hohen Rat geplant und nur Uthers Tod abgewartet hatte, um mit Gorfyddyd diesen Überfall zu unternehmen. Wir waren allesamt getäuscht worden. Da wir Gundleus für einen Freund hielten, hatte niemand mehr seine Grenzen bewacht, und nun zielte Gundleus auf nichts Geringeres als den Thron von Dumnonia selbst. Aber um diesen Thron zu erringen, erklärte uns Morgan, brauche er mehr als nur eine Truppe von zwanzig Reitern, daher würden seine Speerkämpfer schon jetzt mit Sicherheit versuchen, ihren König im Eilmarsch auf der langen Römerstraße einzuholen, die an Dumnonias Nordküste begann. Die Silurier waren in unserem Land, doch bevor sich Gundleus des Sieges sicher sein konnte, mußte er Mordred umbringen. Also mußte er uns finden, denn sonst würde sein ganzer wagemutiger Plan fehlschlagen.

Der dichte Wald dämpfte unsere Schritte. Hier und da flatterte eine Taube durchs hohe Laub, und manchmal hämmerte ein Specht an einem nahen Baum. Einmal hörten wir lautes Getöse und Getrampel im Gebüsch, und wir alle erstarrten, weil wir fürchteten, es sei ein silurischer Reiter, aber es war nur ein Keiler mit riesigen Hauern, der auf die Lichtung getrabt kam, einen kurzen Blick auf uns warf und sich wieder davonmachte. Mordred schrie und verweigerte Rallas Brust. Auch einige der kleineren Kinder weinten vor Angst und Müdigkeit, verstummten aber, als Morgan drohte, sie alle in Stinkkröten zu verwandeln.

Nimue hinkte vor mir her. Ich wußte, daß sie Schmerzen litt, aber sie klagte kein einziges Mal. Manchmal weinte sie lautlos vor sich hin und wollte sich durch nichts, was Lunete sagte, trösten lassen. Lunete war ein schlankes, dunkelhaariges Mädchen, im selben Alter wie Nimue und ihr vom Aussehen her ziemlich ähnlich, aber es mangelte ihr an Nimues Kenntnissen und übersinnlichen Fähigkeiten. Wenn Nimue einen Bach sah, wußte sie sofort, ob Wassergeister darin wohnten, während Lunete lediglich einen guten Platz zum Wäschewaschen sah. Nach einer Weile fiel Lunete ein wenig zurück und gesellte sich zu mir. »Was wird nun aus uns werden, Derfel?« fragte sie mich.

»Ich weiß es nicht.«

»Wird Merlin kommen?«

»Das hoffe ich«, antwortete ich ihr, »vielleicht kommt ja sogar Arthur.« Ich sagte es mit heißer, doch zweifelnder Hoffnung, denn was wir jetzt brauchten, war ein Wunder. Wir schienen in einem Mittagsalptraum gefangen zu sein, denn als wir nach zweistündigem Marsch gezwungen waren, den Wald zu verlassen, um einen tiefen, mäandernden Wasserlauf zu durchqueren, der sich durch saftige Weiden voll bunter Blumen wand, entdeckten wir in der Ferne, am östlichen Horizont, weitere Rauchsäulen. Allerdings war nicht zu erkennen, ob diese Feuer von silurischen Marodeuren oder von Sachsen gelegt worden waren, die unsere Schwäche ausnutzten.

Eine Viertelmeile östlich von uns brach ein Hirsch aus dem Wald.

»Runter!« zischte der Jäger, und wir alle sanken am Waldrand ins Gras. Ralla preßte Mordred fest an ihre Brust, um ihn zum Schweigen zu bringen. Er rächte sich, indem er sie so heftig biß, daß ihr das Blut bis zur Taille tröpfelte, doch weder er noch sie gaben den geringsten Laut von sich, als der Reiter, der den Hirsch aufgescheucht hatte, am Saum des Gehölzes erschien. Der Reiter befand sich ebenfalls östlich von uns, aber weit näher als die Rauchsäulen – so nah, daß ich den Fuchskopf auf seinem runden Schild erkennen konnte. Er trug einen langen Speer und ein Horn, in das er stieß, nachdem er lange in unsere Richtung gespäht hatte. Wir alle fürchteten, dieses Signal bedeute, daß der Reiter uns gesehen hatte und daß jeden Moment ein ganzes Rudel silurischer Reiter auftauchen würde; doch als der Mann sein Pferd unter die Bäume zurücklenkte, vermuteten wir, der Hornstoß bedeute, er habe keine Spur von uns entdeckt. In der Ferne antwortete ein anderes Horn. Dann herrschte Stille.

Wir warteten – lange Minuten. Bienen summten durch die Weiden am Bach. Wir beobachteten den Waldrand, fürchteten, noch mehr Reiter zu sehen, aber kein Feind tauchte dort auf, und nach einer Weile flüsterte unser Führer uns zu, daß wir zum Wasser hinabkriechen, es überqueren und bis zu den Bäumen am anderen Ufer emporrobben sollten.

Es war ein langer, beschwerlicher Weg, vor allem für Morgan mit ihrem verkrüppelten linken Bein, aber als wir durch den Bach platschten, hatten wir wenigstens Gelegenheit, ein bißchen Wasser zu trinken. Als wir den gegenüberliegenden Wald erreicht hatten, waren unsere Kleider triefend naß, aber wir konnten mit dem erleichterten Gefühl weitermarschieren, die Feinde wahrscheinlich hinter uns gelassen zu haben. Leider jedoch nicht unsere Befürchtungen. »Werden sie uns zu Sklaven machen?« fragte mich Lunete. Wie viele von uns war Lunete ursprünglich für Dumnonias Sklavenmarkt gefangen worden, und nur Merlins Einspruch hatte ihr die Freiheit bewahrt. Jetzt fürchtete sie, daß sie durch den Verlust von Merlins Schutz zu einem schlimmen Schicksal verdammt sei.

»Das glaube ich nicht«, antwortete ich. »Es sei denn, Gundleus oder die Sachsen nehmen uns gefangen. Dich würden sie zur Sklavin machen, aber mich würden sie vermutlich töten.« Ich fand mich sehr tapfer, als ich das sagte.

Als Lunete tröstend ihren Arm unter den meinen schob, fühlte ich mich geschmeichelt. Sie war ein hübsches Mädchen, hatte mich bisher jedoch mit Geringschätzung gestraft und die Gesellschaft der wilden Fischerjungen von Ynys Wydryn vorgezogen. »Ich wünschte, Merlin käme zurück«, seufzte sie. »Ich möchte den Tor nicht verlassen.«

»Da oben ist jetzt nichts mehr übrig«, erwiderte ich. »Wir werden uns einen neuen Platz zum Leben suchen müssen. Oder zurückkehren und, wenn wir können, den Tor wiederaufbauen.« Aber nur, dachte ich, wenn Dumnonia überlebt. Vielleicht lag das Königreich ja gerade jetzt, an diesem rauchverseuchten Nachmittag, im Sterben. Ich fragte mich, wie ich so blind sein konnte, nicht vorauszusehen, welche Schrecken Uthers Tod mit sich bringen würde. Ein Königreich braucht einen König, denn ohne König ist es nichts als ein leeres Land, das die Speere von Eroberern herausfordert.

Mitte des Nachmittags überquerten wir einen breiteren Wasserlauf, der fast schon ein Fluß war und so tief, daß mir das Wasser beim Waten bis an die Brust reichte. Am anderen Ufer angekommen, rieb ich Hywels Schwert trocken, so gut es ging. Es war eine schöne Klinge, geschmiedet von den berühmten Meistern von Gwent und verziert mit spiralförmigen, ineinandergreifenden Mustern. Die Stahlklinge war kerzengerade und reichte mir, wenn ich den Arm lang ausstreckte, von der Kehle bis zu den Fingerspitzen. Das Querstück bestand aus dickem Eisen mit schlichten, runden Kreuzblumen, während der Griff aus Apfelholz bestand, das mit der Angel vernietet und dann mit langen, schmalen Lederriemen umwickelt worden war, die man mit Öl geglättet hatte. Der Knauf war eine runde, mit Silberdraht umhüllte Kugel, die immer wieder hervorlugte, bis ich den Draht schließlich entfernte und zu einem primitiven Armreifen für Lunete umformte.

Südlich des Flusses lag wiederum eine große Weide, auf der Ochsen weideten, die herbeigetrabt kamen, um unseren langen Zug zu beäugen. Vielleicht waren es ihre Bewegungen, die die Gefahr auslösten, denn kaum hatten wir den Wald hinter der Weide betreten, da hörte ich lauten Hufschlag hinter uns. Sofort schickte ich eine Warnung nach vorn; dann fuhr ich, Schwert und Speer in den Händen, herum, um den Weg hinter uns im Auge zu behalten.

An dieser Stelle hingen die Äste tief herab – so tief, daß der Pfad zu Pferd nicht benutzt werden konnte. Wer immer unsere Verfolger waren – sie würden ihre Tiere zurücklassen und uns zu Fuß verfolgen müssen. Wir hatten die ausgetreteneren Wege des Waldes gemieden und nur verborgene Trampelpfade benutzt, die sich zwischen den Bäumen hindurchwanden. Sie waren so schmal, daß unsere Verfolger sich, genau wie wir, nur im Gänsemarsch vorwärtsbewegen konnten. Ich fürchtete, es seien silurische Späher, die Gundleus seiner kleinen Streitmacht weit vorausgeschickt hatte. Wer sonst würde sich dafür interessieren, was die Ochsen am Flußufer veranlaßt hatte, sich an diesem trägen Nachmittag neugierig zu erheben?

Neben mir tauchte Gwlyddyn auf und nahm mir den schweren Speer aus der Hand. Er lauschte auf die fernen Schritte; dann nickte er zufrieden. »Nur zwei«, stellte er gelassen fest. »Sie haben ihre Pferde zurückgelassen und folgen uns zu Fuß. Ich nehme den ersten, du hältst den zweiten auf, bis ich ihn töten kann.« Er klang außergewöhnlich ruhig und half mir dadurch, meine Angst zu bezwingen. »Und vergiß nicht, Derfel«, setzte er hinzu, »die haben genausoviel Angst wie wir.« Er schob mich in den Schatten und kauerte sich auf der anderen Seite des Pfades hinter die hochragenden Wurzeln einer umgestürzten Buche. »Runter mit dir!« zischte er mir zu. »Versteck dich!«

Ich duckte mich, und plötzlich stieg wieder das Entsetzen in mir hoch. Meine Hände schwitzten, mein rechtes Bein zuckte, meine Kehle war trocken, ich wollte mich übergeben, und meine Eingeweide wurden flüssig. Hywel war mir ein guter Lehrmeister gewesen, aber noch nie hatte ich einem Mann gegenübergestanden, der mich töten wollte. Ich hörte, wie die Männer näher kamen, konnte sie aber nicht sehen, und mein vorherrschender Impuls war, kehrtzumachen und hinter den Frauen herzulaufen. Aber ich blieb. Ich hatte keine Wahl. Seit meiner Kindheit hatte ich Erzählungen von Kriegern gehört, und immer wieder hatte man mir eingeprägt, daß ein Mann niemals kehrtmacht und davonläuft. Ein Mann kämpft für seinen Herrn, ein Mann stellt sich dem Feind, und ein Mann ergreift niemals die Flucht. Jetzt lag mein Herr an Rallas Brust, und ich erwartete seine Feinde, aber wie sehr wünschte ich mir, ein Kind zu sein und einfach weglaufen zu können! Angenommen, es waren mehr als nur zwei feindliche Speerkämpfer? Und selbst wenn es tatsächlich nur zwei waren, handelte es sich bestimmt um erfahrene Krieger, geübt und abgehärtet und rücksichtslos beim Töten.

»Ruhig, Junge, ruhig«, mahnte Gwlyddyn leise. Er hatte an Uthers Schlachten teilgenommen. Er hatte gegen die Sachsen gekämpft und den Speer gegen die Männer aus Powys erhoben. Nun, tief in seinem Heimatland, hockte er mit einem halben Grinsen im Gesicht und meinem Langspeer in den kräftigen braunen Händen geduckt im dichten Wurzelgestrüpp. »Jetzt nehme ich Rache für mein Kind«, erklärte er mir grimmig, »und die Götter sind auf unserer Seite.«

Ich kauerte, flankiert von Farnen, hinter den Brombeersträuchern. Meine feuchten Kleider hingen schwer und unbequem an mir herab. Ich starrte auf die Bäume, die ganz mit Moos bewachsen waren und ein dichtes Blätterkleid trugen. Als ein Specht in der Nähe zu klopfen begann, zuckte ich entsetzt zusammen. Mein Versteck war besser als Gwlyddyns, aber ich fühlte mich dennoch ungeschützt, vor allem in dem Moment, als unsere beiden Verfolger zwölf Schritt entfernt vor meinem grünen Versteck auftauchten.

Es waren zwei wendige junge Speerkämpfer mit Lederharnischen, aufgeschnallten Beinschienen und langen, rotbraunen Mänteln, die sie über die Schultern zurückgeschlagen hatten. Ihre langen Bärte waren geflochten, und ihr dunkles Haar wurde von Lederriemen zusammengehalten. Beide trugen lange Speere, und der zweite hatte auch noch ein Schwert im Gürtel, das er allerdings noch nicht gezogen hatte. Ich hielt den Atem an.

Der vordere Mann hob die Hand, und beide hielten inne, um eine Weile zu lauschen, bevor sie weitergingen. Das Gesicht des uns am nächsten stehenden Mannes trug Narben aus einem alten Kampf, und sein Mund stand offen, so daß ich die Lücken zwischen seinen gelblichen Zähnen sehen konnte. Er wirkte unendlich hart, erfahren und einschüchternd, und ich wurde fast völlig überwältigt von dem schrecklichen Wunsch zu fliehen. Doch dann begann die Narbe in meiner linken Handfläche zu pochen, die Narbe, die mir

Nimue beigebracht hatte, und dieses warme Pochen löste einen Anflug von Heldenmut in mir aus.

»Das war nur ein Hirsch«, sagte der zweite Mann geringschätzig. Die beiden näherten sich jetzt mit leisen Schritten, setzten die Füße vorsichtig und prüften die Blätter vor ihnen auf die leiseste Andeutung von Bewegung.

»Es war ein Baby«, beharrte der erste Mann. Er war seinem Gefährten zwei Schritte voraus und sah in meinen angsterfüllten Augen noch größer und grimmiger aus als der andere. »Die Bastarde sind verschwunden«, sagte der zweite Mann, und als ich sah, wie ihm der Schweiß vom Gesicht tropfte, als ich bemerkte, daß er seinen Eschenspeerschaft immer wieder fester packte, da wußte ich plötzlich, er war nervös. In Gedanken murmelte ich immer wieder Bels Namen vor mich hin, flehte den Gott um Mut an, flehte ihn an, einen Mann aus mir zu machen. Der Feind war jetzt sechs Schritt von uns entfernt und näherte sich immer weiter; rings um uns lag still und warm der grüne Wald, und ich konnte die beiden Männer riechen, konnte ihr Leder und den Geruch ihrer Pferde wahrnehmen, während mir der Schweiß in die Augen rann und ich vor Angst fast zu wimmern begonnen hätte. Dann aber sprang Gwlyddyn aus dem Hinterhalt hervor und brach beim Vorwärtsstürmen in ein mächtiges Kriegsgeschrei aus.

Ich folgte ihm, plötzlich von aller Angst befreit, und zum ersten Mal ergriff die rasende, gottgegebene Schlachtenfreude von mir Besitz. Später, viel später erkannte ich, daß Freude und Angst ein und dasselbe sind, daß sich das eine bei Ausbruch des Kampfes in das andere verwandelt, aber an jenem Sommernachmittag kam diese Hochstimmung unvermittelt über mich. Mögen Gott und seine Engel mir verzeihen, aber an jenem Tag entdeckte ich die Freude, die eine Schlacht auslöst, und noch lange danach ersehnte ich sie wie ein Dürstender das Wasser. Nicht weniger laut schreiend als Gwlyddyn, stürzte ich vorwärts, aber die Raserei hatte mich nicht so sehr gepackt, daß ich ihm blindlings folgte. Vielmehr hielt ich mich auf der rechten Seite des schmalen Pfades, so daß ich an ihm vorbeilaufen konnte, während er den ersten Silurier erschlug.

Der Mann versuchte Gwlyddyns Speer zu parieren, aber der Zimmermann hatte den tief kreisenden Schlag des Eschenstabes erwartet, hob die eigene Waffe höher und stieß zu. Es ging alles so schnell. Eben noch war der Silurier eine bedrohliche Gestalt in Kriegsrüstung, im nächsten Moment keuchte und zuckte er, während Gwlyddyn ihm die schwere Speerspitze durch den Lederpanzer tief in die Brust rammte. Aber da war ich schon an ihm vorbei und schwang unter gellendem Geschrei Hywels Schwert. In diesem Moment empfand ich keinerlei Angst, vielleicht weil die Seele des toten Hywel aus der Anderwelt zurückgekommen war, um in mich einzudringen, denn plötzlich wußte ich genau, was ich tun mußte, und mein Kriegsgeschrei war ein Triumphgeheul.

Der zweite Mann hatte jedoch einen Herzschlag länger Zeit gehabt als sein sterbender Gefährte und sofort die geduckte Haltung eines Speerkämpfers eingenommen, aus der er sich mit tödlicher Wucht vorwärtszuschnellen vermochte. Ich sprang ihn an, und als der Speer in einem grellen, sonnenbeschienenen Bogen aus blitzendem Stahl auf mich zugeschossen kam, wich ich ihm mit einer leichten Drehung aus und parierte mit meiner Klinge – nicht so heftig, daß ich die Kontrolle über das Schwert verlor, sondern gerade genug, um die Waffe des Feindes rechts an mir vorbeizulenken, während ich mein Schwert herumwirbeln ließ. »Es kommt immer nur aufs Handgelenk an, Junge, immer nur aufs Handgelenk«, hörte ich Hywel sagen und schrie seinen Namen hinaus, als ich das Schwert seitlich auf den Hals des Siluriers hinabsausen ließ.

Es geschah alles so schnell, so furchtbar schnell! Das Handgelenk lenkt das Schwert, aber der Arm verleiht ihm Kraft, und mein Arm besaß an jenem Nachmittag Hywels gefährliche Kraft. Mein Stahl bohrte sich so tief in den Hals des Siluriers wie eine Axt in fauliges Holz. Anfangs dachte ich – so grün war ich –, er sei nicht tot, und zog das Schwert heraus, um noch einmal zuzuschlagen. Beim zweiten Hieb jedoch merkte ich, wie das Blut aufspritzte und der Mann zur Seite fiel; ich hörte seinen rasselnden Atem und sah, wie er im Sterben versuchte, zu einem zweiten Stoß mit dem Speer auszuholen. Dann aber gurgelte das Leben in seiner Kehle, wieder ergoß sich ein Schwall Blut über seine ledergepanzerte Brust, und er sackte auf dem welken Laubteppich zusammen.

Und ich stand da und zitterte. Auf einmal hätte ich am liebsten geweint. Ich hatte keine Ahnung, was ich getan hatte. Ich fühlte mich nicht wie ein Sieger, sondern war eher schuldbewußt. Und so stand ich da, verstört und regungslos, während mein Schwert noch in der Kehle des Toten steckte, auf dem sich bereits die ersten Fliegen niederließen. Ich vermochte mich nicht zu rühren.

Hoch oben im Laub schrie ein Vogel, dann spürte ich Gwlyddyns starken Arm auf meinen Schultern, und mir strömten die Tränen übers Gesicht. »Du bist ein guter Mann, Derfel«, lobte mich Gwlyddyn, und ich wandte mich zu ihm um und umarmte ihn wie ein Kind seinen Vater. »Gut gemacht«, sagte er immer wieder, »gut gemacht.« Er tätschelte mich ungeschickt, bis es mir endlich gelang, die Tränen wegzuschniefen.

»Tut mir leid«, hörte ich mich sagen.

»Leid?« Er lachte. »Wieso denn? Hywel hat immer gesagt, daß du der Beste bist, den er je ausgebildet hat, und ich hätte ihm glauben sollen. Du bist schnell. Und nun komm, wir müssen nachsehen, was wir erobert haben.«

Ich nahm mir die Schwertscheide meines Opfers, die aus Leder, verstärkt mit Weidenzweigen, bestand, und stellte fest, daß Hywels Schwert einigermaßen hineinpaßte. Dann durchsuchten wir die beiden Toten nach der geringen Beute, die sie bei sich trugen: einen unreifen Apfel, eine alte, abgewetzte Münze, zwei Mäntel, die Waffen, ein paar Lederriemen und ein Messer mit Beingriff. Gwlyddyn erwog, zurückzugehen und die beiden Pferde zu holen, entschied dann aber, daß uns keine Zeit dazu blieb. Mir war es gleichgültig. Meine Sicht mochte durch Tränen beeinträchtigt sein, aber ich war am Leben, ich hatte einen Mann getötet und meinen König verteidigt, und auf einmal war ich überglücklich, während Gwlyddyn mich zu den verängstigten Flüchtlingen zurückführte und zum Zeichen, daß ich gut gekämpft hatte, meinen Arm emporhielt.

»Ihr habt viel zuviel Lärm gemacht, ihr beiden«, fauchte Morgan. »Nicht lange, und wir werden halb Siluria auf den Fersen haben. Also los jetzt! Bewegt euch!«

Nimue schien sich für meinen Sieg nicht zu interessieren, aber Lunete wollte alles darüber wissen. Bei der Beschreibung der Feinde und des Kampfes übertrieb ich schamlos, und Lunetes Bewunderung spornte mich zu weiteren Übertreibungen an. Sie hatte ihren

Arm wieder unter den meinen geschoben, und ich betrachtete ihr Gesicht mit den dunklen Augen und fragte mich, warum mir noch nie aufgefallen war, wie schön sie war. Genau wie Nimue hatte sie ein dreieckiges Gesicht, doch während aus Nimues Antlitz skeptisches Wissen sprach, strahlte Lunetes eine erregende Wärme aus, und ihre Nähe verlieh mit neues Selbstvertrauen. So zogen wir durch den langen Nachmittag, bis wir uns endlich nach Osten den Bergen zuwandten, unter denen Caer Cadarn wie ein Vorreiter emporragte.

Eine Stunde später machten wir am Rand des Caer Cadarn gegenüberliegenden Waldes halt. Es war schon spät, aber es war Hochsommer, und die Sonne stand noch hoch am Himmel. Ihr schönes, sanftes Licht übergoß die westlichen Wälle von Caer Cadarn mit grünem Leuchten. Wir waren noch eine Meile von der Burg entfernt, aber schon nah genug, um die gelben Palisaden oben auf den Wällen zu sehen, nah genug, um zu sehen, daß keine Wachen auf den Wällen standen und kein Rauch aus der kleinen Siedlung im Inneren aufstieg.

Ebensowenig war irgendein Feind in Sicht. Deswegen beschloß Morgan, die Ebene zu überqueren und über den westlichen Pfad zur königlichen Burg aufzusteigen. Gwlyddyn meinte, wir sollten bis zur Abenddämmerung im Wald ausharren oder die nahe Ortschaft Lindinis aufsuchen, doch Gwlyddyn war nur Zimmermann, während Morgan eine hochgeborene Lady war, also unterwarf er sich ihren Wünschen.

Als wir auf das Weideland hinauskamen, warfen wir lange Schatten voraus. Das Gras war von Hirschen oder Kühen abgeweidet worden, war aber dennoch unter den Füßen weich und üppig. Nimue, die noch immer in einer schmerzgequälten Trance zu verharren schien, schlüpfte aus ihren geborgten Schuhen und ging barfuß weiter. Über uns segelte ein Falke in der Luft; dann sprang, von unserem plötzlichen Auftauchen aufgeschreckt, ein Hase aus einer grünen Grube hervor und jagte mit flinken Sprüngen davon.

Wir folgten einem Pfad, der von Kornblumen, Margariten und Hartriegel gesäumt war. Der Wald hinter uns wirkte, von den schrägen Strahlen der im Westen untergehenden Sonne verschattet, finster und schwarz. Wir waren müde und zerlumpt, aber das Ende des Marsches war in Sicht, und einige von uns wirkten tatsächlich fröhlich. Wir brachten Mordred an seinen Geburtsort, brachten ihn zu Dumnonias Königshügel zurück, doch bevor wir auch nur den halben Weg zu jener wunderbaren grünen Zuflucht zurückgelegt hatten, tauchten hinter uns die Feinde auf.

Gundleus' Kriegshorde war gekommen. Nicht nur die Reiter, die am Morgen nach Ynys Wydryn geritten waren, sondern auch seine Speerkämpfer. Gundleus mußte die ganze Zeit gewußt haben, wohin wir wollten, und war daher mit all seinen überlebenden Reitern sowie über einhundert Speerkämpfern zu diesem heiligen Ort der Könige von Dumnonia gezogen. Und selbst wenn er sich nicht gezwungen gesehen hätte, den jungen König zu verfolgen, wäre Gundleus dennoch nach Caer Cadarn gekommen, denn er wollte nichts Geringeres als die Krone von Dumnonia, und Caer Cadarn war der Ort, wo dem Herrscher diese Krone aufs Haupt gesetzt wurde. Wer Caer Cadarn besitzt, der besitzt Dumnonia, besagte ein altes Sprichwort, und wer Dumnonia besitzt, besitzt Britannien.

Die silurischen Reiter sprengten vor die Speerkämpfer. Nur wenige Minuten noch, dann hatten sie uns erreicht, und mir war klar, daß keiner von uns, nicht mal die schnellsten Läufer, die langgestreckten Hänge der Festung erreichen konnte, bevor diese Reiter uns mit scharfem Stahl und langen Speeren umzingelt hatten. Als ich mich zu Nimue gesellte, sah ich, daß ihr schmales Gesicht eingefallen und müde und ihr verbliebenes Auge geschwollen und mit Tränen gefüllt war. »Nimue?« sagte ich leise.

»Schon gut, Derfel.« Sie schien verärgert darüber, daß ich mich ihrer annehmen wollte.

Sie ist wahnsinnig, sagte ich mir. Von allen, die diesen schrecklichen Tag überlebt hatten, hatte sie das gräßlichste Erlebnis durchgemacht, und das hatte sie an einen Ort getrieben, an den ich ihr nicht folgen und den ich nicht begreifen konnte. »Ich liebe dich wirklich«, sagte ich, weil ich ihre Seele mit Zärtlichkeit berühren wollte.

»Mich? Nicht Lunete?« gab Nimue gereizt zurück. Dabei sah sie nicht mich an, sondern blickte nach vorn, zur Burg, während ich mich zu den immer näher kommenden Reitern umwandte, die sich wie bei einer Treibjagd zu einer langen Linie formiert hatten. Ihre

Mäntel waren über die Hinterteile ihrer Pferde gebreitet, ihre Schwertscheiden hingen neben den Stiefeln, und die Sonne glitzerte auf den Speerspitzen und beleuchtete das Fuchskopfbanner. Unmittelbar unter diesem Banner ritt Gundleus mit dem von einem Fuchsschwanz gekrönten Helm auf dem Kopf. An seiner Seite ritt Ladwys mit dem Schwert in der Hand, während Tanaburs mit flatterndem Gewand auf einem Grauschimmel neben dem König ritt. Ich werde sterben, dachte ich, sterben am selben Tag, an dem ich zum Mann geworden bin. Diese Erkenntnis erschien mir sehr grausam.

»Lauft!« rief Morgan unvermittelt. »Lauft!« Ich dachte, Panik hätte sie ergriffen, und wollte ihr nicht gehorchen, weil ich es für edler hielt, standzuhalten und wie ein Mann zu sterben, statt von hinten als flüchtender Feigling niedergemacht zu werden. Dann sah ich, daß sie keineswegs in Panik geraten und daß Caer Cadarn doch nicht verlassen war, denn die Tore hatten sich geöffnet und ein unablässiger Strom von Männern kam den Pfad heruntergelaufen und -geritten. Die Reiter waren gekleidet wie Gundleus' Reiter, nur trugen diese Männer Mordreds Drachenemblem auf ihren Waffen.

Wir liefen. Ich zog Nimue am Arm hinter mir her, während eine Handvoll dumnonischer Reiter auf uns zugejagt kam. Es waren etwa zwölf, nicht sehr viele, aber immerhin genug, um die Attacke der Silurier aufzuhalten, während hinter den Reitern eine Gruppe dumnonischer Speerkämpfer vorrückte.

»Fünfzig Speere«, stellte Gwlyddyn fest. Er hatte die Rettungsmannschaft genau gezählt. »Wir können sie mit diesen fünfzig nicht schlagen«, ergänzte er grimmig, »aber wir könnten es bis in die Sicherheit der Burg schaffen.«

Gundleus hatte inzwischen dieselben Berechnungen angestellt und führte seine Reiter nunmehr in einem weiten Bogen, durch den sie hinter die herannahenden dumnonischen Speerkämpfer gelangen würden. Er wollte uns den Rückzug abschneiden, denn sobald er seine Feinde an einem Punkt zusammengetrieben hatte, konnte er uns allesamt abschlachten, ganz gleich, ob wir siebzig zählten oder sieben. Gundleus' Mannen waren in der Überzahl, und die Dumnonier hatten dadurch, daß sie aus der Festung hervorbrachen, den Vorteil der größeren Höhe aufgegeben.

Die dumnonischen Reiter donnerten an uns vorbei, wobei die Hufe ihrer Pferde aus der grünen Weide dicke Erdklumpen rissen. Das waren nicht etwa Arthurs berühmte Reiter, die wie Donnerschläge über ihre Feinde herfielen, sondern leichtbewaffnete Kundschafter, die normalerweise absaßen, bevor sie sich auf einen Kampf einließen. Jetzt aber ritten sie nach vorn und stellen sich schützend zwischen uns und die silurischen Speerkämpfer. Gleich darauf trafen unsere eigenen Speerkämpfer ein und bildeten mit ihren Schilden einen Schutzwall. Dieser Schildwall verlieh uns allen neue Zuversicht, eine Zuversicht, die an Verwegenheit grenzte, als wir sahen, wer diese Rettungstruppe anführte. Es war Owain, der mächtige Owain, Champion des Königs und größter Krieger von ganz Britannien. Wir alle hatten gedacht, daß Owain weit oben in Norden sei und mit den Männern von Gwent in den Bergen von Powys kämpfe. Aber nun war er hier, auf Caer Cadarn.

Offen gestanden war Gundleus jedoch noch immer im Vorteil. Wir waren zwölf Reiter, fünfzig Speerkämpfer und dreißig erschöpfte Flüchtlinge, alle auf einer Ebene versammelt, auf der Gundleus annähernd zwanzigmal so viele Reiter und doppelt so viele Speerkämpfer um sich geschart hatte.

Die Sonne schien noch immer hell. Es würde zwei Stunden dauern, bis es dämmerte, und vier, bevor es dunkel war, und das gab Gundleus mehr als ausreichend Zeit, uns alle abzuschlachten, obwohl er es zunächst noch mit Worten versuchte. Er ritt auf uns zu, eine prächtige Erscheinung auf einem schweißschäumenden Roß. Den Schild hatte er zum Zeichen des Waffenstillstands umgekehrt in der Hand. »Männer von Dumnonia«, rief er laut, »gebt mir das Kind, und ich ziehe ab!« Niemand antwortete ihm. Owain hatte sich in der Mitte unseres Schildwalls versteckt, so daß sich Gundleus, weil er keinen Befehlshaber ausmachen konnte, an uns alle wenden mußte. »Es ist ein verkrüppeltes Kind!« rief der silurische König, »von den Göttern verflucht. Glaubt ihr, es könnte einem Land zum Wohle gereichen, von einem verkrüppelten König regiert zu werden? Wollt ihr, daß eure Ernte auf dem Halm verdorrt? Wollt ihr, daß eure Kinder krank zur Welt kommen? Wollt ihr, daß eure Rinder an der Viehseuche sterben? Wollt ihr, daß Sachsen die

Herren in diesem Land werden? Was kann ein verkrüppelter König schon anderes bringen als Unglück?«

Noch immer antwortete ihm niemand, obwohl es in unseren hastig zusammengestellten Reihen weiß Gott genug Männer gegeben haben muß, die befürchteten, daß Gundleus die Wahrheit sprach.

Der silurische König nahm den Helm von seinem langen Haar und lächelte über unsere Not. »Ich werde euch alle am Leben lassen«, versicherte er, »wenn ihr mir das Kind aushändigt.« Er wartete auf eine Antwort, die nicht kam. »Wer führt euch an?« fragte er schließlich.

»Ich!« Endlich schob sich Owain durch die Reihen, um seinen Platz vor unserem Schildwall einzunehmen.

»Owain!« Gundleus hatte ihn erkannt, und ich glaubte, einen Funken Angst in seinen Augen aufflackern zu sehen. Er hatte ebenfalls nicht gewußt, daß Owain ins Herz von Dumnonia zurückgekehrt war. Trotzdem war sich Gundleus immer noch des Sieges gewiß, obwohl ihm klargewesen sein muß, daß ihn dieser Sieg, da Owain bei uns war, weit mehr kosten würde, als er gedacht hatte. »Lord Owain«, sagte Gundleus und gab Dumnonias Champion damit den ihm zustehenden Titel, »Sohn des Eilynon und Enkel des Culwas. Ich grüße Euch!« Damit hob Gundleus seine Speerspitze zur Sonne empor. »Ihr habt einen Sohn, Lord Owain.«

»Viele Männer haben Söhne«, antwortete Owain unbekümmert. »Was kümmert Euch das?«

»Wollt Ihr, daß Euer Sohn ohne Vater aufwächst?« fragte ihn Gundleus. »Wollt Ihr, daß Eure Ländereien verwüstet werden? Euer Heim niedergebrannt wird? Wollt Ihr, daß Eure Gemahlin zum Spielzeug meiner Männer wird?«

»Meine Gemahlin«, gab Owain zurück, »könnte es mit all Euren Männern aufnehmen, und mit Euch selber obendrein. Ihr wollt Spielzeug, Gundleus? Kehrt zu Eurer Hure zurück« – er reckte das Kinn in Richtung Ladwys – »und wenn Ihr Eure Hure nicht mit Euren Männern teilen wollt, kann Dumnonia für Siluria noch ein paar einsame Mutterschafe erübrigen.« Owains Trotz munterte uns auf. Er wirkte unüberwindlich, wie er mit seinem schweren Speer, dem Langschwert und dem eisenbeschlagenen Schild dastand. Er kämpfte immer barhäuptig, verschmähte den Helm, und auf seine mächtigen, muskelbepackten Arme waren Dumnonias Drache und sein eigenes Symbol, ein Eber mit langen Hauern, tätowiert.

»Gebt mir das Kind!« Gundleus ignorierte die Beleidigungen, denn er wußte, daß sie lediglich dem Trotz entsprangen, den man von einem Mann vor der Schlacht erwartete. »Gebt mir den verkrüppelten König!«

»Gebt mir Eure Hure, Gundleus«, entgegnete Owain. »Ihr seid nicht Manns genug für sie. Gebt sie mir, und Ihr dürft in Frieden abziehen.«

Gundleus spie aus. »Die Barden werden von Eurem Tod singen, Owain. Das Lied von der Sauhatz.«

Owain stieß seinen riesigen Speer mit dem Ende nach unten in den Boden. »Hier steht die Sau, Gundleus ap Meilyr, König von Siluria«, rief er, »und hier wird die Sau entweder sterben oder auf Euren Leichnam pissen. Macht Euch bereit!«

Gundleus lächelte, zuckte die Achseln und wendete sein Pferd. Gleichzeitig drehte er seinen Schild herum, damit wir wußten, daß uns ein Kampf erwartete.

Es war meine erste Schlacht.

Die dumnonischen Reiter formierten sich hinter unserer Speerreihe, um die Frauen und Kinder zu beschützen, solange es ging. Wir übrigen bildeten eine Kampfreihe und sahen zu, wie unsere Feinde das gleiche taten. Auch Ligessac, der Verräter, befand sich unter den Siluriern. Tanaburs vollzog die Riten, indem er auf einem Bein, eine Hand erhoben, ein Auge geschlossen, vor Gundleus' Schildwall, der langsam über die Wiese vorrückte, herumhüpfte. Erst als Tanaburs seinen Schutzzauber beendet hatte, begannen die Silurier uns mit Beleidigungen zu überschütten. Sie warnten uns vor dem bevorstehenden Massaker und prahlten damit, wie viele von uns sie töten würden. Aber mir fiel auf, wie langsam sie vorrückten und daß sie, als sie nur noch fünfzig Schritt entfernt waren, ganz stehenblieben. Einige unserer Männer lachten höhnisch über diese Furchtsamkeit, aber Owain befahl uns grollend, ruhig zu sein.

Die Kampfreihen starrten einander an. Niemand rührte sich.

Es erfordert außergewöhnlich großen Mut, eine dichte Reihe von Schilden und Speeren zu attackieren. Deswegen trinken so viele

Männer vor der Schlacht ausgiebig Met. Ich habe erlebt, wie ganze Armeen stundenlang zögerten, während sie Mut zum Angriff sammelten, und je älter der Krieger, desto mehr Mut braucht er. Junge Kämpfer greifen an und sterben, die älteren Männer aber wissen, wie furchtbar ein feindlicher Schildwall sein kann. Ich hatte keinen Schild, wurde jedoch von den Schilden meiner Nachbarn gedeckt, und deren Schilde berührten wiederum andere, und so ging das unsere ganze, eher kurze Reihe entlang, so daß jeder Mann, der gegen uns vorrückte, auf eine feste, von rasiermesserscharfen Speeren starrende Mauer aus lederbezogenem Holz traf.

Die Silurier begannen mit den Speerschäften auf ihre Schilde zu schlagen. Dieser Lärm sollte uns beunruhigen, und das tat er auch, obwohl sich kein einziger auf unserer Seite seine Furcht anmerken ließ. Wir rückten nur enger zusammen und warteten auf den Angriff. »Zuerst werden Scheinangriffe erfolgen, Junge«, warnte mich mein Nachbar, und kaum hatte er das gesagt, als auch schon eine Gruppe Silurier laut brüllend aus ihrer Reihe hervorbrach und die langen Speere mitten ins Zentrum unserer Verteidigung schleuderte. Unsere Männer duckten sich, die Langspeere trafen dröhnend auf unsere Schilde, und plötzlich bewegte sich die ganze silurische Reihe vorwärts, aber Owain befahl unserer Reihe sofort, standzuhalten und ebenfalls vorzurücken, und diese wohlüberlegte Bewegung stoppte den drohenden feindlichen Angriff. Jene von unseren Männern, deren Schilde durch die Speere des Feindes zu schwer geworden waren, rissen die Waffen heraus. Dann wurde der Schildwall wieder fest geschlossen.

»Langsam zurück!« befahl Owain. Er wollte versuchen, sich ganz allmählich über die halbe Meile Grasland bis zum Caer Cadarn zurückzuziehen, und hoffte, daß die Silurier nicht den Mut aufbrachten, uns anzugreifen, während wir diesen jämmerlich langsamen Rückzug durchführten. Um uns mehr Zeit zu verschaffen, trat Owain vor unsere Reihe und forderte Gundleus mit lauter Stimme auf, Mann gegen Mann mit ihm zu kämpfen. »Seid Ihr ein Weib, Gundleus?« rief der Champion unseres Königs. »Habt Ihr den Mut verloren? Oder nicht genug Met? Kehrt an Eure Stickerei zurück! Greift wieder zu Eurer Spindel!«

Wir schoben uns rückwärts, rückwärts, rückwärts; dann ließ uns ein unvermittelter Vorstoß des Feindes innehalten, und als die Speere geschleudert wurden, duckten wir uns hinter unsere Schilde. Einer zischte über meinen Kopf hinweg – es klang wie ein plötzlicher Windstoß –, aber der Angriff war eine Finte und sollte uns nur in Panik versetzen. Ligessac schoß Pfeile ab, aber er mußte betrunken sein, denn seine Pfeile flogen hoch über uns hinweg.

Owain wurde zur Zielscheibe von einem Dutzend Speeren, aber die meisten gingen fehl, und die anderen fegte er verächtlich mit Speer oder Schild hinweg, bevor er seinen Spott über die Schleuderer ergoß. »Wer hat euch das Speerschleudern gelehrt? Eure Mütter?« Er spie in Richtung der Feinde aus. »Kommt, Gundleus! Kämpft mit mir! Zeigt Euren Kerlen, daß Ihr ein König seid und keine Memme!«

Um Owains Hohnreden zu übertönen, schlugen die Silurier mit den Speerschäften auf ihre Schilde. Owain kehrte ihnen verächtlich den Rücken und kam langsam auf unseren Schildwall zu. »Zurück!« rief er uns leise zu. »Zurück!«

Dann warfen zwei Silurier Schilde und Waffen zu Boden und rissen sich die Kleider vom Leib, um nackt zu kämpfen. Mein Nachbar spie aus. »Jetzt gibt's Ärger«, warnte er mich grimmig.

Die nackten Männer waren vermutlich betrunken oder aber so stark von den Göttern berauscht, daß sie fest davon überzeugt waren, keine feindliche Klinge könne sie verletzen. Ich hatte schon von solchen Männern gehört und wußte, daß ihr selbstmörderisches Beispiel gewöhnlich das Signal für einen echten Angriff ist. Ich packte mein Schwert und versuchte zu schwören, daß ich tapfer sterben werde, am liebsten aber hätte ich geweint, weil dies alles so furchtbar traurig war. Erst heute war ich zum Mann geworden, und schon sollte ich sterben!

Ich würde zu Uther und Hywel in die Anderwelt einziehen und schattendunkle Jahre lang warten, bis meine Seele einen anderen menschlichen Körper fand, in dem sie auf diese grüne Welt zurückkehren konnte.

Die beiden Männer lösten ihr Haar, nahmen Speere und Schwerter auf und begannen vor der silurischen Kampfreihe zu tanzen. Laut heulend steigerten sie sich in den Schlachtenwahn hinein, diesen Zustand wilder Ekstase, der einen Mann zu Heldentaten antreibt. Gundleus, der unter seinem Banner auf seinem Schlachtroß saß, sah den beiden, die am ganzen Körper mit kunstvollen blauen Tätowierungen bedeckt waren, lächelnd zu. Die Kinder hinter uns weinten, und unsere Frauen riefen die Götter an, während die Männer, die ständig tanzend näher kamen, in der Abendsonne Schwerter und Speere wirbeln ließen. Männer wie diese brauchten weder Schilde noch Kleider, noch Rüstungen. Ihr einziger Schutz waren die Götter, ihr einziger Lohn der Ruhm, und wenn es ihnen gelang, Owain zu töten, würden die Barden noch jahrelang von ihrem Sieg singen. Sie rückten zu beiden Seiten unseres Champions vor, der seinen Speer zückte, um ihren aberwitzigen Angriff abzuwehren, der zugleich den Augenblick kennzeichnete, da die gesamte Feindmacht zum Angriff überging.

Da jedoch ertönte das Horn.

Das Horn hatte einen klaren, kalten Ton, wie ich ihn noch nie zuvor gehört hatte. Er war von einer Reinheit, einer kalten, harten Reinheit, die mit nichts auf der Welt zu vergleichen war. Er ertönte einmal, er ertönte zweimal, und der zweite Hornstoß genügte, um sogar die nackten Männer innehalten zu lassen. Sie wandten sich gen Osten, von wo der Ton gekommen war.

Auch ich spähte hinüber.

Und war geblendet. Mir war, als sei an diesem sterbenden Tag eine neue, strahlende Sonne aufgegangen. Das Licht schnitt über die Weiden, blendete uns, verwirrte uns, doch dann wanderte das Licht weiter, und ich sah, daß es sich nur um die Reflexion der echten Sonne handelte, zurückgeworfen von einem Schild, der so blank poliert wie ein kostbarer Spiegel war.

Und dieser Schild wurde von einem Mann getragen, wie ich noch nie zuvor einen gesehen hatte: von einem prächtigen Mann, von einem Mann, der hoch auf seinem riesigen Roß saß und von anderen, ähnlichen Männern begleitet wurde; von einer Horde wundervoller Männer, federgeschmückter Männer, gewappneter Männer, Männer, die den Träumen der Götter entsprungen sein mußten, um auf diese mörderische Wiese zu kommen, und über den Federbüschen auf den Köpfen dieser Männer wehte ein Banner, das ich inniger lieben lernen sollte als jedes andere Banner auf Gottes weiter Erde – das Banner des Bären.

Das Horn erklang zum drittenmal, und plötzlich wußte ich, daß ich am Leben bleiben würde. Ich weinte vor Freude, und all unsere Speerkämpfer weinten und schrien zugleich, und die Erde erbebte vom Hufschlag der Pferde dieser göttergleichen Männer, die zu unserer Rettung herandonnerten.

Denn nun war – endlich – Arthur gekommen.

ZWEITER TEIL

Die Prinzessin

Igraine ist unglücklich. Sie will, daß ich ihr Geschichten von Arthurs Kinderzeit erzähle. Sie hat von einem Schwert in einem Stein gehört und will, daß ich darüber schreibe. Arthur sei von einem Geist mit einer Königin gezeugt worden, behauptet sie, und in der Nacht seiner Geburt sei der Himmel mit Donner erfüllt gewesen. Vielleicht hat sie ja recht, vielleicht war der Himmel in jener Nacht tatsächlich voll Lärm, doch alle, die ich dazu befragte, hatten die Nacht durchgeschlafen, und was Stein und Schwert betrifft – nun, es gab einen Stein, und es gab ein Schwert, aber die kommen erst viel später in der Geschichte vor. Das Schwert hieß Caledfwlch, was »harter Blitz« bedeutet, aber Igraine nennt es lieber Excalibur, also werde auch ich es so nennen, denn Arthur war es stets gleichgültig, welchen Namen seine Langschwerter trugen. Auch seine Kindheit kümmerte ihn wohl nicht viel, denn ich persönlich habe ihn niemals davon sprechen hören. Als ich ihn einmal nach seinen Kinderjahren fragte, wollte er mir nicht antworten. »Was bedeutet dem Adler das Ei?« fragte er mich statt dessen; dann sagte er, er sei geboren worden, habe gelebt und sei Soldat geworden, mehr brauche ich von ihm nicht zu wissen.

Meiner so überaus hübschen und großzügigen Gönnerin Igraine zuliebe werde ich hier jedoch das wenige niederschreiben, das ich in Erfahrung bringen konnte. Obwohl Uther es in Glevum geleugnet hatte, war Arthur tatsächlich der Sohn des Großkönigs. Allerdings konnte er aus dieser Vaterschaft keinen besonderen Nutzen ziehen, denn Uther zeugte so viele Bastarde wie ein Kater Katzenjunge. Arthurs Mutter hieß Igraine, genau wie meine hochgeschätzte Königin. Sie stammte aus Caer Gei in Gwynedd und soll die Tochter von Cunedda, König von Gwynedd und Großkönig vor

Uther gewesen sein, obwohl Igraine selbst keine Prinzessin war, denn ihre Mutter war nicht Cuneddas Gemahlin, sondern mit einem Häuptling von Henis Wyren verheiratet. Über Igraine von Gwynedd, die starb, als er sich an der Schwelle zum Mannesalter befand, sagte Arthur nichts weiter, als daß sie die wundervollste, klügste und schönste Mutter gewesen sei, die sich ein Junge wünschen könne, obwohl Cei, der Igraine gut gekannt hatte, behauptete, ihre Schönheit sei durch ihren boshaften Verstand beeinträchtigt worden. Cei ist der Sohn Ectors ap Ednywain, des Häuptlings von Caer Gei, der Igraine und ihre vier illegitimen Kinder in seinem Haus aufnahm, als Uther sie verstieß. Das geschah im selben Jahr, da Arthur geboren wurde, und Igraine hat ihrem Sohn das niemals verziehen. Arthur sei ein Kind zuviel gewesen, pflegte sie zu sagen, und irgendwie schien sie zu glauben, daß sie, wäre Arthur nicht geboren worden, ewig als Uthers Geliebte regiert hätte.

Arthur war das vierte von Igraines Kindern, das das Säuglingsalter überlebte. Die anderen drei waren Mädchen, und Uther gefiel es offenbar, wenn seine Bastarde Mädchen waren, weil sie später höchstwahrscheinlich weniger Ansprüche an seine Vaterschaft stellen würden. Cei und Arthur wuchsen gemeinsam heran, und Cei sagt – wenn auch niemals in Arthurs Hörweite –, daß sie beide, er und Arthur, furchtbare Angst vor Igraine hatten. Arthur, erzählte er mir, sei ein pflichtbewußter, fleißiger Junge gewesen, der in jeder Unterrichtsstunde, die ihnen erteilt wurde, sei es nun Lesen oder Schwertkampf, der Beste sein wollte. Aber es gelang ihm nie, seine Mutter zufriedenzustellen, obwohl Arthur sie stets angebetet und verteidigt hatte und untröstlich gewesen war, als sie an einem Fieber starb. Damals war Arthur dreizehn, und Ector, sein Ziehvater, wandte sich mit der Bitte an Uther, Igraines vier verarmten Waisen zu helfen. Uther holte sie nach Caer Cadarn – vermutlich glaubte er, die drei Töchter als nützliche Wurfsteine im Spiel der dynastischen Ehen einsetzen zu können. Morgans Vermählung mit einem Prinzen von Kernow blieb dank des Brandes ein kurzes Zwischenspiel, aber Morgause heiratete König Lot von Lothian, und Anna wurde mit König Budic ap Camran im überseeischen Broceliande vermählt. Die beiden letzteren Ehen waren keine wichtigen Verbindungen, denn beide Könige waren zu weit entfernt, um im Kriegsfall rechtzeitig Verstärkungen nach Dumnonia zu schikken, doch beide erfüllten ihren bescheidenen Zweck. Da dem Knaben Arthur diese Nützlichkeit versagt war, ging er an Uthers Königshof und lernte den Umgang mit Schwert und Speer. Dort lernte er auch Merlin kennen, doch keiner von beiden sprach viel von dem, was in jenen Monaten vorgefallen war, bevor Arthur, der jede Hoffnung fahren ließ, jemals von Uther anerkannt zu werden, seiner Schwester Anna nach Broceliande folgte. Dort, im Hexenkessel Galliens, wuchs er zu einem hervorragenden Soldaten heran, und Anna, die sich der Tatsache, wie wertvoll ein Krieger als Bruder sein konnte, durchaus bewußt war, hielt Uther über seine Taten auf dem laufenden. Deswegen holte Uther Arthur wieder nach Britannien zurück – zu jenem Feldzug, der mit dem Tod seines Sohnes Mordred endete. Der Rest ist Euch bekannt.

Und nun, da ich Igraine alles mitgeteilt habe, was ich über Arthurs Kindheit weiß, wird sie diesen Bericht zweifellos mit den Legenden anreichern, die sich das gemeine Volk jetzt von Arthur erzählt. Igraine entführt mir diese Pergamente eins nach dem anderen, um sie von Dafydd ap Gruffud, dem Schreiber, welcher der sächsischen Zunge mächtig ist, in die britannische Sprache übersetzen zu lassen, doch weder er noch Igraine werden es vermutlich lassen können, meinen Text nach ihren eigenen Vorstellungen auszuschmücken. Manchmal wünschte ich mir den Mut, diese Erzählung in britannischer Sprache niederzuschreiben, doch Bischof Sansum, den Gott von allen Heiligen am höchsten schätzt, betrachtet meine Schriften noch immer mit Argwohn. Zuweilen versucht er, mich an dieser Arbeit zu hindern, oder er befiehlt Satans Teufelchen, sie mir mit Streichen zu erschweren. Eines Tages entdeckte ich, daß all meine Gänsekiele verschwunden waren, ein anderes Mal fand ich Urin im Tintenhorn, aber Igraine ersetzt mir alles, und wenn Sansum nicht lesen und die sächsische Zunge beherrschen lernt, kann er seinen Verdacht, meine Schriften seien in Wirklichkeit gar kein sächsisches Evangelium, nicht untermauern.

Igraine drängt mich, mehr und schneller zu schreiben, und fleht mich an, die Wahrheit über Arthur zu berichten; dann aber beschwert sie sich wiederum, wenn diese Wahrheit nicht den Märchen entspricht, die sie in der Küche des Caer oder in ihren Frauengemächern hört. Sie verlangt Verwandlungen und Ungeheuer, aber ich kann nicht erfinden, was ich nicht erlebt habe. Gewiß, ich habe – Gott vergebe mir – einige Dinge verändert, doch nichts, was wirklich wichtig gewesen wäre. Als Arthur uns in der Schlacht vor Caer Cadarn rettete, war mir schon lange, bevor er wirklich auftauchte, klar, daß er kommen würde, denn Owain und seine Männer hatten die ganze Zeit gewußt, daß sich Arthur und seine Reiter, die alle soeben aus Broceliande eingetroffen waren, in den Wäldern nördlich von Caer Cadarn versteckten, und sie wußten auch, daß Gundleus sich mit seiner Kriegshorde näherte. Gundleus' Fehler war, auf dem Tor Feuer zu legen, denn die Rauchwolke war ein Warnzeichen für das gesamte südliche Land gewesen. Owains berittene Späher hatten Gundleus' Krieger bereits seit den Mittagsstunden beobachtet. Nachdem er Agricola geholfen hatte, Gorfyddyds Invasion zurückzuschlagen, war Owain sofort nach Süden geeilt, um Arthur zu begrüßen – nicht etwa aus Freundschaft, sondern um dabeizusein, wenn ein rivalisierender Kriegsherr im Königreich auftauchte. Und das war unsere Rettung gewesen. Dennoch hätte die Schlacht niemals so stattfinden können, wie ich sie beschrieben habe. Hätte Owain nicht gewußt, daß Arthur in der Nähe war, hätte er den Säugling Mordred seinem schnellsten Reiter anvertraut und ihn losgeschickt, um das Kind in Sicherheit zu bringen, selbst wenn das bedeutet hätte, daß wir anderen Gundleus' Speeren zum Opfer fielen. Diese Wahrheit hätte ich natürlich aufschreiben können, aber die Barden lehrten mich, wie man eine Erzählung so gestaltet, daß die Zuhörer auf den Teil warten, den sie hören wollen, und ich finde, daß die Erzählung besser wirkt, wenn man die Nachricht von Arthurs Eintreffen bis zur allerletzten Minute hinauszögert. Eine Geschichte nach eigenem Gutdünken zu gestalten ist eine läßliche Sünde, obwohl Sansum sie mir, weiß Gott, niemals verzeihen würde.

Hier in Dinnewrac ist noch immer Winter, und es ist bitterkalt. Nachdem wir Bruder Aron jedoch erfroren in seiner Zelle gefunden haben, hat König Brochvael Sansum befohlen, unsere Feuer anzuzünden. Diesem Befehl widersetzte sich der Heilige, bis der König uns von seinem Caer Feuerholz schickte, und so haben wir nun endlich Feuer, wenn auch nicht viele, und ganz gewiß keine großen.

Immerhin, auch ein kleines Feuer erleichtert das Schreiben, und der heilige Sansum, er sei gesegnet, hat sich in letzter Zeit als etwas weniger lästig erwiesen. Zwei Novizen haben sich unserer kleinen Herde angeschlossen, Knaben noch vor dem Stimmbruch, und Sansum hat die Aufgabe übernommen, sie in der Lehre unseres heiligsten Heilands zu unterweisen. So eingehend kümmert sich der Heilige um ihre unsterblichen Seelen, daß er sogar darauf besteht, die Knaben müßten seine Schlafzelle teilen, und ihre Gesellschaft scheint einen zufriedeneren Menschen aus ihm gemacht zu haben. Dafür sei Gott gedankt, dafür und für das Geschenk des Feuers – und für meine Kraft, mit dieser Erzählung von Arthur fortzufahren, von Arthur, dem »König, der niemals war«, dem Feind Gottes und unserem Herrn der Schlachten.

Ich werde euch nicht mit den Einzelheiten jener Schlacht vor dem Caer Cadarn langweilen. Obwohl es im Grunde gar keine Schlacht war, sondern eine ungeordnete Flucht, und nur eine Handvoll Silurier entkamen. Einer von denen, die fliehen konnten, war Ligessac, der Verräter. Die meisten Männer des Gundleus aber wurden gefangengenommen. Zwanzig Feinde fielen, darunter die beiden nackten Kämpfer. Owain streckte sie mit seinem Kriegsspeer nieder. Gundleus, Ladwys und Tanaburs wurden lebend gefangen. Ich persönlich tötete niemanden. Nicht einmal eine Scharte trug meine Schwertschneide davon.

Auch an das Scharmützel erinnerte ich mich nicht genau, denn ich konnte immer nur Arthur anstarren.

Er saß auf Llamrei, seiner Stute, einem riesigen schwarzen Streitroß mit zottigem Fesselhaar und flachen Hufeisen, die mit Lederriemen unter die Hufe gebunden waren. Arthurs Männer ritten alle so große Pferde, denen man die Nüstern zu geblähten Öffnungen aufgeschlitzt hatte, damit sie besser atmen konnten. Noch unheimlicher wirkten diese Tiere durch die außergewöhnlichen Schilde aus versteiftem Leder, die ihre Brustregion vor Speerstößen schützen sollten. Diese Schilde waren so dick und hinderlich, daß die Pferde nach der Schlacht nicht die Köpfe zum Grasen senken konnten, daher befahl Arthur einem seiner Pferdeknechte, Llamrei die Montur abzunehmen, damit sie sich am Gras gütlich tun konnte. Jedes einzelne Pferd benötigte zwei Knechte: Der eine mußte sich um Lederschutz, Schabracken und Sattel kümmern, der andere das Pferd am Zügel herumführen, während ein dritter Bediensteter Schwert und Schild des Recken trug. Arthur besaß einen langen, schweren Speer namens Rhongomyniad, einen Schild, der Wynebgwrthucher hieß, aus Weidenbrettern bestand und mit gehämmertem Silber überzogen war, das poliert wurde, bis es spiegelte. An seiner Hüfte hingen das Messer namens Carnwenhau und das berühmte Schwert Excalibur in seiner schwarzen Scheide, die kreuzweise mit Golddraht bespannt war.

Sein Gesicht vermochte ich anfangs nicht zu sehen, denn sein Kopf steckte in einem Helm mit breitem Wangenschutz, der seine Züge verbarg. Der Helm, mit einem Schlitz für die Augen und einem dunklen Loch für den Mund, war aus poliertem, mit einem wirbelnden Silbermuster geschmücktem Eisen gearbeitet und trug eine Helmzier aus weißen Gänsefedern. Es lag etwas Tödliches in diesem bleichen Helm; er wirkte wie ein furchteinflößender Totenschädel, der den Eindruck machte, als wäre sein Träger ein lebender Leichnam. Sein Mantel, den er mit größter Sorgfalt pflegte, war genauso schneeweiß wie seine Helmzier und hing von seinen Schultern herab, um sein langes Schuppenpanzerhemd vor der Sonne zu schützen. Bis dahin hatte ich noch nie einen Schuppenpanzer gesehen, doch Hywel hatte mir davon erzählt, und als ich Arthur darin sah, erwachte in mir der heiße Wunsch, auch so ein Panzerhemd zu besitzen. Es war römisch und bestand aus Hunderten winziger Eisenplättchen, kaum größer als ein Daumenabdruck, die in überlappenden Reihen auf ein knielanges Lederhemd genäht waren. Die Plättchen waren oben, wo sie zwei Löcher für den Nähfaden hatten, breit, liefen nach unten spitz zu und überlappten sich so, daß eine Speerspitze stets auf mindestens zwei Schichten Eisen traf, bevor sie auf das Leder darunter stieß. Wenn Arthur sich bewegte, klirrte die steife Rüstung, und es war nicht nur Eisen, was da klirrte, denn seine Schmiede hatten am Hals eine Reihe goldener Plättchen eingefügt und über die ganze Fläche des polierten Eisens Silberplättchen verteilt, so daß der ganze Waffenrock zu schimmern schien. Um zu verhindern, daß das Eisen rostete, mußte die Rüstung Tag für Tag stundenlang geputzt werden, und da nach jeder Schlacht einige

Plättchen fehlten, mußte ein Schmied immer wieder neue anfertigen. Aber nur wenige Schmiede verstanden sich auf die Herstellung eines solchen Panzerhemdes, und nur sehr wenige Männer konnten es sich leisten, ein solches zu bezahlen. Arthur hatte das seine einem fränkischen Häuptling abgenommen, den er in Armorica getötet hätte. Außer Helm, Mantel und Schuppenhemd trug er Lederstiefel, Lederhandschuhe und einen Ledergurt, an dem Excalibur in seiner kreuzweise verzierten Scheide hing, die ihren Träger angeblich vor allem Schaden schützte.

Auf mich, der ich von seiner Ankunft geblendet war, wirkte er wie ein weißer, schimmernder Gott, der auf die Erde herabgestiegen war. Ich konnte den Blick nicht von ihm wenden.

Als er Owain umarmte, hörte ich die beiden Männer lachen. Owain war ein hochgewachsener Mann, aber Arthur stand ihm an Größe nicht nach, obwohl er bei weitem nicht so kräftig gebaut war wie der Champion. Owain bestand nur aus Muskeln und Masse, während Arthur schlank und drahtig war. Owain versetzte Arthur einen Schlag auf den Rücken, den Arthur freundschaftlich erwiderte, dann gingen die beiden Männer, einer den Arm um die Schultern des anderen gelegt, zu Ralla hinüber, die Mordred hielt.

Arthur fiel vor seinem König auf die Knie, streckte die behandschuhte Rechte aus und hob mit einer für einen Mann in dieser steifen, schweren Rüstung erstaunlichen Behutsamkeit den Saum des Gewandes, das der Säugling trug. Er schob den mit Scharnieren befestigten Wangenschutz des Helms zurück und küßte den Stoff des Gewandes. Mordred reagierte darauf, indem er zu schreien und zu strampeln begann.

Arthur erhob sich und streckte die Arme nach Morgan aus. Sie war älter als ihr Bruder, der erst fünf- oder sechsundzwanzig Jahre alt war, doch als er sie in die Arme nahm, begann sie hinter ihrer Goldmaske, die bei der Umarmung leicht gegen Arthurs Helm stieß, bitterlich zu weinen. Er hielt sie fest an sich gedrückt und tätschelte ihr den Rücken. »Liebste Morgan«, hörte ich ihn sagen, »meine liebe, süße Morgan!«

Mir war nie richtig klargeworden, wie einsam Morgan war, bis ich sah, wie sie in den Armen ihres Bruders in Tränen ausbrach.

Behutsam löste er sich aus ihrem Griff, dann nahm er sich mit beiden behandschuhten Händen den silbergrauen Helm vom Kopf. »Ich habe ein Geschenk für dich«, erklärte er Morgan, »das heißt, falls Hygwydd es nicht gestohlen hat. He, Hygwydd, wo steckst du?«

Hygwydd, der Schildknappe, kam herbeigelaufen, um den Helm mit dem weißen Federbusch in Empfang zu nehmen, während er Arthur einen Schmuck aus Bärenfängen übergab, die, in Gold gefaßt, an einer goldenen Kette hingen. Liebevoll streifte Arthur sie seiner Schwester über den Kopf. »Nur das Schönste für meine bezaubernde Schwester«, sagte er dabei. Dann wollte er wissen, wer Ralla sei, und als er vom Tod ihres Sohnes hörte, verriet seine Miene einen so großen Schmerz und ein so tiefes Mitgefühl, daß Ralla in Tränen ausbrach. Arthur schloß sie spontan in die Arme und zerdrückte dabei fast den königlichen Säugling an seiner schuppengepanzerten Brust. Anschließend wurde ihm Gwlyddyn vorgestellt. Er erzählte Arthur, wie ich den Silurier getötet hatte, um Mordred zu schützen. Da wandte sich Arthur auch an mich, um mir zu danken.

Dabei sah ich ihm zum erstenmal voll ins Gesicht.

Es war ein durch und durch freundliches Gesicht. Das war jedenfalls mein erster Eindruck. Aber nein, so wünscht sich Igraine diesen Augenblick. In Wirklichkeit sah ich auf den ersten Blick nur Schweiß, Unmengen von Schweiß. Man schwitzt eben unmäßig, wenn man an einem heißen Sommertag eine Eisenrüstung trägt. Nach dem Schweiß fiel mir jedoch gleich auf, wie freundlich er dreinblickte. Zu Arthur faßte man auf den ersten Blick Vertrauen. Deswegen gefiel er den Frauen ja auch so – nicht weil er so gut aussah, denn er war nicht übermäßig ansehnlich, sondern weil er jedem mit aufrichtigem Interesse und offensichtlichem Wohlwollen entgegentrat. Er hatte ein starkes, knochiges Gesicht, aus dem Begeisterung sprach, und einen dichten Schopf dunkelbrauner Haare, die, als ich ihn zum erstenmal sah, durch die Lederfütterung seines Helmes schweißnaß an seinem Kopf klebten. Seine Augen waren braun, die Nase war lang, das glattrasierte Kinn kräftig, aber am auffallendsten war sein Mund, der außergewöhnlich groß war und perfekte Zähne aufwies. Er war sehr stolz auf seine Zähne und reinigte sie täglich mit Salz, wenn er welches auftreiben konnte, sonst aber wenigstens mit Wasser. Es war ein großes und starkes Gesicht, aber was mich am tiefsten beeindruckte, das war der verschmitzte Humor in seinen Augen. Arthur strahlte Fröhlichkeit aus. Aus seinem Antlitz sprach eine Lebensfreude, die jeden sofort in den Bann zog. Damals und auch später fiel mir immer wieder auf, daß Männer und Frauen in Arthurs Gegenwart munterer wurden. Alle wurden optimistischer, es wurde mehr gelacht, und wenn er ging, senkte sich Trübsal auf die Menschen herab. Arthur war nicht etwa geistreich, er war kein Geschichtenerzähler, er war einfach Arthur, ein guter Mensch mit ansteckendem Selbstbewußtsein, starkem Willen und eisenharter Entschlossenheit. Diese Härte merkte man ihm nicht sofort an, auch Arthur suchte sie zu ignorieren, aber sie war da. Eine Unzahl von Gräbern auf vielen Schlachtfeldern zeugen davon.

»Gwlyddyn berichtet mir, daß du ein Sachse bist«, hänselte er mich.

»Herr«, war alles, was ich herausbrachte, als ich vor ihm auf die Knie sank.

Er beugte sich herab und hob mich bei den Schultern auf. Sein Griff war fest. »Ich bin kein König, Derfel«, sagte er, »du brauchst nicht vor mir in die Knie zu gehen. Viel eher müßte ich vor dir niederknien, weil du dein Leben aufs Spiel gesetzt hast, um unseren König zu schützen.« Er lächelte. »Dafür danke ich dir.« Er verstand es, einem das Gefühl zu verleihen, daß ihm kein anderer auf der Welt so viel bedeutete wie man selbst, und ich war ihm schon jetzt verfallen. »Wie alt bist du?« fragte er mich.

»Fünfzehn, glaube ich.«

»Aber groß genug, um zwanzig zu sein.« Wieder lächelte er. »Wer hat dich das Kämpfen gelehrt?«

»Hywel«, antwortete ich, »Merlins Verwalter.«

»Aha! Der beste Lehrer! Er hat auch mich einiges gelehrt. Und wie geht es dem guten Hywel?« Er fragte es so eifrig, daß ich weder die Worte noch den Mut fand, ihm zu antworten.

»Er ist tot«, antwortete Morgan an meiner Stelle. »Gundleus hat ihn erschlagen.« Durch den Mundschlitz ihrer Maske spie sie in Richtung auf den gefangenen König, der in einigen Schritten Entfernung festgehalten wurde.

»Hywel – tot?« Diese Frage richtete Arthur an mich und sah mich dabei durchdringend an. Doch als ich nickte und die Tränen zu schlucken versuchte, nahm Arthur mich sofort in die Arme. »Du bist ein tapferer Mann, Derfel«, versicherte er mir, »und ich schulde dir eine Belohnung für die Rettung unseres Königs. Was wünschst du dir?«

»Ich möchte Krieger werden, Lord«, antwortete ich.

Arthur lächelte und trat einen Schritt zurück. »Du bist vom Glück gesegnet, Derfel, denn du bist jetzt schon das, was du dir wünschst. Lord Owain?« Damit wandte er sich an den bulligen, tätowierten Champion. »Könnt Ihr diesen guten sächsischen Krieger brauchen?«

»Das kann ich«, stimmte ihm Owain sofort zu.

»Dann gehört er Euch«, sagte Arthur, aber er mußte meine Enttäuschung gespürt haben, denn er wandte sich noch einmal um und legte mir die Hand auf die Schulter. »Im Moment, Derfel«, sagte er dabei leise, »suche ich Reiter, keine Speerkämpfer. Nimm dir Owain jetzt zum Herrn, denn es gibt keinen Besseren, der dir das Kriegshandwerk beibringen kann.« Mit seiner behandschuhten Hand packte er kurz meine Schulter, dann wandte er sich ab und winkte die beiden Wachen, die neben Gundleus standen, beiseite. Inzwischen hatte sich eine dichte Menge um den gefangenen König versammelt, der unter den Bannern seiner Besieger stand. Auf der Wiese, auf der Arthur nunmehr Gundleus gegenüberstand, mischten sich Arthurs Reiter, die mit Eisenhelmen und eisenbeschlagenem Leder gerüstet und mit Leinen- oder Wollumhängen bekleidet waren, unter Owains Speerkämpfer und die Flüchtlinge vom Tor.

Gundleus straffte sich. Er hatte keine Waffen, aber er ließ sich weder den Stolz nehmen, noch zuckte er zusammen, als Arthur näher kam.

Arthur ging schweigend weiter, bis er nur noch zwei Schritt von dem gefangenen König entfernt war. Die Menge hielt den Atem an. Gundleus stand im Schatten von Arthurs Standarte, die einen schwarzen Bären auf weißem Feld zeigte. Der Bär flatterte zwischen Mordreds zurückerobertem Drachenbanner und Owains Eberstandarte, während Gundleus' Fuchsbanner, von den Siegern bespien, bepißt und zertrampelt, zu Füßen seines Besitzers lag. Gundleus'

Augen weiteten sich ein wenig, als Arthur Excalibur aus der Scheide zog. Der Stahl der Klinge, nicht weniger blank poliert als Arthurs Schuppenpanzer, Helm und Schild, schimmerte bläulich.

Wir alle warteten auf den tödlichen Streich; statt dessen jedoch kniete Arthur nieder und streckte Gundleus Excaliburs Griff entgegen. »Lord König«, sagte er demütig, und die Menge, die Gundleus' Tod erwartet hatte, keuchte erschrocken auf.

Gundleus zögerte einen Herzschlag lang. Dann streckte er die Hand aus, um den Knauf des Schwertes zu berühren. Er sagte kein Wort. Vielleicht war er zu verblüfft, um etwas äußern zu können.

Arthur erhob sich und schob sein Schwert in die Scheide zurück. »Ich habe geschworen, meinen König zu beschützen«, erklärte er, »nicht aber, Könige zu töten. Was mit Euch geschehen soll, Gundleus ap Meilyr, das zu entscheiden steht mir nicht zu. Bis die Entscheidung gefallen ist, werdet Ihr in Gefangenschaft gehalten werden.«

»Und wer fällt diese Entscheidung?« wollte Gundleus wissen. Arthur zögerte, da er es offensichtlich nicht wußte. Viele unserer Krieger verlangten lautstark Gundleus' Tod, Morgan drängte ihren Bruder, Norwenna zu rächen, während Nimue kreischend verlangte, man solle den gefangenen König ihrer Rache ausliefern. Aber Arthur schüttelte den Kopf. Sehr viel später erklärte er mir, Gundleus sei ein Cousin von Gorfyddyd, König von Powys, und sein Tod daher keine Frage der Rache, sondern der Politik. »Ich wollte Frieden schließen, und aus Rache entsteht nur selten Frieden«, gestand er mir, »aber vermutlich hätte ich ihn doch töten sollen. Obwohl das nicht viel verändert hätte.« In diesem Moment jedoch, als er im Licht der untergehenden Sonne am Fuß von Caer Cadarn vor Gundleus stand, erklärte er nur, Gundleus' Schicksal liege in der Hand des Rates von Dumnonia.

»Und was ist mit Ladwys?« fragte Gundleus und deutete auf die hochgewachsene, bleiche Frau, die mit angstverzerrtem Gesicht hinter ihm stand. »Ich verlange, daß man ihr gestattet, bei mir zu bleiben«, ergänzte er.

»Die Hure gehört mir!« erklärte Owain grollend. Ladwys schüttelte den Kopf und schob sich näher an Gundleus heran.

»Sie ist meine Gemahlin!« protestierte Gundleus, an Arthur gewandt, und bestätigte damit das alte Gerücht, er habe seine niedriggeborene Buhle tatsächlich geheiratet. Was aber zugleich bedeutete, daß seine Vermählung mit Norwenna ungültig war, obwohl diese Sünde in Anbetracht dessen, was er ihr sonst noch angetan hatte, wahrhaftig kaum ins Gewicht fallen konnte.

»Gemahlin oder nicht«, widersprach Owain, »sie gehört mir.« Er spürte Arthurs Zögern. »Wenigstens bis der Rat anders entscheidet«, setzte er hinzu, bewußt auf Arthurs Bezugnahme auf jene höhere Autorität hinweisend.

Owains Forderung schien Arthur zu beunruhigen, aber sein Status in Dumnonia war immer noch recht unsicher. Er war zwar zu Mordreds Protektor und einem Kriegsherrn des Königreichs ernannt worden, hatte damit jedoch keine Owain überlegene Autorität erlangt. Wir alle hatten erlebt, wie Arthur nach dem Scharmützel mit den Siluriern die Führung ergriffen hatte, aber indem Owain Ladwys als Sklavin für sich beanspruchte, hatte er Arthur daran erinnert, daß sie, was ihre Macht betraf, einander ebenbürtig waren. Es war ein peinlicher Augenblick, bis Arthur Ladwys der Einheit von Dumnonia opferte. »Owain hat entschieden«, sagte er zu Gundleus; dann wandte er sich ab, damit er nicht Zeuge der Wirkung seiner Worte auf das Liebespaar werden mußte. Ladwys schrie ihren Protest lautstark hinaus, verstummte aber, als einer von Owains Männern sie davonschleppte.

Tanaburs lachte über Ladwys' Verzweiflung. Da er ein Druide war, würde ihm niemand etwas antun. Er war kein Gefangener und konnte sich ungehindert entfernen, obwohl er den Ort ohne Nahrung, Segen und Gesellschaft verlassen mußte. Ermutigt vom Verlauf dieses Tages, konnte ich ihn jedoch nicht laufen lassen, ohne ein Wörtchen mit ihm zu reden. Ich folgte ihm über die Wiese, die mit den Toten der Silurier bedeckt war. »Tanaburs!« rief ich ihm nach.

Der Druide wandte sich um und sah, wie ich mein Schwert zog. »Vorsicht, Junge«, sagte er und warnte mich mit einem Zeichen seines mondgekrönten Stabes.

Ich hätte Angst empfinden müssen, war aber von einem ganz neuen Kriegerstolz erfüllt, als ich dicht auf ihn zutrat und mit der Spitze meines Schwertes mitten in seine struppigen Barthaare zielte.

Als ihn der Stahl berührte, zuckte sein Kopf zurück, so daß die gelben Knochen in seinen Haaren klapperten. Sein altes Gesicht war zerfurcht und fleckig, die Augen gerötet, die Nase schief. »Ich sollte Euch umbringen«, sagte ich.

Er lachte. »Dann wird dich der Fluch Britanniens verfolgen. Nie wird deine Seele die Anderwelt erreichen, ungekannte und ungezählte Qualen wirst du erleiden, und ich werde deren Auslöser sein.« Damit spie er mich an und versuchte, die Schwertklinge aus seinem Bart zu entfernen, ich aber packte den Griff nur um so fester, und als er erkannte, wie stark ich war, zeigte seine Miene plötzlich Besorgnis.

Ein paar neugierige Zuschauer waren mir gefolgt, und einige von ihnen warnten mich vor dem grausigen Geschick, das mich erwartete, wenn ich einen Druiden tötete. Ich hatte gar nicht die Absicht, den Alten umzubringen. Ich wollte ihm nur einen Schrecken einjagen. »Vor ungefähr zehn Jahren«, begann ich, »seid Ihr auf Madogs Pachtgut gekommen.« Madog war der Mann, der meine Mutter als Sklavin gehalten und dessen Hof der junge Gundleus überfallen hatte.

Tanaburs nickte; er erinnerte sich also an den Überfall. »Das stimmt. Ein guter Tag. Wir haben viel Gold erbeutet«, sagte er, »und viele Sklaven.«

»Und Ihr habt eine Todesgrube angelegt«, ergänzte ich.

»Na und?« Er zuckte die Achseln; dann grinste er mich höhnisch an. »Wir mußten den Göttern für diesen glücklichen Tag danken.«

Ich lächelte und kitzelte seine magere Kehle mit meiner Schwertspitze. »Aber ich habe überlebt, Druide. Ich habe überlebt!«

Es dauerte einige Sekunden, bis Tanaburs begriff, was ich soeben gesagt hatte. Dann erbleichte er und begann zu zittern, denn ihm war klar, daß ich allein in ganz Britannien die Macht besaß, ihn zu töten. Er hatte mich den Göttern geopfert, hatte sich jedoch nicht vergewissert, daß sein Opfer tot war, und wegen dieser Fahrlässigkeit hatten die Götter die Macht über sein Leben in meine Hände gelegt. Angstvoll schrie er auf, denn er war überzeugt, daß meine Klinge seine Kehle durchbohren werde. Statt dessen zog ich den Stahl aus seinem zerzausten Bart zurück und lachte ihn aus, während er kehrtmachte und über die Wiese davonstolperte. Er hatte es eilig, mir zu entkommen. Kurz bevor er den Wald erreichte, in den sich eine Handvoll silurischer Überlebender geflüchtet hatte, wandte er sich jedoch noch einmal um und zeigte mit seiner knochigen Hand auf mich. »Deine Mutter lebt, Junge!« schrie er laut. »Sie lebt!« Dann war er verschwunden.

Ich blieb offenen Mundes, mit dem Schwert in der herabhängenden Hand, zurück. Nicht etwa, daß ich von irgendeinem Gefühl überwältigt wurde: Ich konnte mich kaum an meine Mutter erinnern, und schon gar nicht daran, daß wir einander geliebt hätten – aber allein der Gedanke, daß sie noch lebte, erschütterte meine Welt nicht weniger heftig als die Zerstörung von Merlins Halle am Vormittag. Dann schüttelte ich den Kopf. Wie kam es, daß Tanaburs sich an eine einzige von so vielen Sklavinnen erinnerte? Bestimmt war seine Behauptung falsch, einfach nur Worte, um mich zu beunruhigen, weiter nichts. Also steckte ich mein Schwert in die Scheide und machte mich langsam auf den Rückweg zur Burg.

Gundleus wurde in einem Gemach neben der großen Halle von Caer Cadarn unter Arrest gestellt. An diesem Abend gab es eine Art Festmahl, nur daß die Fleischportionen, weil sich so viele Menschen in der Burg aufhielten, recht klein geraten und viel zu hastig gekocht worden waren. Ein großer Teil der Nacht verging mit der Begrüßung alter Freunde und dem Austausch der neuesten Informationen über Britannien und Armorica, denn viele von Arthurs Anhängern stammten ursprünglich aus Dumnonia oder einem anderen britischen Königreich. Von all den Namen, die Arthurs Männer trugen, schwirrte mir bald der Kopf, denn es gehörten mehr als siebzig Berittene zu seiner Truppe, und außerdem gab es Pferdeknechte, Knappen, Frauen und ein ganzes Rudel Kinder. Mit der Zeit sollten mir die Namen von Arthurs Kriegern geläufig werden, in jener Nacht aber bedeuteten sie mir nichts: Dagonet, Aglaval, Cei, Lanval, die Brüder Balan und Balin, Gawain und Agravain, Blaise, Illtyd, Eiddilig, Bedwyr. Leicht merken konnte ich mir Morfans, denn er war der häßlichste Mann, den ich jemals gesehen hatte – so häßlich, daß er schon wieder stolz auf sein verunstaltetes Aussehen war, auf seinen Kropf, die Hasenscharte und das mißgebildete Kinn. Außerdem fiel mir Sagramor auf, denn er war schwarz, und schwarze Männer hatte ich noch nie gesehen, ja nicht einmal an ihre

Existenz geglaubt. Er war hochgewachsen, mager und mürrisch-lakonisch, doch wenn man ihn überreden konnte, in seinem Englisch mit dem grauenhaften Akzent eine Geschichte zu erzählen, konnte er eine ganze Halle in seinen Bann schlagen.

Und auch Ailleann fiel mir natürlich auf. Sie war schlank, schwarzhaarig, ein paar Jahre älter als Arthur, mit einem schmalen, ernsten und sanften Gesicht, das ihr den Ausdruck großer Weisheit verlieh. An jenem Abend war sie fürstlich herausgeputzt. Ihr Gewand war aus Leinen, das man mit Eisenerde rostrot gefärbt hatte. Es wurde von einer schweren Silberkette zusammengehalten und hatte lange, weite Ärmel, die am Saum mit Otterpelz besetzt waren. Sie trug einen glänzenden Torques aus schwerem Gold um den Hals, goldene Armreifen an den Handgelenken und eine emaillierte Brosche mit Arthurs Bärensymbol an der Brust. Sie bewegte sich graziös, sprach wenig und beobachtete Arthur fürsorglich. Ich dachte, sie müsse eine Königin oder mindestens eine Prinzessin sein, nur daß sie wie eine gemeine Dienerin Schüsseln mit Speisen und Krüge voll Met hereintrug.

»Ailleann ist eine Sklavin, Junge«, erklärte mir Morfans der Häßliche. Er hockte mir auf dem Fußboden der Halle gegenüber und hatte gesehen, wie aufmerksam ich die hochgewachsene Frau beobachtete, während sie sich aus dem Lichtschein der Feuer in die flackernden Schatten der Halle zurückzog.

»Wessen Sklavin?« wollte ich wissen.

»Was meinst du wohl?« gab er zurück und schob sich eine Schweinerippe in den Mund und benutzte seine zwei verbliebenen Zähne, um das saftige Fleisch vom Knochen zu ziehen. »Arthurs«, antwortete er, nachdem er den Knochen einem der zahlreichen Hunde in der Halle zugeworfen hatte. »Und sie ist natürlich nicht nur seine Sklavin, sondern auch seine Geliebte.« Er rülpste und trank aus einem Methorn. »König Budic, sein Schwager, hat sie ihm geschenkt. Das war vor langer Zeit. Sie ist ein gutes Stück älter als Arthur, und Budic hat bestimmt nicht gedacht, daß er sie lange behalten würde, aber wenn Arthur einmal Zuneigung zu einem Menschen gefaßt hat, dann scheint das für die Ewigkeit zu sein. Das da drüben sind seine Zwillingssöhne.« Mit seinem fettglänzenden Bart wies er zum Hintergrund der Halle, wo zwei mürrische Knaben von ungefähr neun Jahren mit ihren Essensschalen auf dem Boden hockten.

»Arthurs Söhne?« fragte ich.

»Was denn sonst«, antwortete Morfans verächtlich. »Amhar und Loholt heißen sie, und ihr Vater vergöttert sie. Nichts ist gut genug für diese kleinen Bastarde, und genau das sind sie, Junge – Bastarde. Echte Taugenichtse von Bastarden.« Aus seinem Ton sprach unverhohlener Haß. »Ich sage dir, Junge, Arthur ap Uther ist ein großartiger Mann. Er ist der beste Soldat, den ich jemals kennengelernt habe, der großzügigste Mensch und der gerechteste Lord, aber wenn es um den Nachwuchs geht – das könnt' ich besser mit 'ner Sau als Mutter.«

Wieder blickte ich zu Ailleann hinüber. »Sind die beiden vermählt?«

Morfans lachte. »Natürlich nicht! Aber vergiß nicht, sie hat ihn während der letzten zehn Jahre glücklich gemacht. Doch es ist nur eine Frage der Zeit, bis er sie fortschickt, genau wie sein Vater seine Mutter fortgeschickt hat. Arthur wird eine Frau von fürstlichem Geblüt ehelichen, und die wird nicht halb so sanftmütig sein wie Ailleann, aber so ist das nun mal mit Männern wie Arthur: Sie müssen sich gut vermählen. Nicht so wie du und ich, mein Junge. Wir können heiraten, wen wir wollen, solange das Mädchen nicht königlicher Abstammung ist. Hör dir das an!« Er grinste, weil in der Nacht draußen vor der Halle eine Frau zu schreien begann.

Owain hatte die Halle verlassen und erteilte Ladwys augenscheinlich eine Lektion im Hinblick auf ihre neuen Pflichten. Arthur zuckte bei dem Geschrei zusammen, und Ailleann hob den eleganten Kopf und warf ihm stirnrunzelnd einen Blick zu, aber der einzige andere Mensch in der Halle, der von Ladwys' Not Notiz zu nehmen schien, war Nimue. Ihr bandagiertes Gesicht wirkte eingefallen und traurig, bei dem Schrei aber begann sie zu lächeln, weil sie daran dachte, welch tiefen Schmerz er Gundleus zufügen würde. Es war kein Funken Vergebung in Nimue, nicht der geringste. Sie hatte Arthur und Owain schon um Erlaubnis gebeten, Gundleus persönlich töten zu dürfen. Man hatte ihr die Bitte abgeschlagen, aber solange Nimue lebte, würde Gundleus wissen, was Angst ist.

Am folgenden Tag führte Arthur einen Trupp Reiter nach Ynys

Wydryn, und als er am Abend zurückkehrte, berichtete er, daß Merlins Halle in Schutt und Asche gelegt worden sei. Außerdem brachten die Reiter den armen, wahnsinnigen Pellinore und den empörten Druidan mit, der sich in einem Brunnen der Mönche vom Heiligen Dornbusch versteckt hatte. Arthur erklärte, er werde Merlins Halle wiederaufbauen, doch keiner von uns wußte, wie er das ohne Geld und eine Armee von Arbeitern anstellen wollte. Gwlyddyn wurde offiziell zu Mordreds königlichem Baumeister ernannt und erhielt Befehl, unverzüglich mit dem Fällen der Bäume für den Wiederaufbau zu beginnen. Pellinore wurde in einen leeren, aus Stein erbauten Lagerraum gesperrt, der zur römischen Villa in Lindinis gehörte, jenem Dorf, in dem die Frauen, Kinder und die Sklaven von Arthurs Männern Unterkunft fanden. Arthur organisierte alles. Er war ein ruheloser Mensch, der es haßte, untätig zu sein, und in jenen ersten Tagen nach Gundleus' Gefangennahme arbeitete er vom Morgengrauen bis lange nach Einbruch der Abenddämmerung. Den größten Teil der Zeit verbrachte er mit der Versorgung seiner Gefolgsleute; er mußte ihnen königliches Land zuweisen und Häuser für ihre Familien aufbauen lassen, und das alles, ohne die Menschen zu benachteiligen, die bereits in Lindinis lebten. Die Villa, die Uther gehört hatte, beanspruchte Arthur für sich selbst. Keine Arbeit war ihm zu gering, und eines Vormittags sah ich ihn sogar, wie er sich mit einer großen Bleiplatte abmühte. »Komm, hilf mir mal, Derfel!« rief er mir zu. Es schmeichelte mir, daß er meinen Namen behalten hatte, und ich eilte hinüber, um ihm beim Tragen der unhandlichen Last behilflich zu sein. »Ziemlich selten, dieses Zeug«, sagte er fröhlich. Sein Oberkörper war nackt, und seine Haut war von dem Blei verfärbt, das er in Streifen schneiden und zum Auskleiden der steinernen Rinne benutzen wollte, durch die früher einmal Wasser von einer Quelle ins Innere der Villa geleitet worden war. »Die Römer haben das ganze Blei mitgenommen, als sie abzogen«, erklärte er mir, »deswegen funktionierten die Wasserleitungen nicht. Wir müssen die Minen wieder in Gang setzen.« Er ließ sein Ende der Bleiplatte fallen und trocknete sich die Stirn. »Die Minen wieder in Gang setzen, die Brücken wiederaufbauen, die Furten pflastern, die Schleusen ausbaggern und eine Möglichkeit finden, die Sais zum Rückzug in ihre Heimat zu bewegen. Das reicht wohl als Lebensaufgabe für einen Mann, meinst du nicht?«

»Jawohl, Lord«, antwortete ich verunsichert und fragte mich, warum ein Kriegsherr sich mit der Reparatur von Wasserleitungen abgab. Ein wenig später am Tag sollte der Rat zusammentreten, und ich hatte gedacht, Arthur hätte genug mit den Vorbereitungen dafür zu tun, aber er schien sich weit mehr für das Blei zu interessieren als für die Staatsgeschäfte.

»Ich weiß nicht, ob man Blei zersägt oder mit einem Messer schneidet«, erklärte er kleinlaut. »Dabei müßte ich es wissen. Ich werde Gwlyddyn fragen. Der scheint immer alles zu wissen. Wußtest du, daß man Baumstämme umgekehrt aufstellt, wenn man sie als Säulen benutzt?«

»Nein, Lord.«

»Dadurch verhindert man, daß die Feuchtigkeit aufsteigt, und schützt das Holz vor dem Verfaulen. Das weiß ich von Gwlyddyn. Ich mag diese Art von Wissen. Ein gutes, praktisches Wissen von der Art, die die Welt zusammenhält.« Grinsend sah er mich an. »Also, wie gefällt dir Owain?« fragte er dann.

»Er ist gut zu mir, Lord«, antwortete ich, durch die Frage in Verlegenheit geraten. In Wirklichkeit hatte ich immer noch ein wenig Angst vor Owain, obwohl er sich mir gegenüber nie unfreundlich zeigte.

»Das möchte ich ihm auch geraten haben«, sagte Arthur. »Jeder Führer ist auf seinen guten Ruf angewiesen, und der hängt weitgehend davon ab, daß er gute Männer in seiner Truppe hat.«

»Aber ich würde viel lieber Euch dienen, Lord«, stieß ich mit jugendlicher Tapferkeit hervor.

Er lächelte. »Das wirst du auch, Derfel, das wirst du. Zu gegebener Zeit. Wenn du deine Probezeit als Kämpfer bei Owain bestanden hast.« Seine Bemerkung klang eher beiläufig, später jedoch fragte ich mich, ob er wohl vorhergesehen hatte, was geschehen sollte. Letztlich bestand ich Owains Probezeit, aber sie war unendlich schwer, und möglicherweise wollte Arthur, daß ich diese Lektion lernte, bevor er mich in seine Truppe aufnahm. Er beugte sich wieder über die Bleiplatte, richtete sich aber sofort auf, als lautes Geheul durch das schäbige Bauwerk tönte. Es war Pellinore, der gegen seine Gefangenschaft protestierte. »Owain findet, wir sollten den armen Pell auf die Toteninsel schicken«, sagte Arthur und meinte damit jene Insel, auf welche die gewalttätigen Wahnsinnigen verbannt wurden. »Was meinst du?«

Ich war so verblüfft über diese Frage, daß ich erst einmal gar nichts sagte. Dann erklärte ich stammelnd, daß Merlin Pellinore liebe, daß Merlin ihn unter den Lebenden behalten wolle und daß ich fände, man müsse Merlins Wunsch respektieren. Arthur hörte mir ernsthaft zu und schien mir für meinen Rat sogar dankbar zu sein. Natürlich brauchte er ihn nicht, sondern wollte mir nur das Gefühl geben, geschätzt zu werden. »Dann soll Pellinore hierbleiben, Junge«, sagte er. »Und nun greif dir das andere Ende. Hebt – an!«

Am folgenden Tag wurde es leer in Lindinis. Morgan und Nimue kehrten nach Ynys Wydryn zurück, wo sie den Tor wiederaufbauen wollten. Nimue wehrte meinen Abschiedsgruß ab; ihr Auge schmerzte noch, sie war verbittert und verlangte nichts anderes mehr vom Leben als die Rache an Gundleus, und die versagte man ihr. Arthur zog mit seinen Reitern gen Norden, um Tewdrics Truppen an der Nordgrenze von Gwent zu verstärken, während ich bei Owain blieb, der sich in Caer Cadarns großer Halle niedergelassen hatte. Ich war zwar jetzt ein Krieger, da es in jenem Hochsommer jedoch wichtiger war, die Ernte einzubringen, als auf den Wällen der Burg Wache zu stehen, ließ ich tagelang Schwert, Helm, Schild und ledernen Brustharnisch, den ich von einem toten Silurier geerbt hatte, zu Hause und ging auf die Felder des Königs, um zusammen mit den Leibeigenen Roggen, Gerste und Weizen einzubringen. Es war Schwerstarbeit. Sie wurde mit einer kurzen Sichel verrichtet, die ständig an einem Wetzstein geschliffen werden mußte: einem Holzstab, der zunächst in Schweinefett getaucht und anschließend mit feinem Sand überzogen wurde, welcher der Sichelschneide die notwendige Schärfe verlieh. Nur wurde die Schneide nie scharf genug für mich, und obwohl ich in bester körperlicher Verfassung war, bekam ich von dem ständigen Bücken und Ausreißen Rückenschmerzen und Muskelkater. Auf dem Tor hatte ich nie so hart arbeiten müssen, aber schließlich hatte ich Merlins privilegierte Welt verlassen und gehörte nunmehr zu Owains Truppe.

Wir schichteten die Garben des geschnittenen Getreides auf den Feldern auf und karrten dann riesige Haufen Roggenstroh nach Caer Cadarn und Lindinis. Mit dem Stroh wurden Reetdächer repariert und Matratzen frisch gefüllt, so daß unsere Betten ein paar wundervolle Tage lang von Läusen und Flöhen verschont blieben, doch leider währte dieser Segen nicht lange. In dieser Zeit wuchs mir zum erstenmal ein Bart, eine dünne, goldblonde Zier, auf die ich übermäßig stolz war. Obwohl ich die Tage mit Knochenarbeit auf den Feldern verbrachte, mußte ich an jedem Abend noch zwei Stunden militärische Übungen über mich ergehen lassen. Hywel war mir ein guter Lehrmeister gewesen, aber Owain verlangte mehr von mir. »Dieser Silurier, den du getötet hast«, sagte Owain eines Abends zu mir, als ich nach einem Waffengang mit dem Fechtstock gegen einen Krieger namens Mapon schwitzend auf den Wällen von Caer Cadarn hockte, »ich wette einen Monatslohn gegen eine tote Maus, daß du ihn mit der Schwertschneide getötet hast.« Natürlich nahm ich die Wette nicht an, sondern bestätigte, daß ich das Schwert tatsächlich wie eine Axt benutzt hatte. Owain lachte; dann entließ er Mapon mit einem Wink. »Hywel hat allen beigebracht, mit der Schwertschneide zu kämpfen«, fuhr Owain fort. »Sieh dir Arthur an, wenn er das nächstemal kämpft. Swisch, swasch, wie ein Heumacher, der möglichst noch vor dem Regen fertig werden will.« Er zog sein eigenes Schwert. »Die Spitze mußt du benutzen, Junge«, erklärte er mir. »Immer die Spitze. Damit tötest du viel schneller.« Er machte einen Ausfall gegen mich, der mich zwang, hastig zu parieren. »Wenn du die Schneide des Schwertes benutzt«, fuhr er fort, »dann heißt das, daß du dich auf freiem Feld befindest. Der Schildwall ist durchbrochen, und wenn es dein Schildwall ist, der durchbrochen wurde, bist du ein toter Mann, da kannst du als Schwertkämpfer so gut sein, wie du willst. Doch wenn der Schildwall hält, bedeutet das, daß ihr Schulter an Schulter steht und du keinen Platz hast, dein Schwert zu schwingen; du kannst nur zustoßen.« Wieder machte er einen Ausfall, und ich mußte parieren. »Warum, glaubst du, haben die Römer kurze Schwerter?« fragte er mich.

»Keine Ahnung, Lord.«

»Weil man mit einem Kurzschwert besser zustoßen kann als mit einem langen, deswegen«, sagte er. »Ich will dich hier nicht überreden, dir ein anderes Schwert zuzulegen, aber vergiß nie, daß du zustoßen mußt. Die Spitze gewinnt immer – immer!« Er wandte sich ab, nur um sofort wieder herumzuwirbeln und mit dem Schwert zuzustoßen, doch irgendwie gelang es mir, seine Klinge mit dem schwerfälligen Fechtstock beiseite zu schlagen. Owain grinste. »Du bist schnell«, lobte er mich, »und das ist gut. Du wirst es schaffen, Junge, solange du nüchtern bleibst.« Er steckte sein Schwert in die Scheide und richtete den Blick gen Osten. Er hielt nach den fernen Rauchfahnen Ausschau, die auf Überfälle von feindlichen Truppen schließen ließen, aber auch für die Sachsen war jetzt Erntezeit, und ihre Soldaten hatten Besseres zu tun, als über feindliche Grenzen vorzudringen. »Was hältst du von Arthur, Junge?« fragte Owain mich urplötzlich.

»Ich mag ihn«, antwortete ich hilflos, da mich seine Frage nicht weniger verlegen machte als Arthurs Frage nach Owain.

Owain wandte den schweren, zottigen Kopf, der so sehr an seinen alten Freund Uther erinnerte, langsam zu mir um. »O ja, man kann ihn wirklich mögen«, räumte er widerwillig ein. »Ich habe Arthur immer gemocht. Alle mögen Arthur, aber die Götter wissen, ob irgend jemand ihn versteht. Außer Merlin. Glaubst du, daß Merlin noch am Leben ist?«

»Ich weiß es«, gab ich heftig zurück, obwohl ich das wirklich nicht wissen konnte.

»Gut«, sagte Owain. Da ich vom Tor kam, nahm Owain an, daß ich mit Magie vertraut sei und Dinge wissen müsse, die anderen Menschen verborgen waren. Außerdem hatte sich unter seinen Kriegern die Nachricht verbreitet, daß ich der Todesgrube eines Druiden entkommen war, und das machte mich in ihren Augen sowohl zu einem vom Glück begünstigten als auch zu einem glückbringenden Mann. »Ich mag Merlin«, fuhr Owain fort, »obwohl er Arthur dieses Schwert gegeben hat.«

»Caledfwlch?« fragte ich zurück, Excaliburs richtigen Namen benutzend.

»Das wußtest du nicht?« fragte Owain verwundert. Er hatte die Überraschung in meinem Ton bemerkt, aber das war kein Wunder, denn Merlin hatte mir gegenüber niemals ein so großzügiges Geschenk erwähnt. Gewiß, er hatte manchmal von Arthur erzählt, den er während der kurzen Zeit kennengelernt hatte, die Arthur an Uthers Hof verbrachte, hatte dabei jedoch stets einen liebevoll-geringschätzigen Ton angeschlagen, so als handelte es sich um einen etwas schwerfälligen, doch willigen Schüler, der sich später weit besser entwickelt hatte, als Merlin erwarten konnte; die Tatsache aber, daß er Arthur das berühmte Schwert geschenkt hatte, ließ darauf schließen, daß Merlin eine weit höhere Meinung von ihm hegte, als er nach außen hin erkennen ließ.

»Caledfwlch«, erklärte mir Owain, »wurde von Gofannon in der Anderwelt geschmiedet.« Gofannon war der Gott der Schmiedekunst. »Merlin hat es in Irland gefunden«, fuhr Owain fort, »wo das Schwert Cadalcholg hieß. Bei einem Traumwettbewerb hat er es einem Druiden abgewonnen. Die irischen Druiden sagen, wenn der Mann, der Cadalcholg trägt, in einer verzweifelten Lage ist, kann er das Schwert in den Erdboden stoßen, und Gofannon wird die Anderwelt verlassen und ihm zu Hilfe eilen.« Er schüttelte den Kopf – nicht etwa ungläubig, sondern staunend. »Warum wohl hat Merlin Arthur ein solches Geschenk gemacht?«

»Warum nicht?« entgegnete ich vorsichtig, denn ich spürte, daß Neid in Owains Frage lag.

»Weil Arthur nicht an die Götter glaubt«, antwortete Owain, »deswegen. Er glaubt nicht mal an diesen Schlappschwanz von Gott, den die Christen anbeten. Soweit ich feststellen konnte, glaubt Arthur an gar nichts, höchstens an seine riesigen Schlachtrösser, und die Götter allein wissen, welchem irdischen Nutzen die dienen.«

»Sie wirken einschüchternd«, wandte ich ein, weil ich Arthur verteidigen wollte.

»O ja, einschüchternd«, stimmte Owain zu. »Aber nur, wenn man niemals zuvor eins gesehen hat. Dafür sind sie langsam, brauchen doppelt oder dreimal so viel Futter wie ein richtiges Pferd, zwei Pferdeknechte, ihre Hufe spalten sich wie warme Butter, wenn man ihnen nicht diese schweren Eisen an die Füße schnallt, und einen Schildwall angreifen wollen sie auch nicht.«

»Nein?«

»Das will kein Pferd«, bestätigte Owain verächtlich. »Wenn man standhält, wird jedes Pferd auf der Welt vor einer Reihe starrer

Speere scheuen. Pferde sind nichts wert im Krieg, Junge. Sie können höchstens die Kundschafter sehr schnell sehr weit tragen.«

»Aber warum...«, begann ich.

»Weil es bei einer Schlacht darum geht, Junge«, kam Owain meiner Frage zuvor, »den Schildwall des Feindes zu durchbrechen. Alles andere ist einfach, und Arthurs Pferde können ganze Schlachtreihen in die Flucht schlagen, aber die Zeit wird kommen, da der Feind standhält, und dann mögen die Götter diesen Pferden helfen. Und mögen die Götter auch Arthur helfen, wenn er jemals von seinem riesigen Haufen Pferdefleisch fällt und in seiner Fischrüstung zu Fuß zu kämpfen versucht. Das einzige Metall, das ein Krieger braucht, ist sein Schwert und das Stück Eisen an der Spitze seines Speers, alles andere ist nichts als Ballast, Junge, nutzloser Ballast.« Er starrte in den Festungshof hinab, wo sich Ladwys an den Gitterzaun um Gundleus' Kerker klammerte. »Arthur wird nicht lange hierbleiben«, verkündete er zuversichtlich. »Eine Niederlage, und er segelt nach Armorica zurück, wo sich die Leute von seinen großen Rössern, der Fischrüstung und dem prunkvollen Schwert beeindrucken lassen.« Er spie aus, und mir wurde klar, daß es trotz Owains ausdrücklich bekundeter Zuneigung zu Arthur noch etwas anderes gab, etwas, das tiefer ging als bloße Eifersucht. Owain wußte, daß er einen Rivalen hatte, wartete aber vorerst einmal ab, und Arthur tat es ihm vermutlich gleich. Diese gegenseitige Abneigung machte mir Sorgen, denn ich mochte beide Männer. Owain lächelte über Ladwys' Kummer. »Sie ist ein treues Miststück, das muß man ihr lassen«, sagte der bullige Mann, »aber ich werde sie schon noch kleinkriegen. Ist das deine Frau?« Damit nickte er zu Lunete hinüber, die einen Ledereimer voll Wasser zu den Hütten der Krieger trug.

»Ja«, bekannte ich und errötete. Lunete war, wie mein jüngst sprießender Bart, ein Zeichen von Männlichkeit, und beide trug ich noch etwas unbeholfen. Lunete hatte sich entschieden, bei mir zu bleiben, statt mit Nimue zu dem zurückzukehren, was von Ynys Wydryn übriggeblieben war. Diese Entscheidung hatte Lunete allein getroffen, und ich fühlte mich im Hinblick auf unsere Beziehung immer noch unsicher, obwohl Lunete, was unser Zusammenleben betraf, von keinerlei Zweifeln geplagt zu werden schien. Sie hatte einen Winkel der Hütte mit Beschlag belegt, ihn ausgefegt, mit ein paar Weidenhürden abgegrenzt und sprach inzwischen offen über unsere gemeinsame Zukunft. Ich hatte gedacht, sie würde bei Nimue bleiben wollen, doch seit ihrer Vergewaltigung war Nimue still und in sich gekehrt. Ja, richtig feindselig war sie geworden und redete mit keinem, es sei denn, um ein Gespräch abzuwehren. Morgan kümmerte sich um ihr Auge, und derselbe Goldschmied, der Morgans Maske geschaffen hatte, erbot sich, eine Goldkugel anzufertigen, die ihr den verlorenen Augapfel ersetzen sollte. Genau wie wir anderen fürchtete sich Lunete inzwischen ein wenig vor dieser neuen, bitteren, bissigen Nimue.

»Ein hübsches Mädchen«, sagte Owain widerwillig über Lunete, »aber die Mädchen leben nur aus einem einzigen Grund mit Kriegern zusammen, Junge: Sie wollen reich werden. Also sieh zu, daß du sie bei Laune hältst, sonst wird sie dir, so wahr ich hier stehe, das Leben schwermachen.« Er wühlte in den Taschen seiner Jacke und zog einen schmalen Goldring hervor. »Den gibst du ihr«, befahl er mir.

Ich stammelte meinen Dank. Man erwartete von Soldatenführern, daß sie ihren Gefolgsleuten Geschenke machten, ein solcher Ring aber war eine wahrhaft großzügige Gabe, denn ich hatte bisher noch keinen Kampf als Owains Gefolgsmann bestanden. Lunete freute sich über den Ring, den sie, zusammen mit einem Silberdraht vom Knauf meines Schwertes, als Grundstein für ihren persönlichen Schatz betrachtete. Sie ritzte ein Kreuz in die abgenutzte Fläche des Rings – nicht etwa, weil sie Christin war, sondern weil das Kreuz ihn zum Liebesring und zum Beweis dafür machte, daß sie vom Mädchen zur Frau geworden war. Auch manche Männer trugen Liebesringe, aber ich sehnte mich nach den schlichten Eisenringen, die sich siegreiche Krieger aus den Speerspitzen ihrer unterlegenen Feinde schmiedeten. Owain trug eine ganze Reihe solcher Ringe im Bart, und viele weitere schmückten seine Finger. Arthur dagegen trug, wie ich festgestellt hatte, keinen einzigen.

Sobald die Ernte von den Feldern rings um Caer Cadarn eingebracht worden war, marschierten wir durch ganz Dumnonia, um den königlichen Anteil einzutreiben. Wir besuchten Vasallenkönige und Häuptlinge und wurden ständig von einem Schreiber aus Mordreds Schatzamt begleitet, der die Höhe der Steuern ausrechnete. Die Vorstellung, daß Mordred jetzt König war und wir nicht mehr Uthers Schatzkammern füllten, war seltsam, aber sogar ein Kindkönig brauchte Geld, um sowohl Arthurs Reiter als auch die vielen anderen Soldaten zu bezahlen, die Dumnonias Grenzen sicherten. Einige von Owains Männern wurden ausgeschickt, um die ständigen Wachmannschaften in Gereints Grenzfestung in Durocobrivis zu verstärken, während wir anderen für eine Weile zu Steuereinnehmern wurden.

Ich staunte, daß Owain, der doch für seine Liebe zum Kriegshandwerk berühmt war, weder mit nach Durocobrivis zog noch nach Gwent zurückkehrte, sondern sich an der alltäglichen Aufgabe der Steuerberechnung beteiligte. Mir selbst kam diese Arbeit knechtisch vor, aber ich war nichts als ein flaumbärtiger Knabe, dem Owains Gedankengänge ein Rätsel waren.

Steuern waren für Owain offenbar wichtiger als alle Sachsen. Steuern waren, wie ich noch lernen sollte, die beste Quelle des Reichtums für Männer, die nicht arbeiten wollten, und die Steuersaison nach Uthers Tod war für Owain *die* Gelegenheit. Um die Abgaben niedrig zu halten, meldete er von Hof zu Hof eine sehr schlechte Ernte, während er seine eigene Börse mit den Bestechungsgeldern füllte, die er für seine falschen Berichte erhielt. Seltsamerweise äußerte er sich recht offen über diese Geschäfte. »Bei Uther wäre ich nicht damit durchgekommen«, erklärte er mir eines Tages, als wir entlang der Südküste auf die römische Stadt Isca zumarschierten. Von dem verstorbenen König sprach er voll Zuneigung. »Uther war ein gerissener alter Bastard und hatte immer eine recht genaue Ahnung von dem, was ihm zustand. Aber was weiß Mordred schon?« Er blickte nach links. Wir überquerten eine weite, kahle Heidelandschaft auf einem großen Hügel und sahen im Süden das Glitzern des leeren Meeres. Dort blies der Wind so kräftig, daß die grauen Wogen weiß gefleckt waren. Weit hinten im Osten, wo ein langer, geschwungener Kiesstrand endete, lag eine mächtige Halbinsel, an der die Wogen vom Wind zu Schaum gepeitscht wurden. Die Halbinsel war fast eine Insel, die mit dem Festland nur durch einen schmalen Damm aus Steinen und Kies verbunden war. »Weiß du, was das ist?« fragte mich Owain und deutete mit dem Kinn hinüber.

»Nein, Lord.«

»Die Toteninsel«, sagte er und spie aus, um das Unglück abzuwenden, während ich innehielt und zu diesem furchtbaren Ort, der Heimstatt dumnonischer Alpträume, hinüberstarrte. Diese Landzunge war die Insel der Wahnsinnigen, jener Ort, an den Pellinore und all die anderen wahnsinnigen und gewalttätigen Seelen gehörten, die im selben Moment, da sie den schwerbewachten Damm betraten, für tot galten. Die Insel stand unter dem Schutz von Crom Dubh, dem finsteren, verkrüppelten Gott, und es gab Leute, die behaupteten, am Ende der Insel liege Cruachans Höhle, das Tor zur Anderwelt. Angstgelähmt starrte ich hinüber, bis mir Owain die Hand auf die Schulter legte. »Du brauchst dir keine Gedanken über die Toteninsel zu machen, Junge«, versicherte er mir. »Du hast einen wachen Kopf auf den Schultern.« Damit ging er weiter nach Westen. »Wo werden wir heute übernachten?« rief er Lwellwyn zu, dem Schatzamtsschreiber, dessen Maultier die gefälschten Berichte dieses Jahres trug.

»Bei Fürst Cadwy von Isca«, antwortete Lwellwyn.

»Ach ja, Cadwy! Ich mag Cadwy. Was haben wir dem häßlichen Gauner voriges Jahr abgeluchst?«

Lwellwyn brauchte nicht seine Kerbhölzer zu Rate zu ziehen, sondern zählte sofort die Häute, Felle, Sklaven, die Menge der Metallbarren, getrockneten Fische, die Menge an Salz und gemahlenem Getreide auf. »Zumeist hat er jedoch in Gold bezahlt«, ergänzte er.

»Er gefällt mir immer besser!« verkündete Owain. »Worauf werden wir uns einigen, Lwellwyn?«

Lwellwyn schätzte den Betrag auf die Hälfte dessen, was Cadwy im vergangenen Jahr bezahlt hatte, und das war genau der Betrag, auf den man sich vor der Abendmahlzeit in Fürst Cadwys Halle einigte. Es war ein großartiges Anwesen, von den Römern erbaut, mit einem Säulenportikus, der ein langgestrecktes, bewaldetes Tal bis zur Mündung des Exe-Flusses überblickte. Cadwy war ein Fürst der Dumnonii, des Stammes, der unserem Land den Namen gegeben hatte, und als Fürst gehörte Cadwy zum zweithöchsten Rang des Königreichs. Könige gehörten zum höchsten Rang, danach kamen Fürsten wie Gereint und Cadwy oder Vasallenkönige wie Melwas von den Belgern, und schließlich Häuptlinge wie Merlin, obwohl Merlin von Avalon außerdem Druide war und dadurch außerhalb der Rangleiter stand. Cadwy, der sowohl Fürst als auch Häuptling war, regierte einen weitverzweigten Stamm, der alles Land zwischen Isca und der Grenze zu Kernow besiedelte. Es hatte eine Zeit gegeben, da waren alle Stämme Britanniens voneinander abgegrenzt, und ein Mann der Catuvellauner hätte ganz anders ausgesehen als ein Mann der Belger, aber die Römer hatten uns alle ziemlich gleich gemacht. Nur einige Stämme, wie etwa der von Cadwy, hatten sich ihre unverwechselbare Erscheinung bewahrt. Die Männer seines Stammes, die sich den anderen Briten für überlegen hielten, tätowierten sich zum Zeichen ihrer Erhabenheit das Gesicht mit den Symbolen ihres Stammes und ihrer Sippe. Jedes Tal hatte seine eigene Sippe, gewöhnlich nicht mehr als ein Dutzend Familien. Die Rivalität zwischen den Sippen war stark, aber nichts im Vergleich zur Rivalität zwischen Fürst Cadwys Stamm und dem übrigen Britannien. Die Hauptstadt des Stammes war Isca, eine römische Stadt mit festen Mauern und Steinhäusern, die denen in Glevum in nichts nachstanden. Cadwy jedoch zog es vor, außerhalb der Stadt auf seinem eigenen Anwesen zu residieren. Die meisten Stadtbewohner lebten nach römischer Art und verzichteten auf Tätowierungen, außerhalb der Wälle jedoch, in den Tälern von Cadwys Land, auf denen die Hand der Römer niemals besonders schwer gelastet hatte, trug jeder Mann, jede Frau und jedes Kind die blauen Tätowierungen auf den Wangen. Darüber hinaus war es zwar ein sehr reiches Land, aber Fürst Cadwy hatte es sich in den Kopf gesetzt, es noch reicher zu machen.

»In letzter Zeit mal auf dem Moor gewesen?« fragte er Owain an jenem Abend. Es war eine warme, angenehme Nacht, und die Abendmahlzeit war auf dem offenen Portikus serviert worden, der auf Cadwys Ländereien hinausging.

»Noch nie«, antwortete Owain.

Cadwy stieß einen grunzenden Laut aus. Ich hatte ihn bei Uthers Hohem Rat gesehen, hier aber hatte ich zum erstenmal Gelegenheit, den Mann, dessen Aufgabe es war, Dumnonia vor Überfällen aus

Kernow oder dem fernen Irland zu schützen, näher zu betrachten. Der Fürst war ein kleiner, kahlköpfiger Mann mittleren Alters, schwer gebaut, mit Stammeszeichen auf Wangen, Armen und Beinen. Er trug britische Kleidung, liebte aber seine römische Villa mit ihren gepflasterten Böden, den Säulen und dem kanalisierten Wasser, das in Steinrinnen durch den mittleren Hof und bis auf den Portikus hinauslief, wo es ein kleines Fußwaschbecken bildete, bevor es über einen Marmordamm in den Bach weiter unten im Tal floß. Cadwy, fand ich, führte ein schönes Leben. Er fuhr reiche Ernten ein, seine Schafe und Kühe waren fett und seine zahlreichen Frauen zufrieden. Außerdem war er weit von der sächsischen Bedrohung entfernt. Dennoch war er unzufrieden. »Auf dem Moor gibt's viel Geld zu holen«, vertraute er Owain an. »Zinn.«

»Zinn?« Owains Ton war verächtlich.

Cadwy nickte feierlich. Er war ziemlich betrunken, aber das waren die anderen Männer an dem niedrigen Tisch, auf dem die Mahlzeit serviert worden war, ebenfalls. Sie alle waren Krieger, Cadwys und Owains Männer. Da ich der Jüngste war, mußte ich als Schildknappe hinter Owains Liegestatt stehen. »Zinn«, wiederholte Cadwy, »und vielleicht Gold. Jedenfalls eine Menge Zinn.« Dies war ein ganz persönliches Gespräch, denn das Mahl war fast vorüber, und Cadwy hatte Sklavenmädchen für die Krieger bereitgestellt. Außer von mir und Cadwys Schildknappen, einem trägen Burschen, der mit schlaffem Mund und stumpfen Augen den Kapriolen der Sklavenmädchen zusah, wurden die beiden Führer von niemandem beachtet. Ich hörte Owain und Cadwy zu, verhielt mich aber so still und reglos, daß sie mich höchstwahrscheinlich vergaßen. »Ihr selbst mögt ja nicht viel von Zinn halten«, sagte Cadwy zu Owain, »aber eine Menge Leute sind sehr daran interessiert. Ohne Zinn kann man keine Bronze herstellen, und in Armorica wird ein extrem hoher Preis für das Zeug gezahlt, von unserem Norden ganz zu schweigen.« Er machte eine wegwerfende Geste in Richtung des übrigen Dumnonia und ließ einen mächtigen Rülpser hören, der ihn selbst zu verwundern schien. Nachdem er seinen Magen mit einem großen Schluck Wein beruhigt hatte, runzelte er die Stirn, als könnte er sich nicht mehr erinnern, wovon gerade die Rede gewesen war. »Zinn«, sagte er schließlich, als es ihm wieder einfiel.

»Erzählt mir mehr davon«, forderte Owain ihn auf. Er beobachtete einen seiner Männer, der ein Sklavenmädchen nackt ausgezogen hatte und nun damit beschäftigt war, ihren Bauch mit Butter zu beschmieren.

»Es ist nicht mein Zinn«, erklärte Cadwy nachdrücklich.

»Irgend jemandem muß es ja gehören«, entgegnete Owain. »Soll ich Lwellwyn fragen? Der Bastard ist clever, wenn es um Geld und Eigentum geht.« Klatschend schlug sein Mann mit der Hand auf den Bauch des Mädchens, so daß die Butter über den ganzen Tisch spritzte, woraufhin brüllendes Gelächter aufbrandete. Das Mädchen maulte, aber der Mann befahl ihr, den Mund zu halten, und begann sogleich, auch den Rest ihres Körpers mit Butter und Schweinefett zu übergießen.

»Tatsache ist«, sagte Cadwy betont, um Owains Aufmerksamkeit von dem nackten Mädchen abzulenken, »daß Uther ein Rudel Männer aus Kernow ins Land gelassen hat, um in den alten römischen Minen zu arbeiten, denn von unseren Leuten besaß keiner die nötigen Fähigkeiten dazu. Diese Bastarde sollten ihren Pachtzins an Euer Schatzamt liefern, aber die Hunde schicken das Zinn, stellt Euch das vor, nach Kernow. Das weiß ich mit Sicherheit.«

Auf einmal spitzte Owain die Ohren. »Kernow?«

»Verdient sich dumm und dämlich an unserem Land. An unserem Land!« wiederholte Cadwy zutiefst empört.

Kernow war ein eigenständiges Königreich, ein geheimnisvolles Land am äußersten Ende der westlichen Halbinsel, das nie von den Römern beherrscht worden war. Die Leute dort hatten fast immer in Frieden mit uns gelebt, nur hier und da war König Mark aus dem Bett seiner jeweiligen Frau gekrochen, um eine Angriffsgruppe über den Tamar-Fluß zu schicken. »Was haben Männer aus Kernow hier zu suchen?« fragte Owain in einem Ton, der nicht weniger empört war als der seines Gastgebers.

»Hab' ich Euch doch gesagt. Unser Geld stehlen. Und nicht nur das. Mir fehlen auch gute Rinder, Schafe und sogar ein paar Sklaven. Diese Minenarbeiter werden recht überheblich und zahlen nicht so, wie sie sollten. Aber das wird man nie beweisen können.

Niemals. Nicht mal Euer cleverer Lwellwyn kann in ein Loch im Moor spähen und mir sagen, wieviel Zinn es in einem Jahr hergeben wird.« Cadwy scheuchte einen Nachtfalter davon; dann schüttelte er bedrückt den Kopf. »Die glauben, sie stehen über dem Gesetz. Das ist das Problem. Nur weil Uther ihr Schirmherr war, glauben sie, sie stehen über dem Gesetz.«

Owain zuckte die Achseln. Seine Aufmerksamkeit galt wieder dem buttertriefenden Sklavenmädchen, das nun von einem halben Dutzend betrunkener Männer über die untere Terrasse gejagt wurde. Ihr fettbeschmierter Körper war nur schwer zu fassen, und einige der zuschauenden Männer brachen angesichts dieser grotesken Jagd in brüllendes Gelächter aus. Mir fiel es schwer, nicht zu kichern. Owain richtete den Blick wieder auf Cadwy. »Dann zieht doch da rauf und legt ein paar von diesen Bastarden um, Lord Fürst«, sagte er, als sei das die einfachste Lösung der Welt.

»Kann ich nicht«, erwiderte Cadwy.

»Und warum nicht?«

»Weil Uther ihnen Schutz gewährt hat. Wenn ich sie angreife, werden sie sich beim Rat und bei König Mark beschweren, und ich werde ihnen *sarhaed* zahlen müssen.« *Sarhaed* war der gesetzlich festgelegte Blutpreis für einen Mann. Der *sarhaed* für einen König war unbezahlbar, der für einen Sklaven extrem gering, aber ein guter Minenarbeiter brachte vermutlich einen so hohen Preis, daß es selbst einen so wohlhabenden Fürsten wie Cadwy schmerzen mußte.

»Und wie wollen die feststellen, wer sie überfallen hat?« fragte Owain verächtlich.

Statt einer Antwort tippte sich Cadwy an die Wange. Die blauen Tätowierungen, meinte er damit, würden seine Männer verraten.

Owain nickte. Das gebutterte Mädchen war endlich eingefangen und wurde nun inmitten einiger Büsche, die auf der unteren Terrasse standen, von seinen Häschern umringt. Owain zerbröselte ein Stück Brot, dann hob er den Kopf und sah Cadwy an. »Und?«

»Und«, sagte Cadwy listig, »wenn ich einen Haufen Männer finden könnte, die diese Bastarde ein bißchen aufmischen, wäre mir sehr damit geholfen. Dann würden sie mich nämlich um Schutz bitten, versteht Ihr? Und mein Preis wird dann das Zinn sein, das sie an König Mark schicken. Und Euer Preis ...« – er hielt inne, um sich zu vergewissern, daß Owain über diese Andeutung nicht schockiert war – »wäre die Hälfte dessen, was das Zinn einbringt.«

»Wieviel?« erkundigte sich Owain rasch. Die beiden Männer unterhielten sich so leise, daß ich mich voll konzentrieren mußte, um bei dem lärmenden Lachen und Brüllen der Krieger etwas verstehen zu können.

»Fünfzig Goldstücke pro Jahr. So wie das hier«, sagte Cadwy, entnahm einem Beutel einen Goldbarren von der Größe eines Schwertgriffs und schob ihn über den Tisch.

»So viel?« Selbst Owain war baß erstaunt.

»Ziemlich ergiebiger Boden, das Moor«, erklärte Cadwy grimmig. »Ziemlich ergiebig.«

Owain blickte auf Cadwys Tal hinaus, wo das Spiegelbild des Mondes auf dem fernen Fluß flach und silbrig wie eine Schwertklinge lag. »Wie viele Minenarbeiter leben dort?« fragte er den Fürsten schließlich.

»In der nächst gelegenen Siedlung«, erklärte Cadwy, »gibt es siebzig bis achtzig Männer. Und außerdem natürlich eine gewisse Anzahl Sklaven und Frauen.«

»Wie viele Siedlungen?«

»Drei, aber die beiden anderen liegen ein Stück entfernt. Mich interessiert nur diese eine.«

»Wir sind nur zwanzig«, gab Owain zu bedenken.

»Bei Nacht«, erwiderte Cadwy. »Und außerdem sind sie noch nie überfallen worden und werden keine Wachen aufstellen.«

Owain trank Wein aus seinem Horn. »Siebzig Goldstücke«, erklärte er dann energisch, »nicht fünfzig.«

Fürst Cadwy dachte einen Augenblick nach und nickte dann zum Zeichen des Einverständnisses.

Owain grinste. »Warum nicht, eh?« sagte er. Damit griff er nach dem Goldbarren und fuhr dann schnell wie eine Natter herum und sah zu mir empor. Ich verzog keine Miene und wandte den Blick nicht von einem nackten Mädchen, das sich um einen von Cadwys tätowierten Kriegern wand. »Schläfst du, Derfel?« fuhr Owain mich an.

Ich zuckte zusammen, als hätte er mich erschreckt. »Lord?«

fragte ich und tat so, als wäre ich mit meinen Gedanken in den letzten Minuten ganz woanders gewesen.

»Guter Junge«, lobte mich Owain, überzeugt, daß ich nichts gehört hatte. »Möchtest du vielleicht eins von diesen Mädchen?«

Ich errötete. »Nein, Lord.«

Owain lachte. »Er hat sich gerade erst eine hübsche, kleine Irin genommen«, erzählte er Cadwy, »und der will er treu bleiben. Aber er wird schon noch lernen. Wenn du in die Anderwelt gehst, Junge ...« – damit wandte er sich wieder an mich – »wirst du nicht *einen* Kampf bereuen, bei dem du keinen Mann getötet hast, dafür aber jede einzelne Frau, die du dir hast entgehen lassen.« Er sagte es freundlich. Während der ersten Tage meines Dienstes bei ihm hatte ich Angst vor ihm gehabt, aus irgendeinem Grund aber schien Owain mich zu mögen und behandelte mich gut. Jetzt wandte er sich wieder Cadwy zu. »Morgen nacht«, sagte er leise. »Morgen nacht.«

Ich war von Merlins Tor zu Owains Truppe gekommen, und das war, als hätte ich einen Sprung von dieser in eine andere Welt getan. Ich blickte zum Mond hinauf und dachte daran, wie Gundleus' langhaarige Männer die Wachen auf dem Tor massakriert hatten; dann dachte ich an die Leute im Moor, denen in der folgenden Nacht das gleiche bevorstand, und wußte, daß ich nichts dagegen tun konnte, obwohl mir klar war, daß man sie aufhalten müßte. Aber das Schicksal ist, wie Merlin uns immer eingepaukt hat, unerbittlich. Das Leben ist nichts als ein Witz der Götter, pflegte Merlin gern zu behaupten, und Gerechtigkeit gibt es nicht. Du mußt lernen zu lachen, hatte er mir einmal erklärt, sonst wirst du dich zu Tode weinen.

Wir hatten unsere Schilde mit dem Pech der Bootsbauer beschmiert, damit sie so aussahen wie die schwarzen Schilde von Oengus Mac Airems irischen Stoßtruppen, die mit ihren spitzschnabeligen Langbooten Dumnonias Nordküste heimsuchten. Ein Einheimischer mit tätowierten Wangen führte uns den ganzen Nachmittag lang durch tiefe, üppige Täler, die allmählich zu der großen, öden Hochmoorlandschaft hinaufführten, die gelegentlich durch eine Lücke in den dichten, großen Bäumen zu sehen war. Es waren prächtige Wälder, voller Wild und durchströmt von flinken, kalten Bächen, die vom Hochmoor zur See eilten.

Gegen Abend erreichten wir den Rand des Moors und stiegen nach Einbruch der Dunkelheit auf einem Ziegenpfad die Hügel empor. Es war ein geheimnisvoller Ort. Hier hatte das Alte Volk gelebt und in den Tälern seine heiligen Steinkreise zurückgelassen. Die Berggipfel krönten wirr durcheinanderliegende graue Felsbrokken, und in den Niederungen erstreckten sich trügerische Sümpfe, durch die uns unser ortskundiger Führer sicher geleitete.

Owain hatte uns erklärt, die Moorbewohner hätten sich gegen König Mordred erhoben und ihre Religion lehre sie, die Männer mit den schwarzen Schilden zu fürchten. Das war eine gute Erklärung, und ich hätte sie wohl auch geglaubt, hätte ich am Abend zuvor nicht sein Gespräch mit Fürst Cadwy belauscht. Außerdem hatte uns Owain Gold versprochen, wenn wir unsere Sache gut machten, und uns eingeschärft, daß dieser Überfall unbedingt ein Geheimnis bleiben müsse, da der Rat uns nicht den Auftrag erteilt habe, derartige Bestrafungen auszuführen. Auf dem Weg zum Moor waren wir tief in den dichten Wäldern auf einen alten Schrein gestoßen, der in einem Eichenhain stand, und dort hatte Owain jeden einzelnen von uns vor den moosüberwachsenen Schädeln in den Nischen der Schreinwände den heiligen Todeseid der Geheimhaltung schwören lassen. Diese uralten, verborgenen Schreine gab es überall in Britannien – was bewies, wie weit verbreitet der Druidenkult vor der Ankunft der Römer gewesen war. Die Landbevölkerung suchte die Schreine auch heute noch auf, um die Hilfe der Götter zu erflehen. An jenem Nachmittag nun hatten wir unter den großen, mit Flechten behangenen Eichen vor den Schädeln gekniet und den Griff von Owains Schwert berührt, und jene Männer, die in die Geheimnisse des Mithras eingeweiht waren, hatten Owains Kuß empfangen. Anschließend zogen wir, von den Göttern gesegnet und aufs Töten eingeschworen, der Nacht entgegen.

Der Ort, zu dem wir dann gelangten, war finster und schmutzig. Große Schmelzfeuer spien Funken und Rauch gen Himmel. Zwischen den Feuern und rings um die klaffenden schwarzen Löcher, die erkennen ließen, wo die Männer sich in die Erde gegraben hatten, lagen die Hütten. Die riesigen Holzkohlehalden glichen schwarzen Bergen, und es herrschte ein Geruch im Tal, der mir gänzlich unbekannt war. Für meine erhitzte Phantasie wirkte dieses hoch gelegene Dorf eher wie Arawns Reich, die Anderwelt, denn wie eine menschliche Siedlung.

Hunde bellten, als wir näher kamen, doch in der Siedlung nahm niemand davon Notiz. Es gab keinen Zaun, nicht mal einen Erdwall, der das Dorf schützte. Dicht neben einigen Reihen von Karren waren Ponys angebunden, die zu wiehern begannen, als wir uns vorsichtig ins Tal hinabschlichen, aber noch immer trat niemand aus den niedrigen Hütten, um nach der Ursache der Unruhe zu forschen. Die Hütten bestanden aus kreisrunden Steinmauern mit Grassodendach, im Mittelpunkt der Ansiedlung lagen jedoch zwei alte römische Gebäude: rechteckig, hoch und fest.

»Jeder mindestens zwei Mann«, zischte Owain uns zu und wollte damit sagen, daß jeder von uns zwei Männer töten müsse. »Und damit meine ich nicht Sklaven oder Weiber. Bewegt euch schnell, tötet schnell und achtet immer auf Rückendeckung. Und bleibt zusammen!«

Wir teilten uns in zwei Gruppen. Ich ging mit Owain, dessen Bart im Licht des Feuers funkelte, das sich in seinen eisernen Kriegerringen spiegelte. Die Hunde bellten, die Pferde wieherten, dann krähte schließlich noch ein Hahn, und endlich kam ein Mann aus einer Hütte gekrochen, um nachzusehen, was die Tiere so beunruhigte. Doch da war es längst zu spät: Das Töten hatte bereits begonnen.

Ich habe viele solcher Massaker gesehen. In den sächsischen Dörfern hätten wir erst die Hütten niedergebrannt, bevor wir mit dem Abschlachten begannen, da aber diese primitiven Behausungen aus Stein und Gras nicht brennen wollten, mußten wir mit Speeren und Schwertern hineinstürmen. Wir zogen brennende Holzscheite aus einem nahe gelegenen Feuer und schleuderten sie, bevor wir eindrangen, in die Hütten, damit wir drinnen Licht zum Töten hatten, und manchmal waren die Flammen schon genug, um die Bewohner herauszutreiben, wo die wartenden Schwerter hinabsausten wie Fleischerbeile. Wenn das Feuer die Familie nicht vertrieb, befahl Owain uns, zu zweit hineinzugehen, während die anderen draußen Wache standen. Ich sah meinem Einsatz voll Angst entgegen, aber ich wußte, daß auch ich das meine tun mußte.

Ich wagte es nicht, mich dem Befehl zu widersetzen. Ich war mit einem Eid an dieses blutige Werk gebunden, und eine Weigerung wäre mein Todesurteil gewesen.

Das Schreien begann. Die ersten paar Hütten waren kein großes Problem, denn die Bewohner schliefen oder wachten gerade auf, doch als wir tiefer ins Dorf vordrangen, wurde der Widerstand heftiger. Zwei Männer griffen uns mit Äxten an und wurden von unseren Speerkämpfern mit verächtlicher Leichtigkeit niedergemacht. Frauen flohen mit Kindern auf dem Arm. Ein Hund, der Owain ansprang, starb winselnd mit gebrochenem Rückgrat. Ich beobachtete, wie eine Frau mit einem Säugling auf dem einen Arm und einem blutenden Kind an der anderen Hand davonlief, und mußte plötzlich an Tanaburs' Abschiedsgruß denken, als er mir zurief, daß meine Mutter noch lebe. Erschauernd wurde mir klar, daß der alte Druide mich mit einem Fluch belegt haben mußte, als ich sein Leben bedrohte, und obwohl mein Glück diesen Fluch in Schach hielt, spürte ich doch, wie er mich übelwollend umkreiste wie ein verborgener, dunkler Feind. Ich berührte die Narbe in meiner linken Hand und betete zu Bel, daß Tanaburs' Fluch zunichte gemacht werde.

»Derfel! Licat! Die Hütte da drüben!« rief Owain, und als guter Soldat gehorchte ich seinen Befehlen. Ich ließ den Schild fallen, schleuderte einen Feuerbrand durch die Tür und duckte mich durch den niedrigen Eingang. Kinder schrien, als ich auftauchte, und ein halbnackter Mann sprang mich mit einem Messer an, so daß ich einen verzweifelten Satz zur Seite machen mußte. Als ich mich mit meinem Speer auf ihn stürzte, stolperte ich über ein kleines Mädchen. Die Klinge glitt von den Rippen des Mannes ab, und wenn Licat ihn nicht getötet hätte, wäre er sofort über mir gewesen und hätte mir das Messer in die Kehle gestoßen. Der Mann krümmte sich und hielt sich den Bauch; dann keuchte er auf, weil Licat die Speerspitze herausriß und sein eigenes Messer zog, um mit dem Töten der schreienden Kinder zu beginnen. Mit blutiger Speerspitze schlüpfte ich wieder hinaus, um Owain zu berichten, daß nur ein einzelner Mann in der Hütte gewesen sei.

»Los, kommt!« schrie Owain. »Demetia! Demetia!« Das war unser Schlachtruf in jener Nacht: der Name von Oengus Mac

Airems irischem Königreich westlich von Siluria. Inzwischen waren die Hütten alle leer, und wir begannen die Minenarbeiter in den finsteren Ecken und Winkeln der Siedlung zu jagen. Überall rannten Flüchtende umher, einige Männer blieben jedoch zurück und versuchten sich gegen uns zu wehren. Eine tapfere Gruppe bildete sogar eine improvisierte Schlachtreihe und griff uns mit Speeren, Hacken und Beilen an, doch Owains Männer begegneten dem ungeübten Angriff mit schrecklicher Routine, fingen den Schwung der Attacke mit ihren schwarzen Schilden auf und machten die Angreifer mit Speeren und Schwertern nieder. Einer dieser routinierten Männer war ich. Möge Gott mir vergeben, aber in jener Nacht tötete ich meinen zweiten Mann, und womöglich sogar einen dritten. Dem ersten stieß ich den Speer in den Hals, dem zweiten in den Unterleib. Mein Schwert benutzte ich diesmal nicht, denn ich fand, daß Hywels Klinge für diesen Nachtangriff nicht geeignet sei.

Es endete sehr schnell. Urplötzlich war die Siedlung leer bis auf die Toten, die Sterbenden und ein paar Männer, Frauen und Kinder, die versuchten, sich zu verstecken. Wir töteten alle, die wir fanden. Wir töteten ihre Tiere, wir verbrannten die Karren, mit denen sie die Holzkohle aus den Tälern heraufholten, wir schlugen die Grasdächer ihrer Hütten ein, wir zertrampelten ihre Gemüsegärten, und dann durchsuchten wir die Siedlung nach Schätzen. Von oben kamen ein paar Pfeile herab, die aber keinen von uns trafen.

In der Hütte des Häuptlings fanden wir einen Behälter mit römischen Münzen, Goldbarren und Silberbarren. Es war die größte Hütte, über sechs Meter im Durchmesser, und in der Hütte fiel das Licht unserer Feuerbrände auf den toten Häuptling, der mit gelblichem Gesicht und aufgeschlitztem Bauch dalag. Eine seiner Frauen und zwei seiner Kinder lagen tot in seinem Blut. Ein drittes Kind, ein Mädchen, lag unter einem blutgetränkten Fell, und ich glaubte zu sehen, daß ihre Hand zuckte, als einer unserer Männer über sie stolperte; aber ich tat so, als wäre sie tot, und ließ sie in Ruhe. Ein anderes Kind schrie in der Nacht, als es in seinem Versteck gefunden und von einem Schwert in Stücke gehackt wurde.

Gott möge mir verzeihen, Gott und seine Engel mögen mir verzeihen, aber ich beichtete die Sünden dieser Nacht nur einem einzigen Menschen. Sie war kein Priester und besaß auch nicht die Macht, mir die christliche Absolution zu erteilen. Im Fegefeuer oder vielleicht auch in der Hölle werde ich diesen toten Kindern gewiß begegnen. Meine Seele wird ihren Vätern und Müttern als Spielball dienen, und diese Strafe habe ich verdient.

Aber hatte ich denn eine Wahl? Ich war jung; ich wollte leben; ich hatte einen Eid geleistet; ich folgte meinem Anführer. Ich tötete keinen Menschen, der mich nicht angriff, aber was gilt das angesichts jener Sünden? Meine Kameraden schienen das nicht für eine Sünde zu halten: Sie töteten nur Angehörige eines anderen Stammes, ja, eines anderen Volkes, und das genügte ihnen als Rechtfertigung. Ich aber war auf dem Tor aufgewachsen, wo Menschen aller Rassen und aller Stämme zusammenlebten, und obwohl Merlin selbst ein Stammeshäuptling war und jeden, der sich Brite nennen durfte, hitzig in Schutz nahm, lehrte er niemals Haß auf andere Stämme. Seine Lehren hatten mich untauglich für das gedankenlose Abschlachten von Fremden gemacht, die umgebracht wurden, nur weil sie Fremde waren.

Aber dennoch, ob nun untauglich oder nicht, ich habe getötet, und Gott möge mir dies vergeben, wie auch die vielen anderen Sünden, die viel zu zahlreich sind, um sie alle aufzulisten.

Vor Tagesanbruch rückten wir ab. Das Tal lag rauchgeschwängert, blutgetränkt und schaurig da. Das Moor stank nach dem Gemetzel, und eine unheimliche Stille hatte sich herabgesenkt. Owain schenkte mir einen Goldbarren, zwei Silberbarren und eine Handvoll Münzen, und ich – Gott möge mir vergeben – behielt den Henkerslohn.

Der Herbst bringt Schlachten, denn während des Frühlings und Sommers tragen zahllose Schiffe immer neue Sachsen an unsere Ostküste, und diese Neuankömmlinge versuchen sich im Herbst dann eigenes Land zu verschaffen. Es ist das letzte Aufflammen des Krieges, bevor der Winter das Land umschließt.

In diesem Herbst des Jahres, in dem Uther gestorben war, kämpfte ich zum erstenmal gegen die Sachsen. Kaum waren wir vom Eintreiben der Steuern im Westen zurückgekehrt, da hörten wir von sächsischen Raubüberfällen im Osten. Owain unterstellte uns dem Kommando seines Hauptmanns Griffid ap Annan und schickte uns Melwas, dem König der Belger und Vasall Dumnonias, zu Hilfe. Melwas' Aufgabe war es, unsere Südküste gegen eindringende Sais zu verteidigen. In den Sachsen war in jenem grimmen Jahr von Uthers Totenfeuer neue Angriffslust erwacht, Owain blieb auf Caer Cadarn zurück, denn im Rat von Dumnonia herrschte heftiger Streit über die Frage, wer für Mordreds Erziehung zuständig sei. Bischof Bedwin verlangte, der König müsse in seinem Haushalt aufwachsen, aber die Nicht-Christen, die die Mehrheit im Rat bildeten, wollten ebensowenig, daß Mordred zum Christen erzogen wurde, wie Bedwin und seine Anhänger wollten, daß der Königsknabe als Heide aufwuchs. Owain, der behauptete, alle Götter gleichermaßen zu verehren, machte einen Kompromißvorschlag, indem er sich selbst zur Verfügung stellte. »Obwohl es wirklich keine Rolle spielt, an welchen Gott ein König glaubt«, erklärte er uns, bevor wir abmarschierten, »denn ein Herrscher sollte kämpfen lernen, nicht beten.« Also überließen wir ihn seiner Sache, während wir auszogen, um Sachsen zu töten.

Griffid ap Annan, unser Hauptmann, war ein hagerer, finsterer Mann, der vermutete, Owain wolle im Grunde nur verhindern, daß Mordred bei Arthur aufwuchs. »Nicht, daß Owain gegen Arthur ist«, setzte er eilfertig hinzu, »doch wenn der König Arthur gehört, dann gehört ihm Dumnonia auch.«

»Ist das so schlimm?«

»Für dich und mich, Junge, wäre es besser, wenn das Land Owain gehört.« Zur Verdeutlichung seiner Worte fingerte Griffid an den Goldtorques an seinem Hals herum. Alle nannten mich Junge oder Kleiner, aber nur, weil ich der Jüngste in der Truppe und im richtigen Kampf gegen andere Krieger noch nicht erfahren genug war. Außerdem glaubten sie, daß es ihnen Glück bringe, wenn ich in ihren Reihen kämpfte, weil ich der Todesgrube eines Druiden entkommen war. Wie alle Soldaten waren auch Owains Männer sehr abergläubisch. Jedes Zeichen wurde besprochen und erwogen, jeder Mann trug eine Hasenpfote oder einen Blitzstein mit sich herum, jeder Handgriff wurde ritualisiert, damit niemand den rechten Stiefel vor dem linken anzog oder im eigenen Schatten Speerspitzen schliff. Es gab auch eine Handvoll Christen in unseren Reihen, und ich hätte erwartet, daß sie nicht in ständiger Furcht vor Göttern, Geistern und Gespenstern lebten, doch sie erwiesen sich als nicht weniger abergläubisch als wir anderen.

König Melwas' Hauptstadt Venta war eine arme, kleine Grenzsiedlung. Die Werkstätten dort hatten schon lange geschlossen, und die Mauern ihrer großen römischen Gebäude trugen dicke Brandspuren aus jenen Zeiten, da die Stadt von Sachsen geplündert worden war. König Melwas fürchtete, daß seine Stadt abermals überfallen würde. Die Sachsen, erklärte er, hätten einen neuen Führer, der äußerst versessen auf Land und in der Schlacht furchterregend sei. »Warum ist Owain nicht gekommen?« fragte er pikiert. »Oder Arthur? Sie wollen mich zugrunde gehen lassen, nicht wahr?« Er war ein dicker, argwöhnischer Mann mit dem schlechtesten Atem, den ich je bei einem Menschen erlebt habe. Melwas war König eines Stammes, nicht eines Landes, und daher zweitrangig, obwohl jeder, der ihn zu Gesicht bekam, eher vermutet hätte, daß er ein Leibeigener wäre, und zwar ein äußerst mürrischer obendrein. »Ihr seid aber nicht sehr zahlreich«, beschwerte er sich bei Griffid. »Gut, daß ich das Aufgebot erhöht habe.«

Das Aufgebot war Melwas' Landwehr, in der jeder gesunde Mann seines Stammes dienen mußte, obwohl eine ganze Anzahl von ihnen sich schon davor gedrückt und die meisten der reicheren Stammesangehörigen stellvertretend Sklaven geschickt hatten. Dennoch war es Melwas gelungen, eine Streitmacht von über dreihundert Mann zusammenzustellen, in der jeder seine Lebensmittel und Waffen selbst mitbringen mußte. Einige aus diesem Aufgebot waren ehemalige Krieger und kamen mit prächtigen Kampfspeeren und sorgfältig gepflegten Schilden, die meisten aber besaßen keinerlei Ausrüstung, und einigen standen nur Fechtstöcke oder geschliffene Hacken als Waffen zur Verfügung. Die Streitmacht wurde von einer Menge Frauen und Kinder begleitet, die nicht allein zu Hause bleiben wollten, solange ein Einfall der Sachsen drohte.

Melwas bestand darauf, mit seinen eigenen Kriegern in Venta zu bleiben, um die verfallenden Mauern der Stadt zu verteidigen. Das bedeutete, daß Griffid die Landwehr gegen den Feind führen mußte. Da Melwas keine Ahnung hatte, wo sich die Sachsen gegenwärtig aufhielten, drang Griffid blindlings in die tiefen Wälder östlich von Venta vor. Wir waren eher ein ungeordneter Haufen als ein Kriegsheer – schon der Anblick eines Hirsches löste jeweils eine wilde, kreischende Verfolgungsjagd aus, die jeden Feind im Umkreis von einem Dutzend Meilen alarmiert hätte, und diese Jagd endete unfehlbar damit, daß die Truppe weit in den Wäldern verteilt war. Auf diese Weise verloren wir nahezu fünfzig Mann, entweder weil sie auf ihrer sorglosen Jagd in die Hände der Sachsen fielen oder weil sie sich schlicht verirrten und kurzerhand beschlossen, nach Hause zurückzukehren.

In diesen Wäldern hielten sich eine Menge Sachsen auf, auch wenn wir anfangs keine sahen. Gelegentlich entdeckten wir noch warme Lagerfeuer, und einmal stießen wir auf eine kleine belgische Ansiedlung, die überfallen und niedergebrannt worden war. Die Männer und die Alten waren noch dort, allesamt tot, die Jungen und die Frauen hatte man als Sklaven mitgenommen. Der Gestank der Toten dämpfte den Übermut der verbliebenen Landwehr. Als Griffid weiter nach Osten vordrang, blieben die Männer doch lieber dicht beieinander.

Auf die erste Kriegshorde der Sachsen stießen wir in einem breiten Flußtal, wo eine Gruppe der Eindringlinge damit beschäftigt war, eine Siedlung zu bauen. Als wir eintrafen, hatten sie bereits eine halbe Holzpalisade errichtet und die Holzpfeiler der Haupthalle aufgestellt, sobald wir jedoch am Waldrand auftauchten, ließen sie ihre Werkzeuge fallen und griffen zu den Speeren. Obwohl wir ihnen drei zu eins überlegen waren, konnte Griffid uns nicht dazu bewegen, ihre festgefügte, mit scharfen Speeren gespickte Schildreihe anzugreifen. Wir jüngeren Männer waren zwar kampflustig, und einige von uns tänzelten wie die Idioten vor den Sachsen herum, aber wir waren zu wenige, um ihre Reihe zu durchbrechen, und die Sachsen ignorierten unsere Herausforderungen, während die übrigen von Griffids Männern Met tranken und unseren Eifer verfluchten. Mir selbst, der ich unbedingt einen Kriegerring aus sächsischem Eisen erringen wollte, erschien es Wahnsinn, daß wir nicht angriffen, aber ich hatte noch nie das Blutvergießen erlebt, das beim Aufeinanderprall zweier Schildwälle entsteht, und ahnte noch nicht, wie schwer es ist, Männer zu veranlassen, sich diesem grausigen Vernichtungswerk auszusetzen. Griffid machte ein paar halbherzige Versuche, seine Männer anzuspornen, gab sich dann aber damit zufrieden, Met zu trinken und Beleidigungen hinüberzurufen. So lagen wir dem Feind drei Stunden oder länger gegenüber, ohne mehr als ein paar Schritte vorzurücken.

Griffids Furchtsamkeit gab mir wenigstens Gelegenheit, die Sachsen zu beobachten, die in Wahrheit gar nicht so anders aussahen als wir. Ihre Haare waren heller, ihre Augen blaßblau, ihre Haut war rosiger als die unsere, und sie schienen eine Menge Felle an ihrer Kleidung zu tragen; davon abgesehen kleideten sie sich wie wir, und der einzige Unterschied bei der Bewaffnung war, daß die meisten Sachsen ein Messer mit langer Klinge mitführten, das im Nahkampf gefährlich werden konnte, und daß viele von ihnen riesige, breite Streitäxte trugen, mit denen sie einen Schild mit einem Schlag zu spalten vermochten. Einige unserer eigenen Männer waren so beeindruckt von diesen Äxten, daß sie sich selbst ähnliche Waffen zulegten, doch Owain lehnte sie, genau wie Arthur, als viel zu schwerfällig ab. Mit einer Axt könne man nicht parieren, pflegte Owain zu sagen, und eine Waffe, mit der man zwar angreifen, sich aber nicht verteidigen kann, taugte in seinen Augen nichts. Die sächsischen Priester waren allerdings ganz anders als unsere eigenen heiligen Männer, denn diese fremden Hexenmeister trugen Tierfelle und verklebten sich die Haare mit Kuhdung, so daß sie wie Stacheln vom Kopf abstanden. An jenem Tag im Flußtal opferte einer dieser Sais-Priester eine Ziege, um zu entdecken, ob sie gegen uns kämpfen sollten oder nicht. Zuerst brach der Priester dem Tier ein Hinterbein, dann stach er es in den Hals und ließ es, das gebrochene Bein nachschleifend, davonlaufen. Blutend und schreiend schleppte es sich an der sächsischen Kampfreihe entlang, dann begann es auf uns zuzuhinken, bevor es im Gras zusammenbrach. Das war offenbar ein schlechtes Zeichen, denn der Widerstand der sächsischen Schildreihe erlahmte. Der Gegner zog sich durch die halbfertige Siedlung, über eine Furt und bis unter die Bäume zurück. Frauen, Kinder, Sklaven und Vieh nahmen sie mit. Wir nannten es einen Sieg, verspeisten die Ziege und rissen ihre Palisade ein. Beute gab es keine.

Inzwischen war unsere Landwehr hungrig geworden, denn die Männer hatten, wie das so üblich ist, ihren gesamten Proviant schon in den ersten Tagen verbraucht und hatten nun außer den Haselnüssen, die sie von den Bäumen im Wald zupften, nichts mehr zu essen. Dieser Mangel an Lebensmitteln bedeutete, daß uns nichts anderes übrigblieb als der Rückzug. Die hungrige Landwehr, die möglichst schnell nach Hause zurückkehren wollte, marschierte voraus, während wir Krieger langsamer folgten. Griffid war mürrisch, denn er kehrte ohne Gold oder Sklaven zurück, obwohl er im Grunde nicht weniger erreicht hatte als die meisten anderen Kriegshorden, die in den umstrittenen Gebieten umherstreiften. Doch als wir schon fast in vertrautem Gelände waren, entdeckten wir einen sächsischen Kriegstrupp, der uns entgegenkam. Er mußte einem Teil unserer heimwärtsziehenden Landwehr begegnet sein, denn die Männer waren schwer beladen mit erbeuteten Waffen und Frauen.

Diese Begegnung kam für beide Seiten überraschend. Da ich am Ende von Griffids Kolonne ging, hörte ich nur den Beginn des Kampfes, der sich entspann, als unsere Vorhut aus dem Schutz der Bäume auftauchte und sah, wie etwa sechs Sachsen einen Bach überquerten. Unsere Männer griffen sofort an, dann eilten von beiden Seiten Speerkämpfer hinzu, um in den unerwarteten Kampf einzugreifen. Es gab keinen Schildwall, nur ein blutiges Gerangel quer über einen seichten Bach hinweg, und wieder einmal verspürte ich, genau wie an jenem Tag, wo ich im Wald südlich von Ynys Wydryn meinen ersten Gegner tötete, die Begeisterung der Schlacht. Es war, wie ich feststellte, das gleiche Gefühl, das Nimue offenbar überkam, wenn die Götter sie erfüllten: Als hätte man Flügel, hatte sie zu mir gesagt, die einen in Glanz und Glorie hoch hinauftrugen, und genau das war es, was ich an jenem Herbsttag empfand. Meinem ersten Sachsen begegnete ich in schnellem Lauf, den Speer auf ihn gerichtet, und als ich die Angst in seinen Augen sah, wußte ich, daß er ein toter Mann war. Da der Speer in seinem Bauch steckenblieb, zog ich Hywels Schwert, das ich inzwischen Hywelbane getauft hatte, und erledigte ihn mit einem seitlichen

Hieb. Dann watete ich in den Bach und tötete noch zwei Sachsen. Ich kreischte wie ein böser Geist, lud die Sachsen in ihrer eigenen Sprache ein, näher zu kommen und den Tod zu schmecken, bis ein riesiger Krieger meiner Aufforderung Folge leistete und mich mit einer dieser schweren Äxte angriff, die so furchteinflößend wirkten. Allerdings hat so eine Axt zuviel Eigengewicht. Sobald man sie schwingt, kann man sie nicht zurückhalten, und so brachte ich den riesigen Mann mit einem geraden Schwertstoß zu Fall, der Owains Herz erwärmt hätte. Allein von diesem Axtmann erbeutete ich drei Goldtorques, vier Spangen und ein juwelenbesetztes Messer und nahm mir auch noch das Blatt seiner Axt, um mir daraus die ersten Kampfringe zu schmieden.

Als die Sachsen flohen, ließen sie acht Tote und ebenso viele Verwundete zurück. Ich selbst hatte nicht weniger als vier Feinde getötet, ein Heldenstück, das meinen Kameraden nicht entging. Ich sonnte mich in ihrer Bewunderung, obwohl mir später, als ich älter und weiser war, natürlich klar wurde, daß ich die überdurchschnittliche Tötungsquote jenes Tages nur meiner jugendlichen Torheit zu verdanken hatte. Die Jugend handelt oft übereilt, während die Weisheit eher bedächtig vorgeht. Wir verloren drei Mann, darunter Licat, der mir auf dem Moor das Leben gerettet hatte. Ich holte mir meinen Speer zurück, sammelte von den Männern, die ich im Bach getötet hatte, zwei weitere Silbertorques ein und sah dann zu, wie die feindlichen Verwundeten in die Anderwelt befördert wurden, wo sie unseren toten Kämpfern als Sklaven dienen würden. Unter den Bäumen versteckt fanden wir sechs britische Gefangene. Es waren Frauen, die unserer Landwehr in den Kampf gefolgt und dann von diesen Sachsen gefangengenommen worden waren. Eine dieser Frauen entdeckte den einzigen feindlichen Krieger, der sich am Bachrand unter ein paar Brombeersträuchern versteckt hatte. Sie schrie ihn an und versuchte ihn mit einem Messer zu erstechen, aber er rettete sich flink in den Bach hinein, wo ich ihn erwischte. Er war ein bartloser Jüngling, ungefähr in meinem Alter, und zitterte vor Angst. »Wie heißt du?« fragte ich ihn und legte ihm meine blutige Speerspitze an die Kehle.

Er lag lang ausgestreckt im Wasser. »Wlenca«, antwortete er, und dann erzählte er mir, daß er erst vor ein paar Wochen nach

Britannien gekommen sei. Doch als ich ihn fragte, woher er komme, konnte er mir nur antworten, von zu Hause. Seine Sprache glich nicht ganz der meinen, aber die Unterschiede waren gering, und ich konnte ihn ganz gut verstehen. Der König seines Volkes, erklärte er mir, sei ein großer Führer namens Cerdic, der an der Südküste von Britannien Land zu nehmen beabsichtige. Um seine neue Kolonie einzurichten, habe Cerdic, sagte er, gegen Aesc kämpfen müssen, einen Sachsenkönig, der jetzt die kentischen Länder regiere. Da wurde mir zum erstenmal klar, daß sich die Sachsen, genau wie wir Briten, auch untereinander bekämpften. Wie es schien, hatte Cerdic seinen Krieg gegen Aesc gewonnen und versuchte nun nach Dumnonia vorzustoßen.

Die Frau, die Wlenca entdeckt hatte, hockte in der Nähe und zischte ihm wütende Drohungen zu, eine andere Frau jedoch erklärte, daß Wlenca sich an den Vergewaltigungen, die auf ihre Gefangennahme folgten, nicht beteiligt habe. Erleichtert, daß er nun doch mit ein wenig Beute nach Hause kam, ließ Griffid Wlenca am Leben bleiben. Der Sachse wurde nackt ausgezogen, der Aufsicht einer Frau unterstellt und nach Westen in die Sklaverei mitgenommen.

Das war die letzte Expedition des Jahres, und obwohl wir sie zu einem großen Sieg erklärten, verblaßte sie doch neben Arthurs Erfolgen. Er hatte nicht nur Aelles Sachsen aus dem nördlichen Gwent vertrieben, sondern anschließend die Streitkräfte aus Powys besiegt und dabei König Gorfyddyd seines Schildarms beraubt. Der feindliche König war entkommen, aber es war dennoch ein großer Sieg, und ganz Gwent und Dumnonia hallten wider von den Lobgesängen auf Arthur. Owain war alles andere als glücklich.

Lunete dagegen war überglücklich. Ich hatte ihr so viel Gold und Silber gebracht, daß sie im Winter einen Bärenfellmantel tragen und sich eine eigene Sklavin leisten konnte, ein Kind aus Kernow, das Lunete in Owains Haus gesehen und gekauft hatte. Die Kleine arbeitete von morgens bis abends, um bei Nacht in ihrem Winkel der Hütte, die wir nun unser Heim nannten, bitterlich zu weinen. Wenn die Ärmste zu sehr weinte, wurde sie von Lunete geschlagen, und wenn ich sie verteidigen wollte, wurde ich von Lunete geschlagen. Owains Männer waren alle aus den überfüllten Kriegerquartieren von Caer Cadarn in die bequemere Siedlung Lindinis umgezogen, wo Lunete und ich innerhalb der niedrigen, von den Römern errichteten Erdwälle eine Hütte mit Strohdach und Wänden aus Lehm und Weidengeflecht bewohnten. Caer Cadarn war sechs Meilen entfernt und nur bewohnt, wenn ein Feind zu nahe rückte oder wenn ein großes königliches Ereignis gefeiert wurde. In jenem Winter erlebten wir ein solches Ereignis – am Tag von Mordreds erstem Geburtstag, als Dumnonias Probleme zufällig den kritischen Punkt erreichten. Aber vielleicht war es gar kein Zufall, denn Mordreds Leben stand unter schlechten Vorzeichen, und seine Proklamation konnte nur eine Tragödie zur Folge haben.

Die Zeremonie fand unmittelbar nach der Wintersonnenwende statt. Da Mordred zum König ausgerufen werden sollte, versammelten sich zu diesem Fest alle bedeutenden Männer von Dumnonia auf Caer Cadarn. Nimue kam einen Tag früher und besuchte uns in unserer Hütte, die Lunete zur Feier der Wintersonnenwende mit Stechpalmzweigen und Efeu geschmückt hatte. Nimue trat über die Schwelle der Hütte, die mit Zeichen zur Abwehr böser Geister bedeckt war, dann setzte sie sich ans Feuer und schob die Kapuze ihres Umhangs zurück.

Ich lächelte, denn sie hatte ein goldenes Auge. »Es gefällt mir«, sagte ich.

»Es ist hohl«, gab sie zurück und klopfte sich bestürzenderweise mit dem Fingernagel auf das Auge. Als Lunete die Sklavin anschrie, weil sie die Suppe aus Gerstensprossen anbrennen hatte lassen, zuckte Nimue bei diesem Wutausbruch zusammen. »Du bist nicht glücklich«, stellte sie fest.

»Bin ich doch«, behauptete ich, denn die Jugend gesteht nicht gern Fehler ein.

Nimue sah sich in dem unaufgeräumten, rauchgeschwärzten Innenraum unserer Hütte um, als wittere sie die Atmosphäre. »Lunete ist nicht gut für dich«, sagte sie dann ruhig, während sie eine halbe Eierschale vom schmutzbedeckten Boden aufhob und zerdrückte, damit sich darin kein böser Geist verstecken konnte. »Dein Kopf ist in den Wolken, Derfel«, fuhr sie fort, während sie die Schalenreste ins Feuer warf. »Lunete dagegen ist erdgebunden. Sie will reich werden, und du willst Ehre erwerben. Das paßt nicht zusammen.« Sie zuckte die Achseln, als wäre das Ganze nicht so wichtig; dann berichtete sie mir das Neueste von Ynys Wydryn. Merlin war nicht zurückgekehrt, und niemand wußte, wo er war, aber Arthur hatte Geld geschickt, das er dem besiegten König Gorfyddyd abgenommen hatte, damit der Tor wiederaufgebaut werden konnte, und Gwlyddyn beaufsichtigte den Bau einer neuen und noch großartigeren Halle. Pellinore lebte noch, genau wie Druidan und Gudovan, der Schreiber. Norwenna, erzählte Nimue mir, sei im Schrein des heiligen Dornbuschs beigesetzt worden, wo sie als Heilige verehrt werde.

»Was ist ein Heiliger?« wollte ich wissen.

»Ein toter Christ«, antwortete sie geringschätzig. »Am besten wären sie alle Heilige.«

»Und wie geht es dir?« fragte ich sie.

»Ich lebe noch«, antwortete sie tonlos.

»Bist du glücklich?«

»Du stellst immer so dämliche Fragen. Wenn ich glücklich sein wollte, Derfel, wäre ich jetzt hier bei dir, würde dir Brot backen und dein Bettzeug sauberhalten.«

»Und warum tust du's dann nicht?«

Sie spie ins Feuer, um meine Dummheit zu bannen. »Gundleus lebt immer noch«, sagte sie kurz und bündig, das Thema wechselnd.

»Als Gefanger in Corinium«, wandte ich ein, als ob sie nicht selbst genau wüßte, wo sich ihr Erzfeind befand.

»Ich habe seinen Namen auf einem Stein begraben«, sagte sie und warf mir einen goldäugigen Blick zu. »Er hat mich geschwängert, als er mich vergewaltigte, aber ich habe das widerliche Ding mit Mutterkorn umgebracht.« Mutterkorn, eine schwarze Fäule, die an Roggen wuchs, wurde von den Frauen für Abtreibungen benutzt. Auch Merlin benutzte sie, um sich in den Traumzustand zu versetzen und mit den Göttern zu sprechen. Ich selbst hatte das nur einmal probiert, war aber danach tagelang krank gewesen.

Lunete bestand darauf, Nimue all ihre neuen Schätze zu zeigen: Dreifuß, Kessel und Sieb, die Juwelen und den Umhang, das feine Leinenhemd und den ramponierten Silberkrug mit dem nackten römischen Reiter, der einen Hirsch um die Wölbung herumjagte.

Nimue machte einen mißlungenen Versuch, Interesse zu heucheln; dann bat sie mich, sie nach Caer Cadarn zu begleiten, wo sie die Nacht verbringen wollte. »Lunete ist töricht«, informierte sie mich. Wir schlenderten am Ufer eines Baches entlang, der in den Cam-Fluß mündete. Trockene braune Blätter raschelten unter unseren Füßen. Es hatte inzwischen gefroren, und der Tag war bitterkalt. Nimue wirkte zorniger denn je und gerade deshalb um so schöner. Tragödien standen Nimue gut, und da sie das wußte, suchte sie sie. »Du machst dir allmählich einen Namen«, sagte sie mit einem Blick auf die schlichten, eisernen Kriegerringe an meiner Linken. An der Rechten trug ich keine Ringe, damit ich Schwert und Speer sicherer packen konnte, doch meine Linke war jetzt mit vier Eisenringen geschmückt.

»Glück«, erklärte ich die Existenz der Ringe.

»Nein, nein, nicht Glück.« Sie hob ihre Linke, damit ich die Narbe sehen konnte. »Wenn du kämpfst, Derfel, kämpfe ich mit dir. Du wirst ein großer Krieger werden, und das wirst du wohl auch müssen.«

»Wirklich?«

Sie erschauerte. Der Himmel war grau, grau wie ein unpoliertes Schwert, obwohl am westlichen Horizont zitronengelbe Lichtstreifen zu sehen waren. Die Bäume waren winterlich kahl, das Gras traurig-schwarz, und der Rauch der Feuer in den Siedlungen klebte am Boden, als fürchte er den eisigen, leeren Himmel. »Weißt du, warum Merlin Ynys Wydryn verlassen hat?« fragte sie mich auf einmal, eine Frage, die mich überraschte.

»Um das geheime Wissen von Britannien zu suchen«, antwortete ich, das heißt, ich wiederholte, was sie dem Hohen Rat in Glevum gesagt hatte.

»Aber warum jetzt? Warum nicht vor zehn Jahren?« fragte mich Nimue, um ihre Frage gleich darauf selbst zu beantworten. »Er ist jetzt fortgegangen, Derfel, weil wir schlechten Zeiten entgegengehen. Alles, was gut ist, wird schlecht werden, alles, was schlecht ist, wird noch schlechter werden. Alle, die in Britannien wohnen, sammeln ihre Kräfte, weil sie wissen, daß der große Kampf bevorsteht. Manchmal glaube ich, die Götter spielen mit uns. Sie werfen alle Wurfsteine zugleich, um zu sehen, wie das Spiel endet. Die Sachsen werden immer stärker, und bald werden sie uns in hellen Scharen angreifen, nicht nur in Kriegshorden. Die Christen ...« – sie spie in den Bach, um Böses abzuwenden – »sagen, daß bald fünfhundert Winter vergangen sind, seit ihr armseliger Gott geboren wurde, und behaupten, das bedeute, die Zeit ihres Triumphes sei gekommen.« Abermals spie sie aus. »Und was ist mit uns Briten? Wir bekämpfen uns gegenseitig, wir bestehlen uns, wir bauen neue Festhallen, wenn wir Schwerter und Speere schmieden sollten. Wir werden auf die Probe gestellt werden, Derfel. Merlin sammelt all seine Kraft, denn wenn die Könige uns nicht zu retten vermögen, muß Merlin die Götter dazu bewegen, uns zu Hilfe zu kommen.« Sie trat an einen kleinen Tümpel am Bach und starrte in das schwarze Wasser, das in jener trägen Stille dalag, die kurz vor dem Vereisen kommt. Das Wasser in den Rinderhufspuren am Rand des Tümpels war bereits gefroren.

»Was ist mit Arthur?« fragte ich. »Wird er uns nicht retten?«

Sie schenkte mir die Andeutung eines Lächelns. »Arthur ist für Merlin, was du für mich bist, Derfel. Arthur ist Merlins Schwert, aber keiner von uns kann euch kontrollieren. Wir verleihen euch Macht ...« – sie streckte ihre vernarbte Linke aus und berührte den blanken Knauf meines Schwertgriffs – »und dann lassen wir euch gehen. Wir vertrauen darauf, daß ihr das Richtige tun werdet.«

»Mir kannst du vertrauen«, behauptete ich.

Sie seufzte, wie immer, wenn ich eine solche Behauptung aufstellte. Dann schüttelte sie den Kopf. »Wenn Britannien auf die Probe gestellt wird, Derfel – und das wird es –, wird keiner von uns wissen, als wie stark sich unser Schwert erweisen wird.« Damit wandte sie sich ab und blickte zu den Wällen von Caer Cadarn hinüber, auf denen die bunten Banner der Lords und Häuptlinge flatterten, die gekommen waren, um am folgenden Tag Mordreds Ausrufung zum König beizuwohnen. »Toren«, sagte sie verbittert. »Toren.«

Arthur kam am nächsten Tag. Er traf kurz nach Tagesanbruch aus Ynys Wydryn ein, begleitet von Morgan und nur zweien seiner Krieger. Die drei Männer ritten ihre großen Schlachtrösser, trugen aber weder Rüstung noch Schilde, sondern nur Speer und Schwert. Nicht einmal sein Banner brachte Arthur mit. Er wirkte sehr gelassen, fast so, als wäre diese Zeremonie von keinerlei Interesse für ihn, als wäre er nur neugierig. Agricola, Tewdrics römischer Feldherr, war stellvertretend für seinen Lord gekommen, da dieser an einem Fieber litt, und auch Agricola schien sich nicht für die Zeremonie zu interessieren. Alle anderen auf Caer Cadarn waren jedoch nervös, weil sie fürchteten, die Zeichen des Tages könnten sich als schlecht erweisen. Fürst Cadwy von Isca mit seinen blau tätowierten Wangen war da. Fürst Gereint, der Lord der Steine, war von der sächsischen Grenze, König Melwas aus dem verfallenden Venta gekommen. Alle Edlen Dumnonias, über einhundert Mann, warteten in der Burg. Während der Nacht hatte es Schneeregen gegeben, so daß der Boden von Caer Cadarn schlammig und rutschig war. Das erste Tageslicht brachte jedoch einen kräftigen Westwind, und als Owain mit dem königlichen Kind aus der Halle trat, schien tatsächlich die Sonne auf die Hügel herab, die Caer Cadarns östliche Zufahrtswege umringten.

Morgan hatte den Zeitpunkt für die Zeremonie festgelegt und sich dabei nach den Vorzeichen von Feuer, Wasser und Erde gerichtet. Wie vorauszusehen, sollte sie am Morgen stattfinden, denn aus Handlungen, die bei sinkender Sonne ausgeführt werden, kann nichts Gutes entstehen. Die Menge mußte warten, bis Morgan entschied, daß der genaue Zeitpunkt unmittelbar bevorstand; erst dann konnte mit den Ritualen im Steinkreis auf Caer Cadarns Gipfel begonnen werden. Die Steine dieses Kreises waren nicht groß, keiner größer als ein gebücktes Kind. Genau in der Mitte, wo Morgan hantierte, um in der blassen Sonne ihre Berechnungen anzustellen, lag der Krönungsstein Dumnonias: ein flacher grauer Felsblock, von Tausenden anderen nicht zu unterscheiden, und dennoch hatten wir gelernt, daß der Gott Bel auf diesem Stein seinen menschlichen Sohn Beli Mawr, den Vorfahren aller dumnonischen Könige, gesalbt hatte. Sobald Morgan mit ihren Berechnungen fertig war, wurde Balise in die Mitte des Kreises geführt. Balise war ein uralter Druide, der in den Wäldern westlich des Caer Cadarn lebte und angesichts von Merlins Abwesenheit überredet worden war, den Segen der Götter herabzubeschwören. Er war eine gebeugte, völlig verlauste Kreatur, in Ziegenfelle und Lumpen gehüllt und so verdreckt, daß man kaum erkennen konnte, wo sein

Bart endete und die Lumpen begannen, doch wie ich gehört hatte, war es Balise gewesen, der Merlin einen Großteil seiner Kenntnisse vermittelt hatte. Der Alte hob seinen Stab der wäßrigen Sonne entgegen, murmelte ein paar Gebete und spie dann in Sonnenlaufrichtung im Kreis, bevor er von einem schrecklichen Hustenanfall überwältigt wurde. Stolpernd kehrte er zu seinem Sessel am Rand des Kreises zurück, wo er keuchend sitzenblieb, während seine Begleiterin, eine alte Frau, die äußerlich kaum von Balise zu unterscheiden war, ihm mit schwächlichen Händen den Rücken massierte.

Bischof Bedwin sprach ein Gebet an den Christengott, dann wurde der königliche Säugling außen um den Steinkreis herumgetragen. Damit wurde Mordred, der in Pelze gewickelt auf einem Kriegsschild lag, allen Kriegern, Häuptlingen und Fürsten präsentiert, die, wenn das Kind an ihnen vorbeikam, niederknieten und ihm huldigten. Ein erwachsener König wäre um den Kreis herumgeschritten, so aber wurde Mordred von zwei dumnonischen Kriegern getragen, während Owain, der Champion des Königs, mit gezogenem Langschwert hinter dem Kind einherschritt. Mordred wurde entgegen der Sonnenlaufrichtung getragen, das einzige Mal im Leben eines Königs, daß er gegen die natürliche Ordnung verstieß, doch diese unglückbringende Richtung war absichtlich gewählt worden, um zu zeigen, daß ein König, der von den Göttern abstammte, hoch über derlei unbedeutenden Regeln wie jener stand, daß man stets mit der Sonne im Kreis laufen müsse.

Der Schild mit Mordred wurde auf den Mittelstein gelegt, wo dem jungen König Geschenke dargebracht wurden. Ein Kind legte einen Laib Brot vor ihn hin – Symbol für seine Pflicht, sein Volk zu ernähren –, dann brachte ihm ein zweites Kind eine Geißel – zum Zeichen dafür, daß er sein Land beherrschen müsse –, und schließlich wurde ihm ein Schwert zu Füßen gelegt, das seine Rolle als Verteidiger Dumnonias symbolisierte. Mordred selbst schrie die ganze Zeit und strampelte so heftig, daß er sich fast selbst aus dem Schild gekippt hätte. Durch das Strampeln entblößte er seinen verkrüppelten Fuß, und das, fand ich, war vermutlich ein schlechtes Zeichen, aber die Anwesenden ignorierten den Klumpfuß, während die Großen des Reichs einer nach dem anderen hinzutraten und ihre

Geschenke niederlegten. Gold und Silber brachten sie ihrem König, Edelsteine, Münzen, Jett und Bernstein. Arthur schenkte dem Kind die goldene Statue eines Falken, eine Gabe, bei deren Anblick die Zuschauer den Atem anhielten, so schön war sie; Agricola aber brachte das kostbarste Geschenk: Er legte dem Kind die Kriegsausrüstung König Gorfyddyds von Powys zu Füßen. Arthur hatte die goldbesetzte Rüstung erobert, nachdem er Grofyddyd aus seinem Lager aufgestört hatte, und sie König Tewdric geschenkt, der diesen Schatz nun durch die Hände seines Feldherrn an Dumnonia zurückgab.

Schließlich wurde das quengelnde Kind vom Stein gehoben und seiner neuen Amme übergeben, einer Sklavin aus Owains Haushalt. Nun kam Owains großer Moment. Die anderen großen Männer waren zum Schutz gegen die Kälte in Umhänge und Pelze gehüllt, aber als Owain vortrat, trug er nichts weiter als eine Hose und seine Stiefel. Brust und Arme, beides tätowiert, waren so nackt wie sein Schwert, das er feierlich auf den Krönungsstein legte. Dann schritt er gemessen und mit verächtlicher Miene rings um den Kreis der Steine herum und spie vor allen Anwesenden aus. Es war eine Herausforderung. Sollte irgendeiner der Anwesenden der Ansicht sein, daß Mordred nicht König werden dürfe, brauchte er nur einen Schritt vorzutreten und das blanke Schwert vom Stein zu nehmen. Dann mußte er gegen Owain kämpfen. Überheblich stolzierte Owain einher, höhnte und suchte eine Herausforderung zu provozieren, doch niemand rührte sich. Erst als Owain den Kreis der Zuschauer zweimal umrundet hatte, kehrte er zum Stein zurück, um das Schwert wieder an sich zu nehmen.

Woraufhin alle in Jubel ausbrachen, denn nun hatte Dumnonia wieder einen König. Die Krieger rings auf den Wällen schlugen mit den Speerschäften auf ihre Schilde.

Ein letztes Ritual stand uns noch bevor. Bischof Bedwin hatte versucht, es zu verbieten, aber der Rat hatte ihn überstimmt. Ich sah, wie Arthur stillschweigend davonging, alle anderen jedoch, selbst Bischof Bedwin, blieben stehen, als ein nackter, verängstigter Gefangener zum Königsstein geführt wurde. Es war Wlenca, der Sachse, den ich gefangengenommen hatte. Ich glaube kaum, daß er wußte, was hier geschah, aber er muß das Schlimmste befürchtet haben.

Morgan versuchte Balise aufzurufen, aber der alte Druide war viel zu schwach, um die ihm zustehende Rolle zu übernehmen, daher trat Morgan selbst auf den zitternden Wlenca zu. Als dem Sachsen die Fesseln abgenommen wurden, hätte er versuchen können zu fliehen, obwohl es durch die bewaffnete Menge, die ihn umringte, kein Entkommen gab. Jedenfalls stand er reglos da, als Morgan sich ihm langsam näherte. Vielleicht lähmten ihn der Anblick ihrer Goldmaske und ihr hinkender Gang. Er rührte sich nicht, bis sie ihre verunstaltete, behandschuhte Hand in eine Schale getaucht hatte und ihn nach kurzer Überlegung am oberen Bauch berührte. Bei der Berührung zuckte Wlenca erschrocken zusammen, hielt aber sofort wieder still. Morgan hatte ihre Hand in eine Schale mit frischem Ziegenblut getaucht, das nun als feuchtes grellrotes Zeichen auf Wlencas magerem, bleichem Bauch prangte.

Morgan schritt davon. Die Zuschauer verhielten sich ganz still und schwiegen ängstlich, denn dies war ein ehrfurchtgebietender Augenblick der Wahrheit. Gleich würden die Götter zu Dumnonia sprechen.

Owain betrat den Kreis. Er hatte sein Schwert abgelegt und trug statt dessen seinen schwarzgeschäfteten Kriegsspeer. Sein Blick war auf den verängstigten Sachsen gerichtet, der zu seinen eigenen Göttern zu beten schien, doch die besaßen auf Caer Cadarn keine Macht.

Owain bewegte sich gemessen. Sekundenlang nur nahm er den Blick von Wlencas Gesicht, nur eben so lange, bis er die Spitze seines Speers direkt auf die markierte Stelle auf dem Bauch des Sachsen gerichtet hatte; dann sah er dem Gefangenen wieder in die Augen. Beide Männer verhielten sich reglos. In Wlencas Augen standen Tränen, und mit einem winzigen Kopfschütteln flehte er stumm um Erbarmen. Owain jedoch ignorierte diese Geste und wartete, bis Wlenca wieder vollkommen stillhielt. Die Speerspitze wies jetzt direkt auf das Blutzeichen, und keiner der beiden Männer regte sich. Nur der Wind zerrte an ihren Haaren und blähte die feuchten Umhänge der Zuschauer.

Owain stieß zu. Mit einem einzigen, kraftvollen Stoß trieb er den Speer tief in Wlencas Körper; dann zog er die Klinge wieder heraus und lief mit kurzen Schritten rückwärts, um den blutenden Sachsen im Königskreis allein zu lassen.

Wlenca schrie. Es war eine gräßliche Wunde, absichtlich so gerissen, daß sie einen langsamen, schmerzvollen Tod herbeiführte, denn von den Todesqualen des Sterbenden konnten geübte Seher wie Balise oder Morgan die Zukunft des Reiches ablesen. Balise, aus seiner Teilnahmslosigkeit gerissen, sah zu, wie der Sachse, der sich mit einer Hand den Bauch hielt und sich vor grauenhaften Schmerzen krümmte, umhertaumelte. Nimue beugte sich eifrig vor, denn sie wurde zum erstenmal Zeugin dieser mächtigsten aller Weissagungen und wollte ihre Geheimnisse kennenlernen. Ich selbst zog, wie ich gestehen muß, eine angewiderte Grimasse, aber nicht aus Abscheu vor der Zeremonie, sondern weil ich Wlenca gern gehabt hatte und mir sein breites, blauäugiges Gesicht eine Vorstellung gegeben hatte, wie ich vermutlich selbst aussah. Ich tröstete mich mit dem Bewußtsein, daß er in der Anderwelt, aufgrund dieses Opfers, einen Platz unter den Kriegern erhalten würde, wo er und ich uns eines Tages wieder begegnen würden.

Wlencas Schreie waren zu einem verzweifelten Keuchen geworden. Sein Gesicht war aschfahl; er zitterte, hielt sich aber irgendwie aufrecht und wankte nach Osten. Als er den Steinkreis erreichte, hatte es kurz den Anschein, als würde er zusammenbrechen; dann bäumte er sich unter einem gräßlichen Schmerzanfall auf und krümmte sich sofort wieder zusammen. Aus der Wunde spritzte Blut, als er in einem weiten Kreis herumwirbelte und ein paar Schritte nach Norden stolperte. Bis er – endlich – zusammenbrach. Er verkrampfte sich vor Qual, und jeder Krampf schien für Balise und Morgan eine Bedeutung zu haben. Morgan trat vor, um ihn aus der Nähe zu beobachten, während er bebte, zuckte und sich vor Schmerzen wand. Sekundenlang zitterten seine Beine; dann lösten sich seine Eingeweide, er warf den Kopf zurück, und ein rasselnder Laut entrang sich seiner Kehle. Ein dicker Blutstrahl ergoß sich fast bis vor Morgans Füße, und der Sachse starb.

Irgend etwas an Morgans Haltung sagte uns, daß die Zeichen schlecht standen, und ihre finstere Stimmung teilte sich der Menge mit, die auf die gefürchtete Erklärung wartete. Morgan kehrte zu Balise zurück und beugte sich zu dem Alten hinab, der ein heiseres, respektloses Gekicher von sich gab. Nimue war hinübergegangen, um die Blutspur und anschließend den Leichnam zu untersuchen; dann gesellte sie sich zu Morgan und Balise, während die Zuschauer weiter warteten. Und warteten.

Endlich kehrte Morgan zu dem Leichnam zurück. Sie richtete ihre Worte an Owain, den Champion des Königs, der neben dem Kindkönig stand, doch alle Zuschauer beugten sich gespannt vor, um sich ihre Worte nicht entgehen zu lassen. »König Mordred«, sagte sie, »wird sich eines langen Lebens erfreuen. Er wird ein Schlachtenführer werden, und er wird den Sieg kennenlernen.«

Ein Seufzer lief durch die Zuschauer. Man konnte diese Weissagung durchaus günstig auslegen, obwohl vermutlich alle wußten, wieviel ungesagt blieb. Ein paar der Anwesenden erinnerten sich wohl auch an Uthers Proklamation, als die Blutspur und die qualvollen Windungen des Sterbenden ihm wahrheitsgemäß eine glorreiche Regierungszeit geweissagt hatten. Selbst ohne Glorie gab Wlencas Tod Anlaß zu ein wenig Hoffnung.

Mit diesem Tod endete Mordreds Ausrufung zum König. Die arme Norwenna, die unter dem heiligen Dornbusch von Ynys Wydryn begraben lag, hätte alles ganz anders gemacht; aber selbst wenn sich tausend Bischöfe und eine Myriade von Heiligen versammelt hätten, um Mordred auf den Thron zu beten, wären die Vorzeichen dieselben gewesen. Denn Mordred, unser König, war verkrüppelt, und weder Druide noch Bischof konnte daran etwas ändern.

Am Nachmittag kam Tristan von Kernow. Wir saßen in der großen Halle bei Mordreds Festmahl, einem Ereignis, dem jeglicher Frohsinn abging, doch nach Tristans Eintreffen wurde es noch trübseliger. Niemand bemerkte seine Ankunft, bis er an das große Feuer in der Mitte trat und die Flammen sich in seinem ledernen Brustharnisch und dem Eisenhelm spiegelten. Da der Prinz als Freund Dumnonias bekannt war, begrüßte ihn Bischof Bedwin entsprechend. Als Antwort zog Tristan jedoch sein Schwert. Diese Geste erregte sofort Aufmerksamkeit, denn eine Festhalle durfte niemals mit einer Waffe betreten werden, und schon gar nicht eine Halle, in der die Proklamation eines Königs gefeiert wurde. Einige Männer in der Halle waren betrunken, aber selbst diese verstummten, als sie sich dem jungen, dunkelhaarigen Prinzen zuwandten.

Bedwin versuchte das gezogene Schwert zu ignorieren. »Ihr seid zur Proklamation gekommen, Lord Prinz? Vermutlich wurdet Ihr aufgehalten. Das Reisen im Winter ist so beschwerlich. Kommt her, setzt Euch! Vielleicht neben Agricola von Gwent? Es ist noch genügend Wildbret vorhanden.«

»Ich komme mit einer Beschwerde«, gab Tristan laut hörbar zurück. Er hatte seine sechs Leibwachen draußen vor der Tür gelassen, wo ein eisiger Schneeregen über die Hügelkuppen fegte. Die Wachen waren grimmige Männer in nasser Rüstung und triefenden Umhängen, Männer, die ihre Schilde richtig herum trugen und deren Speerspitzen auf Hochglanz geschliffen worden waren.

»Mit einer Beschwerde?« wiederholte Bedwin, als wäre schon der Gedanke daran bemerkenswert. »Aber doch nicht an diesem freudigen Tag!«

Einige Krieger in der Halle reagierten mit herausfordernden Rufen. Sie waren betrunken genug, um Lust auf einen Streit zu haben, aber Tristan ignorierte sie. »Wer spricht für Dumnonia?« fragte er.

Einen Moment schienen alle zu zögern. Owain, Arthur, Gereint und Bedwin waren allesamt bevollmächtigt, aber keiner hatte den Vorrang. Fürst Gereint, der sich nie in den Vordergrund drängte, zuckte die Achseln, Owain starrte Tristan wütend an, während Arthur sich respektvoll an Bedwin wandte, der äußerst zurückhaltend entgegnete, daß er als oberster Berater des Reiches genausogut wie jeder andere für König Mordred sprechen könne.

»Dann sagt König Mordred«, verlangte Tristan, »daß zwischen meinem und seinem Land Blut stehen wird, bis ich Gerechtigkeit erlange.«

Bedwin wirkte beunruhigt und machte flatternde, beruhigende Gesten mit den Händen, während er überlegte, was er darauf antworten sollte. Ihm wollte nichts einfallen, und schließlich übernahm Owain die Antwort. »Sagt, was Ihr zu sagen habt«, forderte er kurz und bündig.

»Einige Leute vom Volk meines Vaters«, sagte Tristan daraufhin, »standen unter dem Schutz von Großkönig Uther. Auf Uthers Bitte kamen sie in dieses Land, um in den Minen zu arbeiten und friedlich mit ihren Nachbarn zusammenzuleben. Im vergangenen Sommer aber kamen ebenjene Nachbarn zu ihren Minen, und mit ihnen Schwert, Feuerbrand und Massaker. Sagt Eurem König, daß es achtundfünfzig Tote gab, und deren *sarhaed* wird den Wert ihres Lebens und das Leben des Mannes betragen, der den Befehl gab, sie zu töten. Sonst werden wir mit unseren Schwertern und Schilden kommen, um den Preis persönlich einzutreiben.«

Owain brüllte vor Lachen. »Das kleine Kernow? Wir zittern vor Angst!«

Alle Krieger in der Runde johlten. Kernow war ein kleines Land und kein Gegner für die dumnonische Streitmacht. Bischof Bedwin versuchte dem Getöse Einhalt zu gebieten, aber die Halle war voll prahlend-trunkener Männer, die sich nicht beruhigen wollten, bis Owain selbst Ruhe verlangte. »Ich, mein Prinz«, sagte Owain, »habe gehört, daß es Oengus Mac Airems Schwarzschild-Iren waren, die das Moor überfallen haben.«

Tristan spie aus. »Wenn das stimmt«, entgegnete er, »dann hätten sie übers Land fliegen müssen, denn niemand hat sie vorbeiziehen sehen, und nicht mal so viel wie ein Ei haben sie einem Dumnonier gestohlen.«

»Aber nur, weil sie Dumnonia fürchten, Kernow dagegen nicht«, behauptete Owain, und wieder brach brüllendes Hohngelächter in der Halle aus.

Arthur wartete, bis wieder Ruhe herrschte. »Fällt Euch außer Oengus Mac Airem noch irgendein anderer Mann ein, der Eure Leute überfallen haben könnte?« erkundigte er sich höflich.

Tristan ließ den Blick in die Runde schweifen und musterte die Männer, die auf dem Hallenboden hockten. Als er Fürst Cadwys Kahlkopf entdeckte, zeigte er mit dem Schwert auf ihn. »Fragt ihn! Oder noch besser…« er hob die Stimme, um die Hohnrufe zu übertönen – »fragt die Zeugin, die draußen wartet.« Cadwy war aufgesprungen und verlangte lautstark, sein Schwert holen zu dürfen, während seine tätowierten Speerkämpfer ganz Kernow mit einem Massaker drohten.

Arthur schlug mit der Hand auf den Tisch des Königs. Auf das Geräusch, das durch die ganze Halle dröhnte, folgte augenblickliches Schweigen. Agricola von Gwent, der neben Arthur saß, schlug die Augen nieder, denn dieser Streit ging ihn nichts an; doch ich bezweifle, daß seinem wachen Verstand auch nur eine winzige Nuance der Auseinandersetzung entging. »Jeder Mann, der heute abend Blut vergießt«, erklärte Arthur, »ist mein Feind.« Dann wartete er, bis Cadwy und seine Männer sich beruhigten, und wandte sich wieder an Tristan. »Lord, bringt Eure Zeugin herein.«

»Soll das hier ein Gerichtshof sein?« fragte Owain.

»Die Zeugin soll hereinkommen«, wiederholte Arthur.

»Aber dies ist ein Festmahl!« protestierte Owain.

»Die Zeugin soll hereinkommen, laßt sie doch hereinkommen!« Bischof Bedwin wollte die unangenehme Angelegenheit hinter sich bringen und fand, daß dies am schnellsten geschähe, wenn er sich Arthur anschloß. Die Männer hinten in der Halle drängten näher, um sich nichts von diesem Drama entgehen zu lassen, brachen aber in Lachen aus, als Tristans Zeugin endlich erschien: ein Kind, höchstens neun Jahre alt, ein Mädchen, das ruhig und aufrecht vortrat und sich neben ihren Prinzen stellte, der ihr den Arm um die Schultern legte. »Sarlinna ferch Edain«, verkündete er den Namen des Kindes. Dann tätschelte er der Kleinen beruhigend die Schultern. »Sprich nur.«

Sarlinna leckte sich die Lippen. Sie wandte sich direkt an Arthur – vielleicht, weil er das freundlichste Gesicht von all den Männern hatte, die an der Hohen Tafel saßen. »Mein Vater wurde getötet, meine Mutter wurde getötet, meine Geschwister wurden getötet...« Sie sagte es so monoton, als hätte sie es auswendig gelernt, obwohl kein Anwesender die Wahrheit ihrer Worte bezweifelte. »Meine kleine Schwester wurde getötet«, fuhr sie fort, »und mein Kätzchen wurde getötet...« – hier kam die allererste Träne – »und ich hab' alles genau gesehen.«

Arthur schüttelte mitfühlend den Kopf. Agricola von Gwent fuhr sich mit der Hand über das kurzgeschorene graue Haar; dann blickte er zu den rußgeschwärzten Dachbalken hinauf. Owain lehnte sich in seinem Sessel zurück und trank aus seinem Hornbecher, während Bischof Bedwin eine bestürzte Miene zog. »Hast du die Mörder wirklich gesehen?« fragte er das kleine Mädchen.

»Ja, Lord.« Nachdem sie nun keinen Text mehr sprechen

konnte, den sie vorbereitet und geübt hatte, war Sarlinna sehr viel ängstlicher.

»Aber es war Nacht, mein Kind«, wandte Bischof Bedwin ein. »Hat der Überfall nicht bei Nacht stattgefunden, Lord Prinz?« wandte er sich an Tristan. Alle Lords von Dumnonia hatten von dem Überfall auf dem Moor gehört, aber sie hatten Owains Behauptung geglaubt, das Massaker sei das Werk von Oengus' Schwarzschild-Iren gewesen. »Wieso konnte das Kind bei Nacht sehen?« wollte Bedwin wissen.

Tristan ermutigte die Kleine, indem er ihr die Schulter tätschelte. »Erzähl dem Lord Bischof, was geschehen ist«, forderte er sie auf.

»Die Männer haben Feuer in unsere Hütten geworfen, Lord«, berichtete Sarlinna mit leiser Stimme.

»Nicht genug Feuer«, grollte ein Mann, der im Schatten saß, und die ganze Halle lachte.

»Wieso hast du überlebt, Sarlinna?« fragte Arthur sie freundlich, nachdem sich das Gelächter gelegt hatte.

»Ich hab' mich versteckt, Lord. Unter einem Fell.«

Arthur lächelte. »Das hast du gut gemacht. Aber hast du auch den Mann gesehen, der deine Mutter und deinen Vater getötet hat?« Er hielt inne. »Und dein Kätzchen?«

Sie nickte. In ihren Augen schimmerten Tränen. »Ich hab' ihn gesehen, Lord«, bestätigte sie leise.

»Dann erzähl uns von ihm«, verlangte Arthur.

Sarlinna, die ein kurzes graues Hemdkleid und einen schwarzwollenen Umhang trug, hob ihre dünnen Ärmchen und schob die Kleiderärmel zurück, so daß man ihre bleiche Haut sah. »Auf den Armen des Mannes waren Bilder, Lord, Bilder von einem Drachen. Und von einem Eber. Hier.« Sie zeigte ihm, wo auf ihren Armen die Tätowierungen gewesen wären, und sah dabei Owain an. »Und in seinem Bart hatte er Ringe«, ergänzte sie und verstummte. Aber sie brauchte nichts mehr zu sagen, denn nur ein einziger Krieger trug Ringe im Bart. Außerdem hatte jeder Anwesende Owains Arme gesehen, als er am Morgen den Speer in Wlencas Körper gestoßen hatte, und alle wußten, daß auf diese Arme Dumnonias Drache und sein eigenes Wahrzeichen, der Eber mit den langen Hauern, tätowiert waren.

Es wurde still. Ein Holzscheit knackte im Feuer und schickte ein Rauchwölkchen in die Dachsparren hinauf. Ein Windstoß trieb trommelnden Schneeregen auf das Strohdach und ließ die Binsenfackeln flackern, die überall in der Halle verteilt waren. Agricola untersuchte den silbernen Ständer seines Trinkhorns, als hätte er so etwas noch nie gesehen. Irgendwo in der Halle rülpste ein Mann, und dieses Geräusch schien Owain zu veranlassen, den schweren, zottigen Schädel zu drehen und dem Kind ins Gesicht zu starren. »Sie lügt«, behauptete er rauh, »und Kinder, die lügen, sollten blutig geprügelt werden.«

Sarlinna begann zu weinen und barg ihr Gesicht in den nassen Falten von Tristans Mantel. Bischof Bedwin runzelte die Stirn. »Es trifft doch zu, Owain, daß Ihr Fürst Cadwy im Spätsommer einen Besuch abgestattet habt, nicht wahr?«

»Na und?« fuhr Owain auf. »Na und?« brüllte er abermals, diesmal als Herausforderung an die ganze Versammlung. »Hier sind meine Krieger!« Er deutete auf uns, die wir auf der rechten Seite der Halle zusammensaßen. »Fragt sie doch! Fragt sie! Dieses Kind lügt! Bei meinem Eid, Lord, sie lügt!«

Auf einmal herrschte Aufruhr in der Halle, und viele Männer spien Tristan trotzig an. Sarlinna weinte so heftig, daß der Prinz sich bückte, sie auf seine Arme hob und sie tröstete, während Bedwin bemüht war, die Situation wieder unter Kontrolle zu bekommen. »Wenn Owain auf seinen Eid schwört«, rief der Bischof, »dann lügt das Kind.« Grollend stimmten ihm die Krieger zu.

Mir fiel auf, daß Arthur mich beobachtete. Ich blickte auf meine Holzschale mit Wildbret.

Bischof Bedwin wünschte, er hätte das Kind nicht in die Halle holen lassen. Er fuhr sich mit den Fingern durch den Bart; dann schüttelte er mißmutig den Kopf. »Das Wort eines Kindes hat vor dem Gesetz kein Gewicht«, erklärte er vorwurfsvoll. »Ein Kind gehört nicht zu den Sprechenden.« Die Sprechenden waren die neun Zeugen, deren Wort vor dem Gesetz als wahr galten: ein Lord, ein Druide, ein Priester, ein Vater, der von seinen Kindern spricht, ein Beamter, ein Schenker, der von seinen Geschenken spricht, eine Jungfer, die von ihrer Jungfräulichkeit spricht, ein Hirte, der von seinen Tieren spricht, und ein Verurteilter, der die letzten Worte spricht. Nirgendwo auf dieser Liste wurde ein Kind erwähnt, das von dem Massaker an seiner Familie spricht. »Lord Owain«, wandte sich Bischof Bedwin an Tristan, »ist ein Sprechender.«

Tristan war bleich, aber er gab nicht nach. »Ich glaube dem Kind«, erklärte er. »Morgen nach Sonnenaufgang werde ich mir Dumnonias Antwort holen. Und wenn diese Antwort Kernow nicht Gerechtigkeit widerfahren läßt, wird mein Vater die Gerechtigkeit selbst in die Hand nehmen.«

»Was ist los mit Eurem Vater?« höhnte Owain. »Hat wohl das Interesse an seiner letzten Frau verloren, eh? Und will sich statt dessen in der Schlacht besiegen lassen, was?«

Von Gelächter begleitet, verließ Tristan die Halle – einem Gelächter, das lauter wurde, als sich die Männer vorzustellen versuchten, wie das winzige Kernow dem mächtigen Dumnonia den Krieg erklärte. Ich selbst stimmte nicht in das Gelächter ein, sondern aß mein Fleisch und redete mir ein, daß ich etwas essen müsse, wenn ich mich während meiner Wachrunde warm halten wollte, die nach Ende des Festmahls begann. Und da ich auch keinen Met trank, war ich noch immer nüchtern, als ich mir Mantel, Speer, Schwert und Helm holte und mich zum Nordwall begab. Der Schneeregen hatte aufgehört, die dahinjagenden Wolken gaben einen strahlenden Halbmond frei, der inmitten des Sternenschimmers dahinsegelte, obwohl sich im Westen über dem Severn-Meer schon wieder neue Wolken auftürmten. Mich fröstelte, während ich auf dem Wall auf und ab ging.

Wo mich Arthur antraf.

Ich hatte gewußt, daß er kommen würde. Ich hatte gewollt, daß er käme, und dennoch empfand ich Furcht vor ihm, als ich zusah, wie er den Burghof überquerte und die kurze Holztreppe erklomm, die zu dem niedrigen Wall aus Erde und Steinen hinaufführte. Anfangs sagte er nichts, sondern lehnte sich nur an die Holzpfähle und starrte auf die fernen Feuer, die Ynys Wydryn beleuchteten. Er trug seinen weißen Mantel, den er gerafft hatte, damit der Saum nicht durch den Morast schleifte. Die Zipfel hatte er oberhalb seiner kreuzweise verzierten Schwertscheide um die Taille geknotet. »Ich werde dich nicht fragen«, sagte er endlich, seinem Atem nachschauend, der in der Nachtluft ein Wölkchen bildete, »was auf dem Moor geschehen ist, denn ich will keinen Mann, vor allem keinen Mann, den ich mag, dazu auffordern, einen Todesschwur zu brechen.«

»Ja, Lord«, gab ich zurück und fragte mich, woher er wußte, daß wir uns in jener finsteren Nacht mit einem Todeseid gebunden hatten.

»Dann wollen wir lieber ein bißchen spazierengehen.« Lächelnd sah er mich an und deutete auf die Wälle. »Ein Wachtposten, der in Bewegung bleibt, hält sich warm«, sagte er. »Wie ich hörte, bist du ein guter Soldat geworden.«

»Ich gebe mir Mühe, Lord.«

»Und offenbar mit Erfolg. Gut gemacht.« Er verstummte, weil wir an einem meiner Kameraden vorüberkamen, der zusammengekauert an der Pfahlwand hockte. Als ich an seinem Platz vorbeiging, las ich in seiner Miene die Besorgnis, ich könnte Owains Truppe verraten. Arthur schob sich die Kapuze aus dem Gesicht. Er hatte einen weitausholenden, energischen Gang, und ich mußte mich sputen, wenn ich mit ihm Schritt halten wollte. »Was, meinst du, ist die Aufgabe eines Sodaten, Derfel?« fragte er mich in seiner vertraulichen Art, durch die man das Gefühl bekam, daß er sich für nichts auf der Welt so sehr interessiere wie für seinen Gesprächspartner.

»Schlachten zu schlagen, Lord«, antwortete ich.

Er schüttelte den Kopf. »Schlachten zu schlagen, Derfel«, korrigierte er mich, »für Menschen, die nicht selbst kämpfen können. Das habe ich in Armorica gelernt. Diese elende Welt ist voll schwacher Menschen, machtloser Menschen, hungernder Menschen, trauriger Menschen, kranker Menschen, armer Menschen, und es ist das Leichteste von der Welt, die Schwachen zu verachten, vor allem, wenn man selbst Soldat ist. Wenn man ein Krieger ist und die Tochter eines Mannes begehrt, wird man sie sich einfach nehmen; begehrt man sein Land, wird man es sich ganz einfach nehmen; schließlich ist man ja Soldat und hat einen Speer und ein Schwert, während der andere nur ein armer, schwacher Mann ist, mit einem zerbrochenen Pflug und einem kranken Ochsen, was also sollte einen hindern?« Er erwartete keine Antwort auf seine Frage, sondern ging schweigend weiter. Wir hatten das westliche Tor erreicht. Die Stufen aus gespaltenen Baumstämmen, die auf die Plattform über dem Tor führten, waren schon wieder weiß vor Rauhreif. Seite an Seite stiegen wir sie empor. »In Wirklichkeit, Derfel«, fuhr Arthur fort, als wir die Plattform erreicht hatten, »sind wir Soldaten, weil uns der Schwache zu Soldaten macht. Er baut das Getreide an, von dem wir leben, er gerbt das Leder, das uns schützt, er fällt die Eschenbäume, aus denen unsere Speerschäfte geschnitzt werden. Wir schulden ihm unseren Dienst.«

»Ja, Lord«, sagte ich und starrte mit ihm aufs weite, flache Land hinaus. Es war nicht so kalt wie in der Nacht, als Mordred geboren wurde, aber es war dennoch bitterkalt, und der Wind machte es noch schlimmer.

»Alles hat einen Sinn«, sagte Arthur, »auch der Soldatenberuf.« Dabei lächelte er mich an, als wollte er sich für seinen tiefen Ernst entschuldigen. Aber das war nicht nötig, denn ich sog seine Worte gierig auf. Ich hatte davon geträumt, Soldat zu werden, weil Krieger einen hohen Status besaßen und weil ich es immer für erstrebenswerter gehalten hatte, einen Speer zu tragen als einen Rechen; hinausgedacht über diesen selbstsüchtigen Wunsch hatte ich jedoch nie. Arthur dagegen hatte weit darüber hinausgedacht und brachte eine klare Vorstellung, wohin sein Schwert und sein Speer ihn führen sollten, nach Dumnonia mit.

»Wir haben die Chance« – beim Sprechen lehnte sich Arthur an die hohe Brustwehr – »ein Dumnonia zu schaffen, in dem wir unserem Volk dienen können. Wir können den Menschen kein Glück schenken, und ich weiß nicht, wie ich ihnen eine gute Ernte garantieren soll, durch die sie reich werden; aber ich weiß, daß wir ihnen Sicherheit bieten können. Ein Mann, der sich sicher fühlt, ein Mann, der weiß, daß seine Kinder aufwachsen werden, ohne als Sklaven entführt zu werden, und daß der Brautpreis seiner Tochter nicht aufgrund der Vergewaltigung durch einen Soldaten ruiniert wird, ein solcher Mann wird weitaus wahrscheinlicher glücklich als ein Mann, der ständig die Gefahr eines Krieges vor Augen hat. Ist das richtig?«

»Ja, Lord«, gab ich zurück.

Vor Kälte rieb er sich die behandschuhten Hände. Meine Hände waren mit Lumpen umwickelt, so daß es mir schwerfiel, den Speer richtig zu fassen, vor allem, weil ich außerdem bestrebt war, sie unter meinem Mantel warm zu halten. Hinter uns in der Festhalle brandete rauhes Männergelächter auf. Das Essen war so schlecht gewesen wie bei jedem Festmahl im Winter, aber es hatte viel Met und Wein gegeben. Arthur war jedoch genauso nüchtern wie ich. Während er westwärts zu den sich auftürmenden Wolken hinübersah, betrachtete ich sein Profil. Der Mond überschattete seine hohlen Wangen, so daß sein Gesicht noch knochiger wirkte als sonst. »Ich hasse den Krieg«, sagte Arthur plötzlich.

»Wirklich?« Ich war erstaunt, aber ich war schließlich noch jung genug, den Krieg zu genießen.

»Selbstverständlich!« Er lächelte mir zu. »Zufällig bin ich gut in diesem Handwerk, du möglicherweise auch, und gerade das bedeutet, daß wir das weise einsetzen müssen. Weißt du, was im letzten Herbst in Gwent geschehen ist?«

»Ihr habt Gorfyddyd verwundet«, antwortete ich eifrig. »Ihr habt ihm den Arm abgeschlagen.«

»Das stimmt«, sage er fast so, als überraschte ihn das. »In bergigem Gelände sind meine Pferde kaum zu gebrauchen, in waldigem überhaupt nicht, deswegen bin ich mit ihnen nordwärts ins flache Farmland von Powys gezogen. Da Gorfyddyd versuchte, Tewdrics Wälle niederzureißen, begann ich Gorfyddyds Heuschober und Getreidespeicher niederzubrennen. Wir brandschatzten, wir töteten. Wir machten unsere Sache gut – nicht weil wir das wollten, sondern weil es getan werden mußte. Und es klappte. Ich lockte Gorfyddyd von Tewdrics Wällen fort und weit ins Bauernland hinaus, wo meine Pferde ihn vernichten konnten. Was sie auch taten. Bei Tagesanbruch griffen wir an; er wehrte sich gut, doch er verlor die Schlacht mitsamt seinem linken Arm, und das, Derfel, beendete das Töten. Es hatte seinen Zweck erfüllt, verstehst du? Der Zweck des Tötens war es, Powys davon zu überzeugen, daß es besser sei, mit Dumnonia im Frieden zu leben als im Krieg. Und nun wird endlich Frieden herrschen.«

»Wirklich?« fragte ich ein wenig zweifelnd. Die meisten von uns waren der Ansicht, die Frühlingsschmelze könne nur einen neuen Angriff von Powys' erbittertem König Gorfyddyd bringen.

»Gorfyddyds Sohn ist ein vernünftiger Mann«, sagte Arthur. »Sein Name ist Cuneglas, und er will Frieden. Wir müssen Prinz

Cuneglas Zeit geben, damit er seinen Vater überzeugen kann, daß er noch mehr verlieren wird als seinen Arm, wenn er wieder gegen uns in den Krieg zieht. Sobald Gorfyddyd überzeugt ist, daß Frieden besser ist als Krieg, wird er einen Rat einberufen, und wir werden alle hingehen und viel Lärm machen, und am Ende, Derfel, werde ich Gorfyddyds Tochter Ceinwyn heiraten.« Er warf mir einen kurzen und leicht verlegenen Blick zu. »*Seren* wird sie genannt, der Stern! Der Stern von Powys. Wie es heißt, soll sie sehr schön sein.« Diese Vorstellung erfreute ihn offenbar, was mich ein wenig verwunderte, aber damals hatte ich noch nicht entdeckt, wie eitel Arthur war. »Hoffen wir, daß sie so schön ist wie ein Stern«, fuhr er fort, »aber ob sie nun schön ist oder nicht, ich werde sie heiraten, und wir werden Frieden mit Siluria schießen, und dann werden die Sachsen einem geeinten Britannien gegenüberstehen. Powys, Gwent, Dumnonia und Siluria – alle vereint, alle zusammen gegen denselben Feind, und alle miteinander in Frieden lebend.«

Ich lachte – nicht über ihn, sondern mit ihm, denn seine ehrgeizige Prophezeiung hatte so sachlich geklungen. »Woher wollt Ihr das wissen?« fragte ich ihn.

»Weil Cuneglas die Friedensbedingungen vorgelegt hat natürlich, und das darfst du keinem Menschen erzählen, Derfel, sonst könnte es vielleicht nicht gutgehen. Sogar sein Vater weiß noch nichts davon. Also ist es vorerst noch dein und mein Geheimnis. Verstanden?«

»Ja, Lord«, antwortete ich und fühlte mich unendlich privilegiert, daß man mir ein so wichtiges Geheimnis verriet, aber genau das hatte Arthur natürlich beabsichtigt. Er wußte stets, wie man Menschen manipulieren kann, und vor allem verstand er sich darauf, junge, idealistische Männer zu manipulieren.

»Aber was nützt uns der Frieden«, fragte mich Arthur, »wenn wir uns gegenseitig bekämpfen? Unsere Aufgabe ist es, Mordred ein reiches, friedliches Königreich zu übergeben, und darum müssen wir es zu einem guten und gerechten Königreich machen.« Jetzt sah er mich an, und seine tiefe, weiche Stimme hatte einen sehr ernsten Tonfall angenommen. »Wir können keinen Frieden halten, wenn wir unsere Verträge brechen, und der Vertrag, der den Männern aus Kernow erlaubte, unsere Zinnminen auszubeuten, war ein guter Vertrag. Ich bezweifle nicht, daß sie uns betrogen haben, alle Menschen betrügen, wenn es darum geht, Königen etwas von ihrem Geld zu geben, aber war das ein Grund, sie zu töten und ihre Kinder und die Kätzchen ihrer Kinder? Daher, Derfel, werden wir im nächsten Frühling Krieg haben statt Frieden, es sei denn, wir machen auf der Stelle Schluß mit diesem Unsinn. König Mark wird uns angreifen. Er wird nicht siegen, aber sein Stolz wird verlangen, daß seine Männer viele unserer Bauern töten, und wir werden eine Kriegshorde nach Kernow schicken müssen, und das Gelände dort ist für den Kampf schlecht geeignet, sehr schlecht, aber letztlich werden wir siegen. Dem Stolz wird Genüge getan sein, aber zu welchem Preis? Dreihundert tote Bauern? Wie viele tote Rinder? Und wenn Gorfyddyd sieht, daß wir an unserer Westgrenze Krieg führen, wird er versucht sein, unsere Schwäche auszunutzen und uns im Norden anzugreifen. Wir können Frieden schließen, Derfel, aber nur, wenn wir stark genug sind, Krieg zu führen. Wenn wir schwach wirken, werden unsere Feinde wie die Falken auf uns herabstoßen. Und wie viele Sachsen werden uns im nächsten Jahr gegenüberstehen? Können wir wirklich Männer entbehren, damit sie den Tamar überschreiten, um in Kernow ein paar Bauern zu töten?«

»Lord«, begann ich, drauf und dran, die Wahrheit zu beichten, aber Arthur hieß mich schweigen. Die Krieger in der Halle brüllten den Kriegsgesang von Beli Mawr, stampften mit den Füßen auf die Erde, während sie das große Schlachten ausriefen und sich zweifellos auf weiteres Schlachten in Kernow freuten.

»Du darfst kein Wort über das verlieren, was auf dem Moor geschehen ist«, ermahnte mich Arthur. »Eide sind heilig, sogar für diejenigen unter uns, die sich fragen, ob irgendein Gott sich die Mühe macht, für ihre Einhaltung zu sorgen. Nehmen wir einfach mal an, Derfel, daß Tristans kleines Mädchen die Wahrheit gesagt hat. Was würde das bedeuten?«

Ich starrte in die frostige Nacht hinaus. »Krieg mit Kernow«, antwortete ich tonlos.

»Nein«, widersprach Arthur. »Es bedeutet, daß morgen früh, wenn Tristan wiederkommt, irgend jemand für die Wahrheit kämpfen muß. Die Götter, so sagt man, bevorzugen bei solchen Begegnungen immer den Ehrlichen.«

Ich wußte, was er sagen wollte, und schüttelte den Kopf. »Tristan wird Owain nicht herausfordern«, behauptete ich.

»Nicht wenn er so vernünftig ist, wie er zu sein scheint«, stimmte Arthur mir zu. »Selbst den Göttern würde es schwerfallen, dafür zu sorgen, daß Tristan Owains Schwert besiegt. Wenn wir also Frieden wollen, und wenn wir all die guten Dinge wollen, die auf den Frieden folgen werden, muß ein anderer Tristans Champion sein. Meinst du nicht auch?«

Ich starrte ihn an, entsetzt über das, was er da meiner Meinung nach sagte. »Ihr?« fragte ich schließlich.

Er zuckte unter seinem weißen Mantel die Achseln. »Ich wüßte nicht, wer es sonst tun sollte«, antwortete er freundlich. »Aber eins könntest du für mich tun.«

»Alles, Lord«, sagte ich eilfertig, »alles.« Ich glaube, ich hätte in diesem Moment sogar versprochen, für ihn gegen Owain zu kämpfen.

»Ein Mann, der in den Kampf zieht, Derfel«, sagte Arthur bedächtig, »sollte wissen, daß er für die richtige Sache kämpft. Vielleicht haben die Schwarzschild-Iren ihre Schilde durch das Land getragen, ohne von jemandem gesehen zu werden. Vielleicht haben ihre Druiden ihnen auch Flügel verliehen. Aber vielleicht werden die Götter, falls sie sich dafür interessieren, morgen auch denken, daß ich für eine gute Sache kämpfe. Was meinst du?«

Er stellte diese Frage so beiläufig, als erkundigte er sich nach dem Wetter. Völlig überwältigt von ihm starrte ich ihn an und wünschte mir verzweifelt, ihm diesen Waffengang mit dem besten Schwertkämpfer von Dumnonia ersparen zu können.

»Nun?« fragte er.

»Die Götter...«, begann ich, dann aber fiel mir das Sprechen schwer, denn Owain war gut zu mir gewesen. Owain war kein ehrlicher Mensch, aber ich konnte die ehrlichen Menschen, die ich bisher kennengelernt hatte, an den Fingern abzählen. Und trotz seiner Gaunerei mochte ich ihn. Doch dieser ehrliche Mann hier bedeutete mir mehr. Also hielt ich inne, um zu erwägen, ob ich mit meinen Worten irgendeinen Eid brechen würde, und entschied dann, daß das nicht der Fall war. »Die Götter werden Euch unterstützen, Lord«, sagte ich schließlich.

Er lächelte traurig. »Ich danke dir, Derfel.«

»Aber warum?« stieß ich hervor.

Er seufzte und blickte wieder auf das mondbeschienene Land hinaus. »Als Uther starb«, sagte er nach einer langen Pause, »wurde das Land ins Chaos gestürzt. Das geschieht immer mit einem Land ohne König, und wir haben im Moment keinen König. Wir haben Mordred, gewiß, aber er ist ein Kind, doch irgend jemand muß die Macht in der Hand halten, bis er großjährig ist. Ein Mann muß die Macht halten, Derfel, nicht drei oder vier oder zehn – einer! Ich wünschte, es wäre anders. Von ganzem Herzen wünschte ich, die Dinge würden bleiben, wie sie sind, das kannst du mir glauben. Ich würde lieber mit Owain als meinem geliebten Freund alt werden, aber das kann leider nicht sein. Die Macht muß für Mordred gehalten werden, und sie muß richtig und gerecht gehalten und ihm intakt übergeben werden, und das bedeutet, daß wir uns nicht ständig Streit unter den Männern leisten können, welche die Macht des Königs für sich selbst haben wollen. Ein einziger Mann muß sich dazu hergeben, ein König zu sein, der kein König ist, und dieser Mann muß die gesamte Macht des Reichs abgeben, sobald Mordred großjährig wird. Und genau das ist die Aufgabe eines Soldaten, erinnerst du dich? Sie schlagen die Schlachten für Menschen, die zu schwach sind, um selber zu kämpfen. »Und« – er lächelte – »sie nehmen sich, was sie wollen, und morgen will ich etwas von Owain: Ich will seine Ehre, und ich werde sie mir nehmen.« Er zuckte die Achseln. »Morgen kämpfe ich für Mordred und für das kleine Mädchen. Und du, Derfel« – er stieß mir einen Finger in die Rippen – »wirst ihr ein neues Kätzchen suchen.« Er stampfte mit den Füßen, um die Kälte zu vertreiben; dann spähte er nach Westen hinüber. »Was meinst du, werden diese Wolken morgen früh vielleicht Regen oder Schnee bringen?« fragte er mich.

»Ich weiß es nicht, Lord.«

»Hoffen wir's. Übrigens, ich habe gehört, daß du dich mit dem armen Sachsen unterhalten hast, den sie getötet haben, um die Zukunft zu weissagen. Bitte, erzähl mir alles, was er dir gesagt hat. Je mehr wir von unseren Feinden wissen, desto besser für uns.«

Er begleitete mich zu meinem Posten zurück und hörte sich an, was ich über Cerdic, den neuen Sachsenführer an der Südküste, zu sagen hatte. Dann ging er zu Bett. Er schien sich keine Sorgen darüber zu machen, was am folgenden Morgen geschehen würde, ich aber hatte große Angst um ihn. Ich erinnerte mich nur zu genau, wie Owain den vereinten Angriff der beiden Tewdric-Champions zurückgeschlagen hatte, und versuchte ein Gebet zu den Sternen emporzuschicken, auf denen die Götter wohnen, aber ich konnte sie nicht sehen, weil meine Augen zu naß waren.

Die Nacht war lang und bitterkalt. Aber ich wünschte, der Morgen würde niemals kommen.

Arthurs Wunsch ging in Erfüllung, denn bei Morgengrauen begann es zu nieseln. Daraus wurde sehr schnell ein Wintersturm mit hartem, prasselndem Regen, der in grauen Schleiern auf das lange, breite Tal zwischen Caer Cadarn und Ynys Wydryn niederging. Die Gräben flossen über; Wasser ergoß sich von den Wällen und sammelte sich unter den Traufen der großen Halle zu tiefen Pfützen. Aus den Löchern der nassen Strohdächer stieg Rauch auf, und die Schildwachen hoben unter ihren triefenden Umhängen fröstelnd die Schultern.

Tristan, der die Nacht in dem kleinen Dorf unmittelbar östlich von Caer Cadarn verbracht hatte, kämpfte sich den morastigen Weg zur Burg hinauf. Begleitet wurde er von seinen sechs Kriegern und der kleinen Waise, die jedesmal im tiefen Schlamm ausrutschten, wenn sie auf den Grasbüscheln zu beiden Seiten des Pfades keinen Halt fanden. Das Tor stand offen, und kein Wachtposten regte sich, um den Prinzen von Kernow aufzuhalten, als er durch den Morast des Burghofs zur Tür der großen Halle stapfte.

Wo ihn niemand erwartete. Der Innenraum der Halle war ein feuchtes Durcheinander aus Männern, die den Rausch der vergangenen Nacht ausschliefen, weggeworfenen Essensresten, nach Nahrung stöbernden Hunden, durchweichter grauer Asche und auf den Binsenbündeln am Boden trocknendem Erbrochenen. Mit einem Tritt weckte Tristan einen der schlafenden Männer und schickte ihn auf die Suche nach Bischof Bedwin oder einer anderen Autoritätsperson. »Falls«, rief er dem Mann dann noch nach, »in diesem Land überhaupt noch jemand Autorität besitzt.«

Zum Schutz vor dem strömenden Regen fest in seinen Mantel

gehüllt, suchte sich Bedwin rutschend und stolpernd einen Weg durch den Schlamm. »Mein Lord Prinz«, keuchte er, als er sich aus dem Unwetter in den zweifelhaften Schutz der Halle rettete, »ich bitte um Entschuldigung. Ich hatte Euch nicht so früh erwartet. Unfreundliches Wetter, findet Ihr nicht?«

Tristan schwieg.

Bedwin fühlte sich durch das Schweigen seines Gastes beunruhigt. »Ein wenig Brot vielleicht? Und warmen Wein? Bestimmt wird irgendwo schon Haferbrei gekocht.« Er sah sich nach jemandem um, den er in die Küchen hinüberschicken konnte, aber die schlafenden Männer lagen schnarchend und bewegungsunfähig da. »Nun, kleines Mädchen?« Bedwin zuckte zusammen, weil ihn der Kopf schmerzte, als er sich zu Sarlinna hinunterbeugte. »Du bist doch sicher hungrig, nicht wahr?«

»Wir suchen Gerechtigkeit, nicht etwas zu essen«, sagte Tristan scharf.

»Aber ja. Gewiß. Gewiß.« Bedwin schob sich die Kapuze vom weißen, tonsurierten Haar und kratzte sich den Bart, um einer störenden Laus das Handwerk zu legen. »Gerechtigkeit«, wiederholte er unbestimmt; dann nickte er nachdrücklich. »Ich habe über die Sache nachgedacht, Lord Prinz, o ja, das habe ich, und bin zu dem Schluß gekommen, daß Krieg in keinem Fall wünschenswert ist. Meint Ihr nicht auch?« Er wartete, doch Tristans Miene verriet keinerlei Reaktion. »Eine so schreckliche Verschwendung«, fuhr Bedwin fort. »Und während ich meinen Lord Owain keines Unrechts für schuldig befinden kann, muß ich gestehen, daß wir unsere Pflicht, Eure Landsleute auf dem Moor zu beschützen, nicht erfüllt haben. Nein. Da haben wir leider Gottes versagt, und werden daher, Lord Prinz, wenn es Eurem Vater gefällt, *sarhaed* bezahlen, wenn auch ...« – hier kicherte Bedwin – »nicht auch noch für das Kätzchen.«

Tristan verzog das Gesicht. »Und was ist mit dem Mann, der das Töten befohlen hat?«

Bedwin zuckte die Achseln. »Welchem Mann? Ich weiß von keinem solchen Mann.«

»Owain«, sagte Tristan. »Der mit Sicherheit Gold von Cadwy genommen hat.«

Bedwin schüttelte den Kopf. »Nein. Nein. Nein. Das kann nicht sein. Nein. Auf mein Wort, Lord Prinz, ich weiß von keines Mannes Schuld.« Er warf Tristan einen flehenden Blick zu. »Mein Lord Prinz, es würde mich zutiefst schmerzen, unsere Länder in einen Krieg verstrickt zu sehen. Ich habe angeboten, was ich anbieten kann, und werde für Eure Toten Gebete sprechen lassen, aber den Unschuldseid eines Mannes kann ich nicht widerrufen.«

»Aber ich«, sagte Arthur. Er hatte hinter dem Wandschirm, der die Küche am hinteren Ende der Halle abtrennte, gewartet. Ich war an seiner Seite, als er die Halle betrat. Sein weißer Umhang schimmerte im feuchten Dämmerlicht.

Blinzelnd wandte Bedwin sich ihm zu. »Lord Arthur?«

Arthur trat zwischen die sich regenden, stöhnenden Leiber. »Wenn der Mann, der Kernows Minenarbeiter getötet hat, nicht bestraft wird, Bedwin, tötet er möglicherweise weiter. Meint Ihr nicht auch?«

Bedwin zuckte die Achseln, breitete die Hände aus, zuckte abermals die Achseln. Tristan runzelte die Stirn, da ihm nicht ganz klar war, worauf Arthur mit seinen Worten hinauswollte.

An einem Mittelpfeiler der Halle blieb Arthur stehen. »Und warum sollte das Reich *sarhaed* bezahlen, wenn das Reich für das Töten nicht verantwortlich ist?« fragte er. »Warum sollte die Schatzkammer meines Lord Mordred für die Untat eines anderen geleert werden?«

Mit einer Geste bat Bedwin Arthur zu schweigen. »Aber wir kennen den Mörder nicht!« behauptete er.

»Dann müssen wir seine Identität feststellen«, gab Arthur ruhig zurück.

»Das können wir nicht!« protestierte Bedwin verärgert. »Das Kind gehört nicht zu den Sprechenden! Und Lord Owain, falls er der Mann sein sollte, von dem Ihr redet, hat auf seinen Eid geschworen, daß er unschuldig ist. Er ist ein Sprechender, warum also die Farce einer Verhandlung aufführen? Sein Wort genügt.«

»Vor einem Gericht der Worte, ja«, sagte Arthur, »aber es gibt auch ein Gericht des Schwertes, und bei meinem Schwert, Bedwin...« – hier hielt er inne, um Excaliburs blitzende Klinge ans Dämmerlicht zu ziehen – »behaupte ich, daß Owain, Champion von Dumnonia, unseren Cousins aus Kernow Schaden zugefügt hat und daß er und kein anderer den Preis dafür bezahlen wird.« Damit stieß er Excaliburs Spitze durch die verdreckten Binsen in den Boden. Zitternd blieb das Schwert dort stecken. Einen Moment lang fragte ich mich, ob die Götter der Anderwelt plötzlich auftauchen würden, um Arthur zu helfen, aber es waren nur die Geräusche von Wind und Regen und erwachenden Männern, die nach Luft schnappten, zu hören.

Auch Bedwin verschlug es den Atem. Einige Sekunden lang war er sprachlos. »Ihr . . .«, brachte er schließlich heraus, fand aber kein weiteres Wort.

Tristan, dessen hübsches Gesicht im schwachen Licht bleich schimmerte, schüttelte den Kopf. »Falls jemand vor dem Gericht des Schwertes kämpfen muß«, wandte er sich an Arthur, »so laßt es mich sein.«

Arthur lächelte. »Ich habe zuerst darum gebeten, Tristan«, gab er leichthin zurück.

»Nein!« Bedwin hatte die Sprache wiedergefunden. »Das darf nicht sein!«

Arthur deutete auf sein Schwert. »Möchtet Ihr es herausziehen, Bedwin?«

»Nein!« Bedwin war ganz verzweifelt, denn er sah den Tod des Mannes voraus, der die größte Hoffnung des Reiches war, aber bevor er ein weiteres Wort äußern konnte, kam Owain zur Hallentür hereingestürzt. Sein langes Haar und sein dichter Bart waren naß, seine nackte Brust glänzte vom Regen.

Er sah von Bedwin zu Tristan, zu Arthur und dann auf das Schwert im Boden. Er schien verwirrt zu sein. »Seid Ihr wahnsinnig?« fragte er Arthur.

»Mein Schwert«, erwiderte Arthur sanft, »behauptet, daß Ihr in der Streitsache zwischen Kernow und Dumnonia schuldig seid.«

»Er ist wahnsinnig«, sagte Owain zu seinen Kriegern, die sich hinter ihm scharten. Der Champion hatte gerötete Augen und war müde. Er hatte in der vergangenen Nacht lange getrunken und anschließend schlecht geschlafen, doch die Herausforderung schien ihm frische Energien zu verleihen. Er spie in Richtung Arthurs aus. »Ich kehre jetzt zu der silurischen Hure ins Bett zurück«, erklärte er, »und wenn ich aufwache, wünsche ich, daß sich das hier als Traum erweist.«

»Ihr seid ein Feigling, ein Mörder und ein Lügner«, sagte Arthur gelassen, als Owain sich abwandte, und wieder verschlug es allen Männern in der Halle den Atem.

Owain wandte sich in die Halle zurück. »Welpe«, sagte er zu Arthur. Dann trat er auf Excalibur zu und stieß die Klinge um. Damit hatte er die Herausforderung angenommen. »Dann wird Euer Tod, Welpe, Teil meines Traumes sein. Draußen.« Mit dem Kopf deutete er in den Regen hinaus. Der Kampf konnte nicht in der Halle stattfinden, weil diese sonst mit einem furchtbaren Fluch belegt worden wäre. Also mußten die Männer draußen im Winterregen kämpfen.

Inzwischen regte es sich überall in der Burg. Viele Leute, die aus Lindinis gekommen waren, hatten die Nacht auf Caer Cadarn verbracht, daher wimmelte der Burghof von Menschen, die geweckt wurden, damit sie sich den Kampf ansehen konnten. Lunete war da, Nimue und Morgan; ja, ganz Caer Cadarn eilte herbei, um Zeuge des Kampfes zu werden, der, wie die Tradition es verlangte, innerhalb des Steinkreises stattfand. Zwischen Bedwin und Fürst Gereint stand Agricola, einen roten Umhang über der prächtigen römischen Rüstung, während König Melwas, einen Kanten Brot in der Hand, mit großen Augen inmitten seiner Wachen stand. Tristan stand auf der anderen Seite des Kreises, wo auch ich mir einen Platz gesucht hatte. Owain, der mich dort entdeckte, vermutete, daß ich ihn verraten hatte, und brüllte mir zu, daß ich Arthur in die Anderwelt folgen würde. Arthur aber verkündete, mein Leben stehe unter seinem Schutz.

»Er hat den Eid gebrochen!« rief Owain und zeigte auf mich.

»Auf meinen Eid«, entgegnete Arthur, »das hat er nicht getan.« Er nahm seinen weißen Mantel ab und legte ihn, sorgfältig zusammengefaltet, auf einen der Steine. Er trug Hose, Stiefel und ein dünnes Lederkoller über seinem Wams aus Wolle. Owain trat mit nackter Brust an. Seine Hose war kreuzweise mit Lederstreifen umwickelt, und er trug schwere, genagelte Stiefel. Arthur setzte sich auf den Stein und zog seine Stiefel aus: Er zog es vor, barfuß zu kämpfen.

»Dies alles wäre wirklich nicht nötig«, sagte Tristan zu ihm.

»Leider doch«, gab Arthur zurück; dann stand er auf und zog Excalibur aus der Scheide.

»Aha, Ihr greift zum Zauberschwert, Arthur«, höhnte Owain. »Ihr habt wohl Angst, mit einer sterblichen Waffe zu kämpfen, eh?«

Arthur schob Excalibur in die Scheide zurück und legte das Schwert auf seinen Umhang. »Derfel«, wandte er sich an mich, »ist das Hywels Schwert?«

»Ja, Lord.«

»Würdest du es mir leihen?« fragte er mich. »Ich verspreche, daß ich es dir zurückgeben werde.«

»Bitte, versucht Euer Versprechen zu halten, Lord«, sagte ich, während ich Hywelbane aus der Scheide zog und es ihm mit dem Griff nach vorn reichte. Er nahm das Schwert und bat mich, in die Halle zu laufen und eine Handvoll sandige Asche zu holen, die er, als ich zurückkam, in das geölte Leder des Griffs massierte.

Dann wandte er sich an Owain. »Falls Ihr, Lord Owain«, sagte er höflich, »lieber kämpfen wollt, wenn Ihr ausgeruht seid, werde ich warten.«

»Welpe!« zischte Owain erbost. »Seid Ihr sicher, daß Ihr nicht Eure Fischrüstung anlegen wollt?«

»Die rostet im Regen«, erwiderte Arthur ruhig und gelassen.

»Ein Schönwettersoldat«, höhnte Owain und ließ sein Langschwert mit zwei Probehieben durch die Luft sausen. In der Schildreihe kämpfte Owain lieber mit dem Kurzschwert, war aber mit jeglicher Klingenlänge ein Mann, den man fürchten mußte. »Ich bin bereit, Welpe!« rief er.

Ich stand bei Tristan und seinen Männern, während Bedwin einen letzten, vergeblichen Versuch unternahm, den Kampf zu verhindern. Niemand bezweifelte den Ausgang. Arthur war ein hochgewachsener Mann, aber schlank im Vergleich zu Owains muskelbepacktem bulligen Körper, und noch nie hatte jemand miterlebt, wie Owain im Kampf besiegt wurde. Dennoch wirkte Arthur erstaunlich gelassen, als er seinen Platz am westlichen Rand des Kreises einnahm und sich Owain zuwandte, der ihm ein wenig erhöht im Osten gegenüberstand.

»Unterwerft Ihr Euch dem Spruch des Schwertgerichts?« fragte Bedwin die Männer. Beide nickten.

»Dann möge Gott Euch segnen und der Wahrheit zum Sieg verhelfen«, sagte Bedwin und schlug das Kreuz. Danach verließ er mit bedrückter Miene den Kreis.

Wie erwartet, stürmte Owain sofort auf Arthur zu, aber auf halbem Weg, direkt neben dem Krönungsstein, rutschte er im Schlamm aus, und unversehens griff Arthur an. Ich hatte gedacht, Arthur würde bedächtig kämpfen und alle Schwertkünste anwenden, die Hywel ihn gelehrt hatte. An jenem Morgen jedoch sah ich, während der Regen aus dem Winterhimmel herabströmte, zum erstenmal, wie Arthur sich in der Schlacht verwandelte. Er wurde zum Dämon. Seine Energie war ausschließlich auf ein Ziel gerichtet, den Tod, und er stürzte sich mit wilden, schnellen Hieben auf Owain, die den wuchtigen Mann immer weiter zurücktrieben. Die Schwerter klangen hart und rauh. Arthur spuckte Owain an, verfluchte ihn, reizte ihn, schlug dabei immer wieder mit der Schwertschneide zu und gab Owain keine Chance, sich von einer Parade zu erholen.

Owain kämpfte gut. Kein anderer Mann hätte diesen mörderischen Eröffnungsangriff lebend überstanden. Mit seinen Stiefeln glitt er im Schlamm immer wieder aus, und mehr als einmal mußte er Arthurs Attacken kniend abwehren, doch immer wieder gelang es ihm, Fuß zu fassen, selbst als er immer weiter zurückgetrieben wurde. Als Owain zum viertenmal ausrutschte, begriff ich, warum Arthur so zuversichtlich gewesen war. Er hatte sich gewünscht, daß der Regen den Boden schlüpfrig machte, und er wußte wohl auch, daß Owain nach dem Gelage der vergangenen Nacht aufgedunsen und erschöpft sein würde. Dennoch konnte er Owains hartnäckige Abwehr nicht durchdringen, auch wenn es ihm gelang, den Champion bis an die Stelle zurückzutreiben, an der Wlencas Blut noch immer als dunkler Fleck im Morast zu erkennen war.

Und dort, neben dem Blut des Sachsen, hatte Owain plötzlich Glück. Diesmal rutschte Arthur aus, und obwohl er sich sofort wieder aufrichtete, war dieser Fehltritt alles, was Owain brauchte. Blitzschnell stieß er zu. Arthur parierte, doch Owains Schwert drang durch das Lederkoller und ließ das erste Blut dieses Kampfes aus Arthurs Mitte fließen. Noch einmal parierte Arthur, und noch einmal, während er vor den starken, schnellen Ausfällen zurückwich, die einen Ochsen bis ins Herz aufgeschlitzt hätten. Owains Männer brüllten anfeuernd, als der Champion sich, den Sieg witternd, mit seinem ganzen Gewicht auf Arthur zu stürzen versuchte, um den leichteren Gegner in den Morast zu werfen, aber Arthur war auf das Manöver gefaßt gewesen, wich leichtfüßig auf den Krönungsstein aus und setzte mit seinem Schwert sofort zu einem Rückhandschlag an, der Owains Hinterkopf aufschlitzte. Die Wunde blutete, wie alle Kopfhautverletzungen, mehr als reichlich. Das Blut tränkte Owains Haare und rann über seinen breiten Rücken, wo es vom Regen verwässert wurde. Seine Männer wurden still.

Arthur sprang vom Stein, ging abermals zum Angriff über, und schon war Owain wieder in der Defensive. Beide Männer keuchten schwer, beide waren von oben bis unten mit Schlamm und Blut bespritzt, und beide waren zu müde, um den anderen noch mit Beleidigungen zu überschütten. Ihre Haare hingen in langen, tropfnassen Strähnen herab, während Arthur sein Schwert im selben schnellen Rhythmus links und rechts herabsausen ließ, mit dem er den Kampf eröffnet hatte. Er war so schnell, daß Owain nichts anderes tun konnte, als die Schläge zu parieren. Ich mußte an Owains verächtliche Beschreibung von Arthurs Kampfstil denken: Er schlage zu wie ein Heumacher, hatte Owain behauptet, der es eilig habe, einem Unwetter zuvorzukommen. Einmal, nur ein einziges Mal, fuhr Arthur mit seiner Klinge an Owains Deckung vorbei, aber der Hieb wurde halb abgewehrt, seiner halben Wucht beraubt, und das Schwert wurde von den eisernen Kriegerringen in Owains Bart aufgehalten. Owain schlug die Klinge beiseite und versuchte Arthur mit dem Gewicht seines Körpers zu Boden zu zwingen. Beide fielen, und einen Augenblick lang hatte es den Anschein, als hätte Owain Arthur unter sich begraben, doch irgendwie konnte sich Arthur befreien und rappelte sich wieder auf.

Arthur wartete, bis Owain ebenfalls aufstand. Beide Männer atmeten schwer und beobachteten einander ein paar Sekunden lang, um die eigenen Chancen einzuschätzen. Dann ging Arthur wieder zum Angriff über. Immer wieder schwang er sein Schwert, genau wie zuvor, und immer wieder parierte Owain die wilden Hiebe, bis Arthur zum zweitenmal ausrutschte. Beim Fallen schrie er angstvoll auf, und sein Ruf wurde von Owains triumphierendem Siegesgebrüll beantwortet, der zum Todesstreich weit ausholte. In diesem Moment entdeckte Owain jedoch, daß Arthur gar nicht ausgerutscht war, sondern den Fall nur vorgetäuscht hatte, damit Owain seine Deckung öffnete, und nun war es Arthur, der kraftvoll zustieß. Es war sein erster Ausfall in diesem Kampf, und gleichzeitig auch sein letzter. Owain stand mit dem Rücken zu mir, und ich hatte mir die Augen halb zugehalten, damit ich Arthurs Tod nicht mit ansehen mußte. Statt dessen sah ich nun direkt vor mir Hywelbanes blanke Spitze durch Owains nassen, blutüberströmten Rücken dringen. Mit seinem Stoß hatte Arthur den Körper des Champions glatt durchbohrt. Owain schien zu erstarren, sein Schwertarm plötzlich kraftlos. Dann glitt ihm das Schwert aus den erlahmten Fingern und fiel in den Morast.

Eine Sekunde, einen Herzschlag lang ließ Arthur Hywelbane in Owains Bauch stecken, um es dann mit einem Ruck, der jeden Muskel in seinem Körper beanspruchte, zu drehen und herauszuziehen. Er schrie, als er den Stahl aus Owain zog, er schrie, als die Klinge die saugende Kraft des Fleisches brach und durch Eingeweide, Muskeln, Haut und Fleisch schnitt, und er schrie immer noch, als er das Schwert ans graue Tageslicht zog. Die Kraft, die nötig war, um den Stahl aus Owains schwerem Körper zu ziehen, ließ das Schwert in hohem Bogen nach hinten schwingen, so daß der ganze weite, schlammzerwühlte Kreis mit Blut bespritzt wurde.

Während Owain, ungläubiges Staunen auf dem Gesicht, mit heraushängenden Gedärmen in den Schlamm stürzte.

Dann sauste Hywelbane ein einziges Mal herab, um den Hals des Champions zu durchtrennen.

Danach herrschte Stille auf Caer Cadarn.

Arthur trat von dem Leichnam zurück. Dann drehte er sich in Sonnenlaufrichtung und sah jedem einzelnen Mann im Kreis ins Gesicht. Arthurs Miene war hart wie Stein. Nicht die geringste Andeutung von Güte gab es darin. Es war das Gesicht eines triumphierenden Streiters: ein schreckliches Gesicht, dessen mächtiges

Kinn in einer Maske des Hasses festgefroren war, so daß diejenigen unter uns, die Arthur nur als gewissenhaften, nachdenklichen Menschen kannten, über die Veränderung, die mit ihm vorgegangen war, entsetzt waren. »Will einer der hier Anwesenden«, rief er mit lauter Stimme, »diesen Richtspruch anfechten?«

Niemand meldete sich. Der Regen tropfte von den Mänteln und verwässerte Owains Blut, als Arthur den Speerkämpfern des gefallenen Champions gegenübertrat. »Dies ist eure Chance, euren Lord zu rächen«, rief er ihnen entgegen. »Wenn nicht, gehört ihr mir!« Da niemand seinem Blick standhielt, wandte er sich ab, trat über den gefallenen Kriegsherrn hinweg und blieb vor Tristan stehen. »Akzeptiert Kernow dieses Urteil, Lord Prinz?«

Mit blassem Gesicht nickte Tristan. »Ja, Lord.«

»Der *sarhaed*« bestimmte Arthur, »wird aus Owains Besitz gezahlt.« Damit wandte er sich erneut an die Krieger. »Wer hat jetzt den Befehl über Owains Männer?«

Ein wenig unsicher trat Griffid ap Annan vor. »Ich, mein Lord.«

»Ihr werdet in einer Stunde vor mir erscheinen, um Eure Befehle entgegenzunehmen. Und sollte einer von Euren Männern Derfel, meinen Kameraden, anrühren, werdet ihr alle in einem Feuerloch verbrennen.« Statt seinem Blick standzuhalten, schlugen sie allesamt die Augen nieder.

Mit einer Handvoll Schlamm reinigte Arthur das Schwert von Blut und händigte es mir aus. »Trockne es sorgfältig, Derfel.«

»Ja, mein Lord.«

»Und ich danke dir. Es ist ein gutes Schwert.« Unvermittelt schloß er die Augen. »So helfe mir Gott«, sagte er, »aber ich habe diesen Kampf genossen. Nun gut...« – er öffnete die Augen wieder – »ich habe meinen Teil getan. Was ist mit dir?«

»Mit mir?« Offenen Mundes starrte ich ihn an.

»Ein Kätzchen«, sagte er geduldig. »Für Sarlinna.«

»Ich hab' schon eins, mein Lord«, sagte ich.

»Dann hol es her«, befahl er mir. »Und komm zum Frühstück in die Halle. Hast du eine Frau?«

»Ja, mein Lord.«

»Sag ihr, daß wir morgen aufbrechen. Sobald der Rat seine Geschäfte erledigt hat.«

Ich starrte ihn an und wagte meinem Glück kaum zu trauen. »Ihr meint...«, begann ich.

»Ich meine«, unterbrach er mich ungeduldig, »daß du von nun an mir dienen wirst.«

»Ja, mein Lord!« gab ich zurück. »O ja, mein Lord!«

Er griff nach seinem Schwert, seinem Mantel und seinen Stiefeln, dann nahm er Sarlinnas Hand und entfernte sich von dem Rivalen, den er getötet hatte.

Und ich hatte meinen Lord gefunden.

Lunete wollte nicht mit nach Norden, nach Corinium, wo Arthur mit seinen Männern überwinterte. Sie wollte ihre Freunde nicht verlassen, und außerdem, setzte sie nachträglich hinzu, sei sie schwanger. Ich quittierte diese Ankündigung mit ungläubigem Schweigen.

»Hast du gehört?« fuhr sie mich an. »Schwanger! Ich kann nicht mitkommen. Und warum sollten wir auch weg? Wir waren doch glücklich hier. Owain war ein guter Lord, aber dann mußtest du ja alles verderben. Warum gehst du also nicht allein?« Sie hockte am Feuer unserer Hütte und versuchte, möglichst viel von der schwachen Wärme der Flammen aufzufangen. »Ich hasse dich«, sagte sie und versuchte vergeblich, unseren Liebesring von ihrem Finger zu ziehen.

»Schwanger?« fragte ich entsetzt.

»Aber vielleicht nicht von dir!« kreischte Lunete. Dann gab sie den Versuch auf, den Ring von ihrem geschwollenen Finger zu ziehen, und warf statt dessen ein Holzscheit nach mir. Unsere Sklavin im Hintergrund der Hütte heulte unglücklich auf, und Lunete warf auch nach ihr ein Holzscheit.

»Aber ich muß«, wandte ich ein. »Ich muß mit Arthur gehen.«

»Und mich verlassen?« schrie sie. »Willst du eine Hure aus mir machen? Ist es das?« Wieder schleuderte sie ein Stück Holz in meine Richtung, und ich kehrte ihr kurzerhand den Rücken. Es war der Tag nach Arthurs Kampf gegen Owain, und wir waren alle nach

Lindinis zurückgekehrt, wo der Kronrat von Dumnonia in Arthurs Villa zusammentrat, die daher von Bittstellern samt Angehörigen und Freunden umringt war. Diese ungeduldigen Menschen warteten am vorderen Tor der Villa. Hinter dem Haus, wo früher einmal der Garten der Villa gewesen war, lag eine Ansammlung von Rüstkammern und Vorratsspeichern. Dort erwartete mich Owains alte Kriegshorde. Die Männer hatten den Ort ihres Hinterhalts gut gewählt, denn mehrere Steineichen verbargen uns vor Blicken aus den Gebäuden. Als ich den Pfad entlangschritt, schrie Lunete immer noch hinter mir her und nannte mich einen Verräter und Feigling. »Sie hat dich erkannt, Sachse«, sagte Griffid ap Annan und spie vor mir aus.

Seine Männer versperrten mir den Weg. Es waren zwölf Speerkämpfer, allesamt alte Kameraden, nun aber alle mit unnachsichtig feindseligen Mienen. Arthur mochte mein Leben unter seinen Schutz gestellt haben, aber da wir vor Blicken aus den Fenstern der Villa verborgen waren, würde niemand erfahren, wie es kam, daß ich tot im Morast liegenblieb.

»Du hast deinen Eid gebrochen«, warf Griffid mir vor.

»Das ist nicht wahr!« widersprach ich.

Minac, ein alter Krieger, an dessen Hals und Handgelenken Gold hing, das Owain ihm geschenkt hatte, richtete seinen Speer auf mich. »Nur keine Angst wegen deines Mädchens«, sagte er boshaft. »Bei uns gibt's viele, die wissen, wie man sich einer jungen Witwe annimmt.«

Ich zog Hywelbane. Hinter mir waren die Frauen aus ihren Hütten gekommen, um zuzusehen, wie ihre Männer den Tod ihres Lords rächten. Lunete stand mitten unter ihnen und verhöhnte mich mit den anderen.

»Wir haben einen neuen Eid geleistet«, sagte Minac, »und im Gegensatz zu dir pflegen wir unsere Eide zu halten.« Er und Griffid kamen den Pfad Seite an Seite herauf. Die anderen Speerkämpfer drängten sich hinter ihren Führern, während hinter mir die Frauen näher rückten. Einige von ihnen legten die unvermeidlichen Rocken und Spindeln beiseite und warfen Steine nach mir, um mich in Griffids Speer hineinzutreiben. Ich zückte Hywelbane, dessen Schneide noch von Arthurs Kampf gegen Owain schartig war, und sprach ein Gebet an die Götter, auf daß sie mir einen guten Tod schenken möchten.

»He, Sachse«, höhnte Griffid, die schlimmste Beleidigung, die ihm einfallen wollte. Er näherte sich mir äußerst vorsichtig, denn er wußte, wie gut ich mit dem Schwert umgehen konnte. »Sächsischer Verräter«, sagte er und fuhr zurück, als zwischen uns ein schwerer Stein auf den schlammigen Pfad klatschte. Er spähte an mir vorbei, und ich sah, daß seine Miene plötzlich Angst zeigte. Seine Speerspitze senkte sich.

»Dieser Stein«, zischte Nimues Stimme hinter mir, »trägt eure Namen. Griffid ap Annan, Mapon ap Ellchyd, Minac ap Caddan ...« Einen nach dem anderen nannte sie Namen und Abkunft der Speerkämpfer, und jedesmal, wenn sie einen Namen aussprach, spie sie auf den Fluchstein, den sie uns in den Weg geworfen hatte. Die Speere senkten sich.

Ich trat beiseite, um Nimue vorbeizulassen. Sie war in einen schwarzen Kapuzenumhang gekleidet, der tiefe Schatten auf ihr Gesicht warf, aus dem ihr Goldauge feindselig hervorblitzte. Sie stellte sich neben mich. Dann jedoch wandte sie sich plötzlich um und deutete mit einem Stab, an dem ein Mistelzweig befestigt war, auf die Frauen, die zuvor die Steine geworfen hatten. »Wollt ihr, daß eure Kinder zu Ratten werden?« rief Nimue den Zuschauerinnen drohend zu. »Wollt ihr, daß eure Milch vertrocknet und euer Urin wie Feuer brennt? Geht! Sofort!« Die Frauen packten ihre Kinder und rannten davon, um sich in ihren Hütten zu verstecken.

Da Griffid wußte, daß Nimue Merlins Geliebte war und über echte Druidenmacht verfügte, begann er voll Angst vor ihrem Fluch zu zittern. »Bitte«, flehte er, als Nimue sich zurückwandte, um ihn zu konfrontieren.

Sie schritt an seiner gesenkten Speerspitze vorbei und schlug ihn mit ihrem Stab hart auf die Wange. »Nieder!« befahl sie. »Ihr alle! Nieder! Flach auf den Boden! Aufs Gesicht! Flach!« Diesmal schlug sie Minac. »Runter mit euch!«

Auf dem Bauch lagen die Männer im Morast, während sie einem nach dem anderen den Fuß auf den Rücken setzte. Ihr Fuß war leicht, ihr Fluch aber wog schwer. »Euer Tod liegt in meiner Hand«, erklärte sie ihnen, »euer Leben gehört mir. Ich werde eure Seelen als

Spielsteine benutzen. An jedem Morgen, da ihr lebend erwacht, werdet ihr mir für meine Gnade danken, und an jedem Abend werdet ihr beten, daß mir eure dreckigen Gesichter nicht in meinen Träumen erscheinen werden. Griffid ap Annan: Du schwörst Derfel die Treue. Du küßt sein Schwert. Auf die Knie, Hund! Auf die Knie!«

Diese Männer schuldeten mir keine Treue, protestierte ich, aber Nimue wandte sich zornig zu mir um und befahl mir, das Schwert auszustrecken. Und dann kamen meine alten Kameraden, Schlamm und Schrecken im Gesicht, einer nach dem anderen auf den Knien herbeigerutscht, um Hywelbanes Spitze zu küsse. Dieser Eid verlieh mir keine Herrschaft über die Männer, machte es ihnen aber unmöglich, mich anzugreifen, ohne ihre Seelen zu gefährden, denn Nimue hatte ihnen erklärt, daß ihre Seelen, falls sie den Eid brächen, auf ewig in die finstere Anderwelt verbannt und nie wieder neue Körper auf dieser grünen sonnenbeschienenen Erde finden würden. Einer der Speerkämpfer, ein Christ, trotzte Nimue, indem er sagte, der Eid bedeute ihm nichts, aber sein Mut versagte, als sie ihr Goldauge aus der Höhle nahm, es auf ihn richtete und dabei einen Fluch ausstieß. Sofort fiel er in abgrundtiefem Entsetzen auf die Knie und küßte wie die anderen mein Schwert. Sobald alle den Eid geleistet hatten, befahl Nimue ihnen, sich wieder flach hinzulegen. Sie setzte das Goldauge in die Augenhöhle zurück. Dann ließen wir sie im Morast liegen.

Als wir außer Sichtweite waren, lachte Nimue. »Das hat mir Spaß gemacht« sagte sie, und dabei lag in ihrer Stimme ein Aufblitzen des alten, kindlichen Mutwillens. »Richtig Spaß gemacht! Ich hasse die Männer so sehr, Derfel.«

»Alle?«

»Männer in Leder, Männer mit Speeren.« Sie erschauerte. »Dich nicht. Aber alle anderen hasse ich.« Sie wandte sich um und spie hinter uns auf den Pfad. »Wie sehr müssen die Götter über diese kleinen, einherstolzierenden Männer lachen!« Sie schob ihre Kapuze zurück, um mich anzusehen. »Möchtest du, daß Lunete mit dir nach Corinium geht?«

»Ich habe geschworen, sie zu beschützen«, antwortete ich unglücklich, »außerdem hat sie mir gesagt, daß sie schwanger ist.«

»Soll das heißen, daß du ihre Begleitung wünschst?«

»Ja«, antwortete ich und meinte nein.

»Ich halte dich zwar für töricht«, sagte Nimue, »aber Lunete wird tun, was ich ihr befehle. Dennoch sage ich dir, Derfel, wenn du sie jetzt nicht verläßt, wird sie dich verlassen, sobald es ihr paßt.« Sie legte ihre Hand auf meinen Arm, damit ich stehenblieb. Wir waren in die Nähe des Eingangs zur Villa gekommen, wo die Bittsteller darauf warteten, zu Arthur vorgelassen zu werden. »Wußtest du«, fragte mich Nimue mit gesenkter Stimme, »daß Arthur erwägt, Gundleus freizulassen?«

»Nein!« Die Neuigkeit schockierte mich.

»Es stimmt. Er glaubt, daß Gundleus jetzt Frieden halten wird, und er meint, es wäre das beste, wenn Gundleus in Siluria herrscht. Ohne Tewdrics Einverständnis wird Arthur ihn allerdings nicht freilassen, deswegen wird er es vorläufig noch nicht tun, aber wenn er es tut, Derfel, werde ich Gundleus umbringen.« Sie sprach mit der schrecklichen Schlichtheit aller Wahrheiten, und mir fiel auf, daß diese wilde Grausamkeit ihr eine Schönheit verlieh, die ihr die Natur versagt hatte. Über das nasse, kalte Land blickte sie zum fernen Hügel von Caer Cadarn hinüber. »Arthur«, sagte sie, »träumt vom Frieden, aber es wird niemals Frieden geben. Niemals! Britannien ist ein Hexenkessel, Derfel, und Arthur wird ihn zum Horror aufrühren.«

»Du irrst dich«, behauptete ich loyal.

Nimue spottete meiner Überzeugung mit einer Grimasse; dann machte sie ohne ein weiteres Wort kehrt und schritt den Pfad zu den Hütten der Krieger zurück.

Ich drängte mich durch die Bittsteller in die Villa. Als ich eintrat, schenkte mir Arhtur einen flüchtigen Blick, winkte mir einen kurzen Willkommensgruß zu und richtete seine Aufmerksamkeit dann wieder auf einen Mann, der sich darüber beklagte, daß sein Nachbar die Grenzsteine verrückt habe. Neben Arthur saßen Bedwin und Gereint am Tisch, während Agricola und Prinz Tristan wie Schildwachen an der Seite standen. Einige Ratgeber und Beamte des Königreichs saßen auf dem Fußboden, der ungewohnterweise warm war, und zwar dank der Römer, die darunter einen Hohlraum gelassen hatten, der mit warmer, rauchiger Luft aus einem

Ofen gefüllt wurde. Durch einen Spalt in den Bodenfliesen stiegen Dampfwölkchen in den weiten Raum empor.

Einer nach dem anderen wurden die Bittsteller vorgelassen, damit Recht gesprochen werden konnte. Nahezu alle Fälle hätten vor dem Gericht von Lindinis entschieden werden können, das nur etwa einhundert Schritt von der Villa entfernt war, da aber viele Menschen, vor allem die heidnische Landbevölkerung, überzeugt waren, daß ein Urteilsspruch des Kronrats bindender sei als der Spruch eines von den Römern eingesetzten Gerichts, schoben sie ihren Groll und ihre Fehden auf, bis der Kronrat in bequemer Reichweite tagte. Arthur, der das Kleinkind Mordred vertrat, verhandelte geduldig mit ihnen, war aber erleichtert, als endlich das eigentliche Problem des Tages in Angriff genommen werden konnte. Und das hieß, die losen Enden nach dem Kampf des vergangenen Tages zu entwirren. Owains Krieger wurden Fürst Gereint unterstellt – mit Arthurs Empfehlung, sie auf verschiedene Truppen zu verteilen. Einer von Gereints Hauptleuten, ein Mann namens Llywarch, wurde an Owains Stelle zum neuen Befehlshaber von Mordreds Leibwache ernannt, anschließend wurde einem Beamten die Aufgabe übertragen, Owains Vermögen zu schätzen und Kernow den Anteil zu überstellen, der dem Land als *sarhaed* zustand. Mir fiel auf, wie schroff Arthur dieses Problem behandelte, wobei er es jedoch nicht versäumte, jedem einzelnen Anwesenden Gelegenheit zu geben, seine Meinung vorzutragen. Derartige Anhörungen konnten zu endlosen Diskussionen führen, doch Arthur besaß glücklicherweise die Gabe, komplizierte Probleme sofort zu verstehen und Kompromisse vorzuschlagen, die alle zufriedenstellten. Überdies bemerkte ich, daß Gereint und Bedwin Arthur bereitwillig den ersten Platz zugestanden. Bedwin hatte all seine Hoffnungen für Dumnonias Zukunft auf Arthurs Schwert gesetzt und war daher Arthurs eifrigster Befürworter, während Gereint, Uthers Neffe, zwar ein Gegner hätte sein können, doch weil der Fürst die Ambitionen seines Onkels nicht teilte, war er es zufrieden, daß Arthur die Verantwortung für die Regierung übernehmen wollte. Dumnonia hatte einen neuen Champion, Arthur ap Uther, und die Erleichterung im Raum war mit Händen greifbar.

Fürst Cadwy von Isca wurde dazu verurteilt, zu dem *sarhaed* beizutragen, der Kernow zustand. Er protestierte zwar gegen diese Entscheidung, duckte sich aber vor Arthurs Zorn und versprach kleinlaut, ein Viertel von Kernows Preis zu übernehmen. Arthur, vermutete ich, hätte wohl lieber eine härtere Strafe verhängt, aber aufgrund meines Eides durfte ich kein Wort über Cadwys Rolle bei dem Überfall auf dem Moor verlieren, und da es keine weiteren Beweise für seine Beteiligung gab, entging Cadwy einem strengeren Urteil. Mit einem Kopfnicken akzeptierte Prinz Tristan Arthurs Entscheidung.

Das nächste Problem dieses Tages war die Zukunft unseres Königs. Bisher hatte Mordred in Owains Haushalt gelebt, nun aber brauchte er ein neues Heim. Bedwin schlug einen Mann namens Nabur vor, einen Magistraten in Durnovaria. Ein anderes Ratsmitglied legte umgehend Protest ein, weil dieser Nabur ein Christenmensch war.

Um einen erbitterten Streit gleich im Keim zu ersticken, klopfte Arthur heftig auf den Tisch. »Ist Nabur anwesend?« fragte er.

Im Hintergrund des Saales erhob sich ein hochgewachsener Mann. »Ich bin Nabur.« Er war glattrasiert und trug eine römische Toga. »Nabur ap Lwyd«, stellte er sich vor. Er war ein junger Mann mit schmalem, ernstem Gesicht und zurückweichendem Haaransatz, der ihm das Aussehen eines Bischofs oder Druiden verlieh.

»Habt Ihr Kinder, Nabur?« erkundigte sich Arthur.

»Drei, die noch leben, Lord. Zwei Knaben und ein Mädchen. Das Mädchen ist im Alter unseres Lord Mordred.«

»Gibt es in Durnovaria einen Druiden oder Barden?«

Nabur nickte. »Derella, den Barden, Lord.«

Arthur besprach sich kurz mit Bedwin. Der Bischof nickte, dann wandte sich Arthur lächelnd an Nabur. »Würdet Ihr den König in Pflege nehmen?«

»Mit Freuden, mein Lord.«

»Ihr dürft ihn in Eurer Religion unterweisen, Nabur ap Lwyd, aber nur, wenn Derella anwesend ist, und wenn der Knabe fünf Jahre alt ist, muß Derella Erzieher des Knaben werden. Aus der Schatzkammer werdet Ihr die Hälfte der Zuwendung für einen König erhalten. Unser Lord Mordred muß jederzeit von zwanzig

Leibwachen umgeben sein. Der Preis seines Lebens sind Eure eigene und die Seelen Eurer gesamten Familie. Seid Ihr einverstanden?«

Als er vernahm, daß seine Frau und seine Kinder sterben würden, wenn er es zuließ, daß Mordred umgebracht wurde, erbleichte Nabur, nickte aber dennoch zustimmend. Und kein Wunder: Die Tatsache, daß er Erzieher des Königs war, sicherte Nabur einen Platz im Zentrum von Dumnonias Macht. »Ich bin einverstanden, mein Lord«, antwortete er.

Das letzte Problem des Rates war das Schicksal von Ladwys, Gundleus' Gemahlin und Geliebter und Owains Sklavin. Sie wurde in den Saal gebracht, wo sie trotzig vor Arthur stehenblieb. »Noch heute«, richtete Arthur das Wort an sie, »werde ich gen Norden nach Corinium reiten, wo Euer Gemahl gefangengehalten wird. Wünscht Ihr, mit uns zu kommen?«

»Damit Ihr mich noch tiefer demütigen könnt?« gab Ladwys zurück. Denn Owain hatte es trotz seiner Brutalität nicht geschafft, ihren Willen zu brechen.

Arthur quittierte ihren feindseligen Ton mit einem Stirnrunzeln. »Damit Ihr mit ihm zusammensein könnt, Lady«, erwiderte er freundlich. »Die Gefangenschaft Eures Gemahls ist nicht sehr hart, er wohnt in einem Haus wie diesem, wird aber, das gebe ich zu, streng bewacht. Doch Ihr dürft mit ihm in Zurückgezogenheit und Frieden zusammenleben – falls Ihr das wollt.«

Ladwys' Augen füllten sich mit Tränen. »Es könnte sein, daß er mich nicht mehr will. Ich wurde geschändet.«

Arthur zuckte die Achseln. »Ich kann nicht für Gundleus sprechen. Ich will nur, daß Ihr Euch entscheidet. Wenn Ihr lieber hierbleiben wollt, so sei es. Owains Tod bedeutet, daß Ihr frei seid.«

Sie schien sich über Arthurs Großzügigkeit zu wundern, aber schließlich nickte sie doch. »Ich werde mitkommen, mein Lord.«

»Gut.« Arthur erhob sich und trug seinen Sessel zur Seitenwand des Saals, wo er Ladwys höflich zum Sitzen einlud. Dann wandte er sich an die versammelten Ratgeber, Speerkämpfer und Häuptlinge. »Ich habe eine einzige Aussage zu machen, nur eine einzige, aber Ihr alle müßt diese einzige Aussage verstehen und sie Euren Männern, Euren Familien, Euren Stämmen und Euren Clans weitergeben. Unser König ist Mordred, kein anderer als Mordred, und darum ist es Mordred, dem wir unsere Treue und den Dienst unserer Schwerter schulden. Aber während der nächsten Jahre wird das Königreich – wie alle Königreiche – Feinden trotzen müssen, und wie immer wird es einen Bedarf an starken Entscheidungen geben, und wenn diese Entscheidungen getroffen werden, wird es unter Euch Männer geben, die sich zuflüstern, daß ich die Macht des Königs an mich reißen will. Ihr werdet sogar so weit gehen, daß Ihr glaubt, ich selbst erstrebe die Königsmacht. Also werde ich jetzt und hier, vor unseren Freunden aus Gwent und Kernow ...« – hier machte Arthur ein höfliche Geste in Richtung Agricola und Tristan – »jenen Eid, den Ihr für den heiligsten haltet, schwören, daß ich die Macht, die Ihr mir verleiht, nur zu einem einzigen Zweck gebrauchen werde, und dieser Zweck ist es, dafür zu sorgen, daß Mordred dieses Königreich von mir übernehmen kann, sobald er großjährig ist. Das schwöre ich.« Er verstummte.

Leichte Unruhe regte sich im Raum. Bis zu diesem Moment hatte niemand begriffen, wie schnell und geschickt Arthur die Macht in Dumnonia ergriffen hatte. Die Tatsache, daß er mit Bedwin und Fürst Gereint an einem Tisch saß, legte nahe, daß diese drei Männer einander an Macht gleichkamen. Mit seiner Ansprache hatte Arthur jedoch verkündet, daß es nur einen gab, der den Befehl hatte, und Bedwin und Gereint unterstützten durch ihr Schweigen Arthurs Machtanspruch. Weder Bedwin noch Gereint wurden ihrer Macht enthoben, aber von nun an würden sie sie nach Arthurs Willen ausüben, und Arthur wollte, daß Bedwin weiterhin über Streitigkeiten innerhalb des Königreichs entschied und Gereint die sächsische Grenze bewachte, während er selbst nach Norden ziehen würde, um die Streitkräfte von Powys in Schach zu halten. Ich wußte, und Bedwin wußte es möglicherweise auch, daß Arthur große Hoffnungen auf einen Frieden mit Gorfyddyds Reich setzte, daß er jedoch, solange dieser Frieden noch nicht geschlossen war, in Kriegsbereitschaft bleiben würde.

An jenem Nachmittag machte sich eine große Gruppe gen Norden auf. Arthur mit seinen beiden Kriegern und seinem Knappen Hygwydd ritt mit Agricola und dessen Männern voraus. Morgan, Ladwys und Lunete fuhren in einem Karren mit, während ich mit Nimue zu Fuß ging. Lunete war kleinlaut, überwältigt von Nimues

Zorn. Die Nacht verbrachten wir auf dem Tor, wo ich entdeckte, welch gute Arbeit Gwlyddyn leistete. Die neue Palisade war fertig, und auf den Fundamenten des alten Turms ragte bereits ein neuer empor. Ralla war schwanger. Pellinore erkannte mich nicht. Er schritt in seinem neuen Käfig umher, als müßte er Wache halten, und erteilte unsichtbaren Speerkämpfern Befehle. Druidan warf mehr als ein Auge auf Ladwys. Gudovan, der Schreiber, zeigte mir Hywels Grabstätte nördlich des Tores; dann führte er Arthur zum Schrein des Heiligen Dornbuschs, wo die heilige Norwenna gleich neben dem Wunderbaum beerdigt worden war.

Am nächsten Morgen verabschiedete ich mich von Morgan und Nimue. Der Himmel war wieder blau, der Wind war kalt, und ich zog mit Arthur gen Norden.

Im Frühling wurde mein Sohn geboren. Drei Tage später war er tot. Noch tagelang sah ich das kleine, runzlig-rote Gesichtchen vor mir, und bei der Erinnerung kamen mir die Tränen. Er hatte gesund ausgesehen. Dennoch war er, als er in seinen Windeln an der Küchenwand hing, damit Hunde und Schweine nicht an ihn herankonnten, einfach gestorben. Lunete weinte genauso wie ich, aber sie gab mir die Schuld am Tod des Kindes, denn sie behauptete, die Luft in Corinium sei verseucht, obwohl sie selbst sich in der Stadt wohl fühlte. Sie mochte die sauberen römischen Gebäude und ihr kleines Backsteinhaus, das an einer gepflasterten Straße stand, und hatte sich seltsamerweise mit Ailleann, Arthurs Geliebter, und mit Aileanns Zwillingssöhnen Amhar und Loholt angefreundet. Ich hatte nichts gegen Ailleann, aber die Knaben waren die reinste Pest. Arthur war ihnen gegenüber mehr als nachsichtig, möglicherweise, weil er Schuldgefühle hatte, da sie, genau wie er, nicht als seine rechtmäßigen und erbberechtigten Söhne geboren waren, sondern als Bastarde, die sich in dieser harten Welt allein durchschlagen mußten. Soweit ich sah, wurden sie niemals gemaßregelt – bis auf einmal, als ich sie ertappte, wie sie mit einem Messer in den Augen eines Welpen herumstocherten, und ihnen eine kräftige Ohrfeige versetzte. Der Welpe war geblendet, und ich tat das einzig Barmherzige und schenkte ihm einen schnellen Tod. Arthur hatte Verständnis für mich, sagte aber, es stehe mir nicht zu, seine Söhne zu schlagen. Seine Krieger applaudierten mir, und ich glaube, auch Ailleann billigte mein Verhalten.

Sie war eine schwermütige Frau. Sie wußte, daß ihre Tage als Arthurs Gefährtin gezählt waren, denn ihr Mann war praktisch der Herrscher von Britanniens größtem Königreich geworden und würde sich eine Braut suchen müssen, die seine Macht untermauern konnte. Wie ich wußte, war diese Braut Ceinwyn, Stern und Prinzessin von Powys, und ich vermutete, daß Ailleann es ebenfalls wußte. Sie wäre gern nach Benoic zurückgekehrt, doch Arthur wollte nicht, daß seine kostbaren Söhne das Land verließen. Ailleann wußte genau, daß Arthur sie niemals darben lassen würde, aber er würde auch seine königliche Gemahlin nicht beschämen, indem er sich in der Nähe eine Geliebte hielt. Als der Frühling die Bäume mit Blättern schmückte und Blüten über das Land verstreute, verstärkte sich ihre Schwermut.

Im Frühling griffen die Sachsen an, doch Arthur zog nicht in den Krieg. König Melwas verteidigte die Südgrenze von seiner Hauptstadt Venta aus, während Fürst Gereints Kriegshorden von Durocobrivis auszogen, um die sächsische Landwehr des gefürchteten König Aelle zu bekämpfen. Da Gereints Aufgabe schwieriger war, schickte Arthur ihm zur Verstärkung Sagramor mit dreißig Reitern, und Sagramors Eingreifen neigte die Waagschalen zu unseren Gunsten. Aelles Sachsen, hörten wir, waren der Überzeugung, daß Sagramor mit seinem schwarzen Gesicht ein Ungeheuer sei, vom Reich der Finsternis ausgesandt, und sie verfügten weder über Hexenmeister noch über genügend Schwerter, die es mit ihm aufnehmen konnten. Der Numidier trieb Aelles Männer so weit zurück, daß er eine neue Grenzlinie ziehen konnte, die einen vollen Tagesmarsch hinter der alten lag. Er markierte diese neue Grenzlinie mit einer Reihe abgeschlagener Sachsenköpfe. Er plünderte bis tief nach Lloegyr hinein und führte seine Reiter einmal sogar bis nach London, einer Stadt, die im römischen Britannien die größte gewesen war, nun aber hinter eingestürzten Mauern dahinmoderte. Die überlebenden Briten dort, berichtete uns Sagramor, seien verängstigt und hätten ihn gebeten, den labilen Frieden, den sie mit ihren sächsischen Oberherren geschlossen hätten, nicht zu gefährden.

Von Merlin hörten wir kein Wort.

In Gwent wartete man darauf, daß Gorfyddyd von Powys angriff, aber die Attacke blieb aus. Statt dessen ritt ein Bote aus Gorfyddyds Hauptstadt Caer Sws nach Süden, und zwei Wochen später ritt Arthur nach Norden, um sich mit dem feindlichen König zu treffen. Ich war einer der zwölf Krieger, die ihn begleiteten. Wir marschierten mit Schwertern, doch ohne Schilde und Kriegsspeere. Wir kamen in friedlicher Absicht, eine Tatsache, die Arthur freudig erregte. Wir hatten Gundleus von Siluria mitgenommen und marschierten zunächst in östlicher Richtung auf Tewdrics Hauptstadt Burrium zu, eine ummauerte Römerstadt mit zahllosen Rüstkammern und erfüllt vom stinkenden Rauch der Waffenschmieden; von dort aus zogen wir in Begleitung von Tewdric und seinem Anhang nach Norden. Da Agricola Gwents Grenze zum Gebiet der Sachsen verteidigte, nahm Tewdric, genau wie Arthur, nur eine Handvoll Männer mit, dazu allerdings drei Priester, darunter Sansum, den zornigen, kleinen, schwarztonsurierten Priester, den Nimue spöttisch Lughtigern, den Mäuselord, getauft hatte.

Wir waren eine bunte Gesellschaft. König Tewdrics Männer trugen über ihren römischen Uniformen rote Mäntel, während Arthur seine Krieger mit neuen grünen Mänteln ausgestattet hatte. Wir marschierten unter vier verschiedenen Bannern: Mordreds dumnonischem Drachen, Arthurs Bär, Gundleus' Fuchs und Tewdrics Stier. Gundleus wurde von Ladwys begleitet, der einzigen Frau in unserer Gruppe. Sie war wieder glücklich, und Gundleus schien sich zu freuen, sie an seiner Seite zu haben. Er war zwar immer noch unser Gefangener, trug aber wieder ein Schwert und ritt auf dem Ehrenplatz neben Arthur und Tewdric. Tewdric hegte nach wie vor Mißtrauen gegen Gundleus, doch Arthur behandelte ihn wie einen alten Freund. Schließlich gehörte Gundleus zu seinem Plan, den sich gegenseitig bekämpfenden Briten Frieden zu bringen: einen Frieden, der es Arthur ermöglichen sollte, die ganze Kraft seiner Schwerter und Speere gegen die Sachsen einzusetzen.

An der Grenze von Powys wurden wir von einer Wachabordnung empfangen, die zu unseren Ehren gekommen war. Binsen wurden auf den Weg gelegt, und ein Barde sang von Arthurs Sieg über die Sachsen im Tal des Weißen Pferdes. König Gorfyddyd war zu dieser Begrüßung nicht mitgekommen, sondern hatte Leodegan ausgesandt, den König von Henis Wyren, dessen Land von den Iren erobert worden war und der nun an Gorfyddyds Hof im Exil lebte. Leodegan war ausgewählt worden, weil sein Rang uns ehren sollte, obwohl er selbst ein weithin bekannter Dummkopf war. Er war ein außerordentlich großer und sehr dünner Mann mit langem Hals, strähnigen dunklen Haaren und einem schlaffen, feuchten Mund. Er konnte niemals stillhalten, sondern ruckte und zuckte, zwinkerte und kratzte sich ununterbrochen. »Der König wäre ja gekommen«, erklärte er uns, »jawohl, bestimmt, aber er kann nicht kommen. Versteht Ihr? Dennoch herzliche Grüße von Gorfyddyd!« Neidisch beobachtete er, wie Tewdric den Barden mit Gold entlohnte. Leodegan war, wie wir später erfuhren, ein verarmter König und verbrachte den größten Teil seiner Zeit damit, sich für die enormen Verluste zu entschädigen, die ihm Diwrnach, der irische Eroberer, zugefügt hatte, als er sein Land in Besitz nahm. »Wollen wir aufbrechen? Es gibt Unterkünfte in...« Leodegan hielt inne. »Meine Güte, jetzt hab' ich's vergessen, aber der Befehlshaber der Wache weiß, wo. Wo ist er? Da drüben. Wie heißt er noch? Na, macht nichts, wir werden schon hinkommen.«

Nun gesellten sich noch die Adlerstandarte von Powys und Leodegans Hirschbanner zu unseren Flaggen. Wir folgten einer römischen Straße, die sich speergerade durch gutes Land zog, dasselbe Land, das Arthur im vergangenen Herbst verwüstet hatte, aber nur Leodegan war taktlos genug, diesen Feldzug zu erwähnen. »Ihr seid natürlich schon mal hiergewesen«, rief er zu Arthur hinauf. Da Leodegan kein Pferd hatte, mußte er zu Fuß neben der Gruppe der Könige einhermarschieren.

Arthur runzelte die Stirn. »Ich bin mir nicht sicher, ob ich dieses Land kenne«, gab er diplomatisch zurück.

»Aber ja doch, sicher. Seht Ihr? Der verbrannte Bauernhof? Euer Werk!« Strahlend blickte Leodegan zu Arthur empor. »Man hat Euch unterschätzt, nicht wahr? Das hab' ich Gorfyddyd auch gesagt, direkt ins Gesicht. Der junge Arthur ist gut, hab' ich gesagt, aber Gorfyddyd kann einfach nicht auf einen vernünftigen Rat hören. Ein Kämpfer, ja; ein Denker, nein. Der Sohn ist besser, glaube ich. Cuneglas ist ganz eindeutig besser. Ich hatte ja gehofft, der junge Cuneglas würde eine meiner Töchter heiraten, aber Gorfyddyd will nichts davon wissen. Na, macht nichts.« Er stolperte über ein Grasbüschel. Genau wie der Fosse Way bei Ynys Wydryn, hatte auch diese Straße an beiden Seiten Abflußgräben, damit das Regenwasser ablaufen konnte, aber die Jahre hatten die Gräben aufgefüllt und die Steine der Straße mit Erdreich bedeckt, so daß sie jetzt dicht mit Unkraut und Gras bewachsen waren. Leodegan fuhr fort, alle Orte aufzuzeigen, die Arthur verwüstet hatte, gab es aber nach einer Weile auf, eine Reaktion provozieren zu wollen, und fiel zurück. Er gesellte sich zur Wachmannschaft, die hinter Tewdrics drei Priestern marschierte. Leodegan versuchte sich mit Agravain zu unterhalten, dem Befehlshaber von Arthurs Wache, doch Agravain war schlechter Laune, darum beschloß Leodegan letztlich, daß ich der aufgeschlossenste von Arthurs Gefolge sei, und fragte mich neugierig über Dumnonias Edelleute aus. Er wollte unbedingt wissen, wer vermählt war und wer nicht. »Also, Fürst Gereint, wie ist es mit dem? Ist er? Oder ist er nicht?«

»Ja, Lord«, antwortete ich.

»Und, ist sie gesund?«

»Soweit ich weiß, ja, Lord.«

»Dann König Melwas. Hat er eine Königin?«

»Sie ist verstorben, Lord.«

»Ah!« Seine Miene hellte sich auf. »Ich habe nämlich Töchter, versteht Ihr?« erklärte er mir tiefernst. »Zwei Töchter, und Töchter müssen sich verehelichen, nicht wahr? Unverheiratete Töchter nützen weder Mann noch Tier. Ehrlich gesagt, eine von meinen beiden Lieblingen wird bald heiraten. Guinevere ist versprochen. Sie wird sich mit Valerin vermählen. Habt Ihr schon von Valerin gehört?«

»Nein, Lord.«

»Ein guter Mann, ein guter Mann, ein guter Mann, aber kein ...« Er unterbrach sich, suchte nach dem richtigen Wort. »Kein Reichtum! Kein richtiges Land, versteht Ihr? Ein Stückchen kümmerlichen Boden im Westen, glaube ich, aber nicht so viel Geld, daß es sich zu zählen lohnte. Keine Pachteinnahmen, kein Gold, und ohne Pachteinnahmen oder Gold kommt man nicht weit. Und Guinevere ist eine Prinzessin! Dann ist da noch Gwenhwyvach, ihre Schwester, aber die hat überhaupt keine Vermählungsaussichten, überhaupt keine! Sie lebt ausschließlich aus meinem Beutel, und der ist, weiß Gott, schmal genug. Aber Melwas hat ein leeres Bett, nicht wahr? Das ist ein Gedanke! Obwohl es schade ist um Cuneglas.«

»Wieso, Lord?«

»Weil er keins von meinen Mädchen ehelichen will!« sagte Leodegan empört. »Ich hatte seinem Vater diesen Vorschlag gemacht. Eine solide Allianz, hab' ich gesagt, aneinandergrenzende Königreiche, ein ideales Arrangement! Aber nein. Cuneglas hat ein Auge auf Helledd von Elmet, und Arthur wird sich, wie wir hören, mit Ceinwyn vermählen.«

»Davon weiß ich nichts, Lord«, behauptete ich unschuldig.

»Ceinwyn ist ein hübsches Mädchen. O ja! Aber das ist meine Guinevere auch, nur daß sie Valerin ehelichen soll. Du meine Güte! Welch eine Verschwendung! Keine Pachteinnahmen, kein Gold, kein Geld, nichts außer ein paar abgesoffenen Weiden und einer Handvoll elender Kühe. Das wird ihr bestimmt nicht gefallen! Sie schätzt ihren Komfort, meine Guinevere, aber Valerin weiß nicht mal, was Komfort ist! Lebt in einer Schweinehütte, soweit ich das beurteilen kann. Immerhin ist er ein Häuptling. Allerdings, je tiefer man nach Powys reinkommt, desto mehr Männer schimpfen sich Häuptling.« Er seufzte. »Dabei ist sie eine Prinzessin! Ich dachte, daß einer von Cadwallons Söhnen in Gwynedd sich mit ihr vermählen würde, aber Cadwallon ist ein seltsamer Bursche. Hat mich nie so recht gemocht. Hat mir auch nicht geholfen, als die Iren kamen.«

Er verstummte und dachte über diese gröbliche Ungerechtigkeit nach. Wir waren inzwischen so weit nach Norden vorgedrungen, daß uns Land und Leute fremd waren. In Dumnonia waren wir von Gwent, Siluria, Kernow und den Sachsen umgeben, hier aber sprachen die Männer über Gwynedd und Elmet, Lleyn und Ynys Mon. Lleyn war einst Henis Wyren gewesen, Leodegans Reich, zu dem auch Ynys Mon, die Insel Mona, gehört hatte. Beide wurden jetzt von Diwrnach regiert, einem der irischen Lords »Hinter dem Meer«, die sich in Britannien Königreiche zusammenstahlen. Leodegan, sinnierte ich, mußte für einen grimmigen Mann wie Diwrnach, der für seine Grausamkeit berühmt war, leichte Beute gewesen sein. Selbst in Dumnonia hatten wir gehört, daß der Ire die Schilde seiner Kriegshorde mit dem Blut der Männer bemalte, die sie in der Schlacht getötet hatten. Es sei besser, gegen die Sachsen zu kämpfen, sagten die Männer, als gegen Diwrnych zu Felde zu ziehen.

Aber wir zogen gen Caer Sws, um Frieden zu schließen, und nicht, um Krieg zu beginnen. Caer Sws erwies sich als kleine, schlammige Stadt, die um ein trostloses römisches Fort herumgebaut war. Sie lag in einem weiten Sohlental an einer tiefen Furt über den Severn, der hier Hfren hieß. Das eigentliche Zentrum von Powys war Caer Dolforwyn, ein schöner Hügel mit einem Krönungsstein auf dem Gipfel, doch wie Caer Cadarn verfügte Caer Dolforwyn weder über genügend Wasser noch über genügend Platz, um einen königlichen Gerichtshof, Schatzkammer, Rüstkammern, Küchen und Speicherhäuser aufzunehmen, daher saß die Regierung von Powys, wiederum vergleichbar mit Dumnonia, wo die Alltagsgeschäfte von Lindinis aus geregelt wurden, in Caer Sws, und nur in Zeiten der Gefahr oder an hohen königlichen Festtagen verlegte sich Gorfyddyds Hof flußabwärts auf Caer Dolforwyns alles beherrschenden Gipfel.

Caer Sws' römische Bauwerke waren alle so gut wie verschwunden, doch Gorfyddyds Festhalle war auf einem der alten Steinfundamente errichtet worden. Er hatte die Halle durch zwei neue Seitenflügel ergänzen lassen, die speziell für Tewdric und Arthur erbaut worden waren. Gorfyddyd empfing uns in seiner Halle. Der König von Powys war ein säuerlicher Mann, dessen linker Ärmel dank Excalibur leer herabhing. Er war im mittleren Alter, kräftig gebaut und hatte ein argwöhnisches Gesicht mit kleinen Augen, in denen keine Spur von Herzlichkeit lag, als er Tewdric umarmte und einen widerwilligen Willkommensgruß brummte. Als Arthur, der ja kein König war, vor ihm niederkniete, verstummte er mürrisch. Seine Häuptlinge und Krieger hatten lange, geflochtene Schnauzbärte und trugen schwere Mäntel, triefend vom Regen, der den ganzen Tag über gefallen war. In der Halle roch es nach nassen Hunden. Frauen waren keine anwesend, bis auf zwei Sklavinnen, die Krüge herumtrugen, aus denen Gorfyddyd immer wieder Hörner voll Met schöpfte. Später sollten wir erfahren, daß er in den langen Wochen, nachdem er seinen Arm durch Excalibur verlor, mit dem Trinken begonnen hatte, Wochen, in denen er fieberte und jedermann an seiner Genesung zweifelte. Der Met war dick und stark gebraut, und seiner Wirkung war es letztlich zu verdanken, daß die Sorge um Powys von dem verbitterten und verwirrten Gorfyddyd auf die Schultern seines Sohnes Cuneglas, Edling von Powys, übertragen wurde.

Cuneglas war ein junger Mann mit rundem, klugem Gesicht und langen, dunklen Schnurrbartspitzen. Er lachte gern, wirkte entspannt und war immer freundlich. Er und Arthur waren verwandte Seelen, soviel stand fest. Drei Tage lang jagten sie Rotwild in den Bergen, um des Abends zu tafeln und dem Gesang der Barden zu lauschen. In Powys gab es nur wenige Christen, aber sobald Cuneglas erfuhr, daß Tewdric Christ war, verwandelte er einen Speicher in eine Kirche und forderte die Priester auf, darin zu predigen. Ja, er lauschte sogar persönlich einer dieser Predigten, obwohl er anschließend den Kopf schüttelte und erklärte, er ziehe seine eigenen Götter vor. König Gorfyddyd bezeichnete die Kirche als Unsinn, untersagte es seinem Sohn jedoch nicht, Tewdrics Religion zu dulden. Allerdings sorgte Gorfyddyd dafür, daß sein Druide die provisorische Kirche mit einem Ring von Zaubersprüchen umgab. »Gorfyddyd ist nicht restlos davon überzeugt, daß wir wirklich Frieden halten wollen«, warnte uns Arthur am zweiten Abend, »aber Cuneglas hat ihm die Zweifel ausgeredet. Also bleibt um Gottes willen nüchtern, laßt eure Schwerter in den Scheiden und fordert keinen Streit heraus. Ein einziger Funke hier, und Gorfyddyd wird uns sofort rauswerfen und wieder mit dem Krieg beginnen.«

Am vierten Tag kam der Kronrat von Powys in der großen Halle zusammen. Der Hauptpunkt des Tages war es, Frieden zu schaffen, und das war trotz Gorfyddyds Bedenken schnell getan. Der König von Powys hing in seinem Sessel und sah zu, wie sein Sohn den Beschluß verkündete. Powys, Gwent und Dumnonia, erklärte Cuneglas, seien von nun an Verbündete, einer vom Blut des anderen, und ein Angriff auf eins der drei Länder würde als Angriff auf alle drei betrachtet werden. Gorfyddyd nickte zustimmend, wenn auch ohne Begeisterung. Und besser noch, fuhr Cuneglas fort, sobald seine eigene Vermählung mit Helledd von Elmet vollzogen sei, würde auch Elmet dem Bündnis beitreten, so daß den Sachsen eine vereinte Front britischer Königreiche gegenüberstehe. Dieses Bündnis war der große Vorteil, den Gorfyddyd aus dem Frieden mit Dumnonia zog: die Gelegenheit, gegen die Sachsen Krieg zu führen; und Gorfyddyds Preis für diesen Frieden war, daß Powys als Führer des Krieges anerkannt wurde. »Er will Großkönig werden«, erklärte uns Agravain grollend, der hinten bei uns in der Halle saß. Darüber hinaus verlangte Gorfyddyd, daß sein Cousin Gundleus von Siluria wiedereingesetzt werde. Tewdric, der mehr als alle anderen unter den silurischen Raubzügen gelitten hatte, sah es nicht gern, daß Gundleus wieder auf seinen Thron gesetzt werden sollte, und wir Dumnonier waren nicht bereit, ihm den Mord an Norwenna zu verzeihen, während ich persönlich den Mann für das haßte, was er Nimue angetan hatte. Da Arthur uns jedoch überzeugt hatte, daß Gundleus' Freilassung ein geringer Preis für den Frieden sei, wurde der hinterhältige Gundleus tatsächlich wiedereingesetzt.

Gorfyddyd mochte gegen den Friedensschluß gewesen sein, aber er hatte sich offensichtlich von dessen Vorteilen überzeugen lassen, denn er war sogar bereit, den höchsten möglichen Preis für den erfolgreichen Abschluß zu zahlen: Er war bereit, Arthur seine Tochter Ceinwyn, den Stern von Powys, zur Gemahlin zu geben. Gorfyddyd war ein störrischer Mann, argwöhnisch und hart, aber er liebte seine siebzehnjährige Tochter und überschüttete sie mit den letzten Resten von Zuneigung und Liebe, die in seiner Seele zu finden waren. Die Tatsache, daß er willens war, sie mit Arthur zu vermählen, der weder König war noch den Titel Prinz tragen durfte, war Beweis für Gorfyddyds Überzeugung, daß seine Krieger nicht länger gegen andere Briten kämpfen dürften. Darüber hinaus bewies die Verlobung, daß Gorfyddyd Arthur, genau wie sein Sohn Cuneglas, letztlich als die eigentliche Macht in Dumnonia anerkannte. Und so wurden Ceinwyn und Arthur bei dem großen Festmahl, das der Ratssitzung folgte, einander offiziell versprochen.

Die Verlobungszeremonie galt als so wichtig, daß die ganze Versammlung von Caer Sws in die glückverheißendere Festhalle auf dem Gipfel von Caer Dolforwyn umzog, der nach Dolforwyn benannt war, einer Wiese am Fuß des Hügels, deren Name passenderweise Jungfrauenwiese bedeutete. Wir erreichten die Stätte bei Sonnenuntergang, als die Hügelkuppe schon in dem Rauch der großen Feuer gehüllt war, über denen Hirsche und Schweine gebraten wurden. Tief unter uns wand sich der silbrige Severn durchs Tal, während sich im Norden die großen Bergketten dunkel in Richtung Gwynedd hinzogen. Es hieß, daß man von Caer Dolforwyns Gipfel an klaren Tagen bis nach Cadair Idris sehen könne, an jenem Abend aber war der Horizont von fernen Regenschleiern verhangen. Am Fuß des Hügels standen riesige Eichen, aus denen zwei rote Milane stiegen, während die Sonne die westlichen Wolken scharlachrot färbte. Wir alle waren uns einig, daß der Anblick der beiden Vögel, die so spät in den sterbenden Tag hineinflogen, ein wundervolles Vorzeichen sei. Im Innenraum der Halle sangen die Barden das Lied von Hafren, der menschlichen Jungfrau, die Dolforwyn den Namen gegeben hatte und die in eine Göttin verwandelt wurde, als ihre Stiefmutter versuchte, sie in dem Fluß am Fuß des Hügels zu ertränken. Sie sangen, bis die Sonne untergegangen war.

Damit die Mondgöttin das Paar segnen konnte, fand die Verlobungsfeier am Abend statt. Arthur bereitete sich als erster darauf vor und verließ die Halle für eine ganze Stunde, bevor er in all seiner Pracht zurückkehrte. Der Schuppenpanzer mit seinen Gold- und Silberplättchen funkelte, und die Gänsefedern auf seinem hohen, silbergetriebenen Totenkopfhelm streiften die Dachbalken der Halle, als er den Mittelgang heraufgeschritten kam. Sein silberüberzogener Schild gleißte im Licht, während sein weißer Mantel hinter ihm über den Boden strich. In der Festhalle trugen die Männer sonst keine Waffen, aber an jenem Abend hatte sich Arthur mit Excalibur gegürtet und trat an die Hohe Tafel wie ein Eroberer, der Frieden schließt. Und selbst Gorfyddyd von Powys hielt den Atem an, als sein ehemaliger Feind auf das Podium zuschritt. Bis jetzt war Arthur als Friedensstifter aufgetreten, an jenem Abend aber wünschte er seinen zukünftigen Schwiegervater an seine Macht zu erinnern.

Nur wenige Augenblicke später betrat auch Ceinwyn die Halle. Sie hatte sich seit unserer Ankunft in Caer Sws in den Frauengemächern aufgehalten, und dieses Versteckspiel verstärkte die gespannten Erwartungen all jener von uns, die Gorfyddyds Tochter noch nie gesehen hatten. Ich muß gestehen, daß die meisten von uns damit rechneten, von diesem Stern von Powys enttäuscht zu sein, aber sie glänzte wahrhaftig heller als jeder Stern. Als sie mit ihren Damen in die Halle kam, raubte ihr Anblick den versammelten Männern den Atem. Vor allem mir. Sie war so hellhäutig, wie es sonst eher bei den Sachsen vorkommt, aber bei Ceinwyn hatte sich diese Hellhäutigkeit in eine bleiche, zarte Lieblichkeit verwandelt. Sie wirkte sehr jung, mit scheuem Blick, hübschem Gesicht und zurückhaltendem Benehmen. Gekleidet war sie in ein Gewand aus Leinen, das mit Bienenwachs gelb gefärbt und an Halsausschnitt und Saum mit weißen Sternen bestickt worden war. Ihr Haar war golden und schien so hell zu schimmern wie Arthurs Rüstung. Sie war so schlank, daß Agravain, der neben mir auf dem Boden der Festhalle saß, zu mir sagte, sie tauge nicht zum Kinderkriegen. »Jedes normale Kind wird sterben, wenn es sich durch diese Hüften kämpft«, erklärte er säuerlich. Dennoch hatte ich Mitleid mit Ailleann, die sicher gehofft hatte, daß Arthurs Gemahlin nichts weiter als eine dynastische Notwendigkeit wäre.

Der Mond segelte hoch über Caer Dolforwyns Gipfel dahin, als Ceinwyn gemessen und scheu auf Arthur zuschritt. In den Händen trug sie ein Halfter, ein Geschenk, das sie ihrem zukünftigen Gemahl zum Zeichen dafür brachte, daß sie aus der Gewalt ihres Vaters in die seine übergehen werde. Als sie es Arthur überreichte, fingerte er ungeschickt daran herum und hätte das Halfter fast fallen lassen, und das war eindeutig ein schlechtes Zeichen, aber alle, selbst Gorfyddyd, gingen lachend über den kleinen Zwischenfall hinweg. Dann wurden die beiden von Iorweth, dem Druiden von Powys, einander offiziell versprochen. Die Fackeln flackerten, als ihre Hände mit einer Kette aus verknotetem Gras verbunden wurden. Arthurs Gesicht war hinter dem silbergrauen Helm versteckt, doch Ceinwyn, die süße Ceinwyn, war ganz und gar von Freude erfüllt. Der Druide gab ihnen seinen Segen und beschwor Gwydion, den Gott des Lichts, und Aranrhod, die silberne Göttin der Morgendämmerung, als persönliche Schutzgötter der beiden und bat sie, ganz Britannien mit ihrem Frieden zu segnen. Ein Harfner spielte, Männer applaudierten, und Ceinwyn, die bezaubernde, silberne Ceinwyn, weinte und lachte vor lauter Freude in ihrer Seele. An jenem Abend verlor ich mein Herz an Ceinwyn. Genau wie viele andere Männer auch. Sie wirkte so glücklich, und das war kein Wunder, denn durch Arthur entging sie dem Alptraum aller Prinzessinnen, der darin besteht, aus Liebe zu ihrem Land heiraten zu müssen statt aus wahrer Herzensliebe. Wenn es gilt, eine Grenze zu sichern oder ein Bündnis zu schließen, wird eine Prinzessin zu jedem stinkenden, schlaffbäuchigen alten Bock gelegt, aber Ceinwyn hatte Arthur gefunden und sah in seiner Jugend und Liebenswürdigkeit zweifellos das Ende ihrer Befürchtungen.

Auf dem Höhepunkt der Zeremonie traf Leodegan in der Halle ein, der exilierte König von Henis Wyren. Er war seit unserer Ankunft nicht mehr bei uns gewesen, sondern hatte sich in sein eigenes Haus nördlich von Caer Sws begeben. Nun stand er, begierig auf das große Bankett, das einer Verlobungsfeier jedesmal folgte, im Hintergrund der Halle und beteiligte sich an dem Beifall, der die Übergabe von Arthurs Gold und Silber begleitete. Darüber hinaus hatte Arthur von Dumnonias Kronrat Erlaubnis erhalten, Gorfyddyds Kriegsrüstung zurückzubringen, die er im Jahr zuvor erobert hatte, doch dieser Schatz war dem König im stillen übergeben worden, damit kein Anwesender an Powys' Niederlage erinnert wurde.

Sobald die Geschenke überreicht waren, setzte Arthur den Helm ab und nahm neben Ceinwyn Platz. Er sprach mit ihr, beugte sich zu ihr hinüber, wie er es immer tat, so daß sie zweifellos das Gefühl hatte, für ihn der wichtigste Mensch der Welt zu sein, ein Gefühl, auf das sie wahrhaftig ein Recht hatte. Viele von uns in der Halle waren neidisch auf eine Liebe, die so perfekt zu sein schien, und selbst Gorfyddyd, der wohl verbittert darüber war, seine Tochter an einen Mann zu verlieren, der ihn besiegt und in der Schlacht verstümmelt hatte, schien sich über Ceinwyns Glück zu freuen.

Und doch geschah es ausgerechnet an jenem glücklichen Abend, als der Friede endlich geschlossen war, daß Arthur Britannien der Vernichtung anheimgab.

Damals wußte das noch niemand. Auf die Übergabe der Verlobungsgeschenke folgten Sang und Trank. Wir sahen Gauklern zu, wir lauschten Gorfyddyds königlichem Barden und brüllten unsere eigenen Lieder. Einer unserer Männer vergaß Arthurs Ermahnung und begann Streit mit einem powysischen Krieger. Die beiden Betrunkenen wurden nach draußen gezerrt und mit Wasser übergossen, und eine halbe Stunde später lagen sie einander in den Armen und schworen sich ewige Freundschaft. Und irgendwann in diesen Stunden, als die Flammen hochschlugen und der Met reichlich floß, sah ich, daß Arthur angestrengt in den Hintergrund der Halle spähte, und da ich neugierig war, wollte ich sehen, was seine Aufmerksamkeit erregt hatte.

Als ich mich umwandte, entdeckte ich eine junge Frau, die mit Kopf und Schultern über die Menge hinausragte und eine herausfordernde, trotzige Miene zur Schau trug. Wenn du mich beherrschen kannst, schien ihr Ausdruck zu sagen, kannst du alles beherrschen, was diese schlechte Welt dir bringen mag. Noch heute sehe ich sie vor mir, wie sie da stand, umringt von ihren Jagdhunden, denen die gleiche schmale, sehnige Gestalt eigen war, die gleiche lange Nase und die gleichen Jägeraugen wie ihrer Herrin. Grüne Augen hatte sie, mit einer Art grausamer Tiefe darin. Es war kein weiches Gesicht, genau wie auch ihr Körper nicht weich war. Sie war eine Frau mit kraftvollen Zügen und hohen Wangenknochen, und das ergab ein gutes Gesicht, ein ansehnliches Gesicht, aber es war hart, furchtbar hart. Schön wirkte sie vor allem durch ihr Haar und ihre Haltung, denn sie hielt sich so gerade wie ein Speer, und die Haare fielen ihr wie eine Kaskade von roten Locken um die Schultern. Das rote Haar machte ihre Erscheinung weicher, während ihr Lachen die Männer einfing, wie man Lachse in Weidenreusen fängt. Es hat viele schönere Frauen gegeben, und Tausende, die besser waren, doch seit Anbeginn der Welt hat es bestimmt nicht viele Frauen gegeben, die so unvergeßlich waren wie Guinevere, älteste Tochter von Leodegan, dem exilierten König von Henis Wyren.

Und es wäre besser gewesen, pflegte Merlin zu uns zu sagen, wenn sie gleich bei der Geburt ertränkt worden wäre.

Am folgenden Tag ging die königliche Gesellschaft auf die Jagd. Guineveres Hunde stellten einen Spießbock, einen Junghirsch ohne Geweih, doch wenn man hörte, wie Arthur die Hunde lobte, hätte man meinen können, sie hätten den wilden Hirsch von Dyfed persönlich gejagt.

Die Barden singen von Liebe, und Männer wie Frauen sehnen sich danach, doch niemand weiß, was Liebe ist, bis sie zuschlägt wie ein Speer aus dem Dunkeln. Arthur konnte den Blick nicht von Guinevere wenden, obwohl er es, das wissen die Götter, immer wieder versuchte. In den Tagen nach der Verlobungsfeier, die wir in Caer Sws verbrachten, ging und redete er mit Ceinwyn, aber er konnte es nicht abwarten, Guinevere wiederzusehen, und sie, die genau wußte, welch ein Spiel sie trieb, ließ ihn zappeln. Valerin, ihr Verlobter, war ebenfalls bei Hof, also spazierte sie Arm in Arm mit ihm herum, lachte und plauderte, um ganz plötzlich einen kurzen Seitenblick zu Arthur hinüberzuwerfen, für den dann auf einmal die Welt stehenzubleiben schien. Er verzehrte sich nach Guinevere.

Wäre alles anders verlaufen, wenn Bedwin dabeigewesen wäre? Ich glaube kaum. Nicht einmal Merlin hätte den Lauf der Dinge aufhalten können. Genauso hätte man versuchen können, den Regen in die Wolken zurückzuschicken, oder einem Fluß befehlen wollen, zur Quelle hinaufzufließen.

Am zweiten Abend nach dem Fest kam Guinevere nach Einbruch der Dunkelheit in unsere Halle, und ich, der ich draußen Wache stand, hörte mit an, wie sie drinnen lachten und flüsterten. Die ganze Nacht redeten sie, und möglicherweise taten sie auch noch mehr als nur reden, davon weiß ich nichts, aber reden taten sie, und das weiß ich genau, denn ich stand draußen vor der Tür und konnte nicht anders als sie belauschen. Manchmal redeten sie so leise, daß ich nichts verstand, dann wieder hörte ich Arthur erklären und schmeicheln, gut zureden, bitten und drängen. Sie müssen von Liebe gesprochen haben, aber das konnte ich nicht hören, statt dessen hörte ich Arthur von Britannien und von dem Traum sprechen, der ihn veranlaßt hatte, übers Meer von Armorica herüberzukommen. Er sprach von den Sachsen und daß sie eine Plage seien, mit der man aufräumen müsse, wenn das Land jemals glücklich werden sollte. Er sprach vom Krieg und von der schrecklichen Freude, die er empfand, wenn er mit einem geharnischten Pferd in die Schlacht ritt. Er sprach, wie er auf den eiskalten Wällen von Caer Cadarn mit mir gesprochen hatte, schilderte ein Land in tiefem Frieden, in dem das gemeine Volk sich nicht vor Speerkämpfern fürchten mußte, die bei Tagesanbruch auftauchten. Er sprach leidenschaftlich, eindringlich, und Guinevere lauschte ihm bereitwillig und versicherte ihm, sein Traum sei begeisternd. Arthur spann eine Zukunft aus seinem Traum, und Guinevere war eng mit diesem Faden verwoben. Die arme Ceinwyn, sie hatte nur ihre Schönheit und ihre Jugend, während Guinevere die Einsamkeit in Arthurs Seele erkannte und ihm versprach, sie zu heilen. Sie verließ ihn vor Morgengrauen, eine dunkle Gestalt, die über den Burghof von Caer Sws dahinhuschte, eine Gestalt mit einer Mondsichel im Lockenhaar.

Am Tag darauf promenierte Arthur reumütig mit Ceinwyn und ihrem Bruder. Guinevere trug an jenem Tag einen schweren neuen Goldtorques, und einige von uns empfanden Mitleid mit Ceinwyn, aber Ceinwyn war nur ein Kind, während Guinevere eine Frau und Arthur hilflos war.

Sie war wahnsinnig, diese Liebe. So wahnsinnig wie Pellinore. Wahnsinnig genug, um Arthur auf die Toteninsel zu verbannen. Nichts anderes galt Arthur mehr etwas: Britannien, die Sachsen, das neue Bündnis – die ganze große, sorgfältig ausgewogene Friedensstruktur, auf die er seit seiner Rückkehr aus Armorica hingewirkt hatte, trieb jetzt wegen einer bettelarmen, rothaarigen Prinzessin Ohneland wild wirbelnd in den Untergang. Er wußte, was er tat, konnte aber genausowenig etwas dagegen tun, wie man die Sonne am Aufgehen hindern kann. Er war besessen, dachte an sie, sprach von ihr, träumte von ihr, konnte nicht ohne sie leben; und dennoch hielt er, wenn auch voll Qualen, irgendwie den Schein seines Verlöbnisses mit Ceinwyn aufrecht. Die Vermählungsarrangements wurden besprochen. Als Anerkennung für Tewdrics Beitrag zum Friedensvertrag sollte die Eheschließung in Glevum stattfinden, und Arthur sollte dorthin vorausreisen, um in Ruhe seine Vorbereitungen zu treffen. Der Bund konnte erst geschlossen werden, wenn der Mond zunahm. Vorläufig nahm er immer noch ab, und niemand würde es riskieren, unter einem so schlechten Zeichen zu heiraten, aber in zwei Wochen standen die Zeichen weitaus besser, und dann würde Ceinwyn mit Blumen im Haar nach Süden ziehen.

Doch Arthur trug Guineveres Haar um den Hals. Es war ein dünnes rotes Zöpfchen, das er unter dem Kragen versteckte. Ich sah es, als ich ihm eines Morgens Wasser brachte. Er stand mit nacktem Oberkörper da, schliff sein Rasiermesser an einem Wetzstein und zuckte die Achseln, als er merkte, daß mir die geflochtene Haarsträhne auffiel. »Glaubst du etwa, daß rotes Haar Unglück bringt, Derfel?« fragte er mich, als er meine Miene sah.

»Das sagen jedenfalls alle, Lord.«

»Aber haben alle recht?« fragte er den Bronzespiegel. »Wenn du eine Schwertklinge härten willst, Derfel, tauchst du sie nicht in Wasser, sondern in den Urin eines rothaarigen Knaben. Also muß das Glück bringen, nicht wahr? Und was, wenn rotes Haar wirklich Unglück brächte?« Er hielt inne, spuckte auf den Stein und zog die Messerklinge darauf hin und her. »Unsere Aufgabe ist es, Derfel, Dinge zu verändern, nicht, sie bestehen zu lassen. Warum lassen wir rote Haare nicht einfach Glück bringen?«

»Ihr könnt alles, Lord«, gab ich voll unglücklicher Loyalität zurück.

Er seufzte. »Ich hoffe nur, daß du recht hast, Derfel. Ich hoffe es.« Er blickte in den Bronzespiegel und zuckte zusammen, als er das Messer an die Wange setzte. »Friede ist mehr als eine Vermählung, Derfel. Es muß einfach so sein! Wegen einer Braut beginnt man keinen Krieg. Wenn der Friede so begehrenswert ist, und das ist er, läßt man nicht von ihm ab, weil eine Vermählung nicht stattfindet – oder?«

»Ich weiß es nicht, Lord«, antwortete ich. Ich wußte nur, daß mein Lord in Gedanken Argumente auswendig lernte und sie so lange wiederholte, bis er selber an sie glaubte. Er war wahnsinnig vor Liebe, so wahnsinnig, daß Norden Süden war und Hitze Kälte. Diesen Arthur hatte ich zuvor nur einmal gesehen: ein Mann voll Leidenschaft und, ich wage es auszusprechen, Selbstsucht. Arthur war zu schnell emporgestiegen. Gewiß, er war mit königlichem Blut in den Adern geboren, da er von seinem Vater jedoch nicht anerkannt worden war, führte er all seine Erfolge auf sich selbst zurück. Darauf war er stolz, und ebendiese Erfolge überzeugten ihn, daß er alles besser wußte als andere, Merlin vielleicht ausgenommen, und da dieses Wissen so oft genau das war, was sich die anderen Menschen wünschten, galten seine selbstsüchtigen Ambitionen fast immer als edel und weitblickend. In Caer Sws liefen seine Ambitionen jedoch den Wünschen der anderen entgegen.

Ich überließ ihn seiner Rasur und ging hinaus in den Sonnenschein, wo Agravain seine Saufeder schärfte. »Nun?« fragte er mich.

»Er wird Ceinwyn nicht heiraten«, berichtete ich ihm. Wir waren außer Hörweite der Halle, aber selbst wenn wir nicht so weit weg gewesen wären, hätte Arthur uns nicht gehört. Er sang.

Agravain spie aus. »Er wird die heiraten, die man ihm zu heiraten befiehlt«, sagte er. Dann rammte er den Speerschaft in den Boden und kehrte in Tewdrics Quartiere zurück.

Ob Gorfyddyd und Cuneglas wußten, was geschah, vermochte ich nicht zu sagen, denn sie standen nicht wie wir in ständigem Kontakt mit Arthur. Falls Gorfyddyd etwas argwöhnte, dachte er vermutlich, es spiele keine große Rolle. Zweifellos glaubte er – falls er überhaupt etwas glaubte –, daß Arthur Guinevere zur Geliebten und Ceinwyn zur Gemahlin nehmen würde. Es waren natürlich keine sehr feinen Manieren, in der Woche der Verlobung eine derartige Abmachung zu treffen, aber um feine Manieren hatte sich Gorfyddyd von Powys noch nie gekümmert. Er selbst hatte ebenfalls keine Manieren und wußte so gut wie alle Könige, daß Gemahlinnen dazu da waren, Dynastien zu schaffen, und Geliebte fürs Vergnügen. Seine eigene Gemahlin war längst gestorben, daher hielt ihm eine Reihe von jungen Sklavinnen das Bett warm, und die verarmte Guinevere würde in seinen Augen nie sehr weit über einer Sklavin rangieren und bildete daher keine Gefahr für seine geliebte Tochter. Cuneglas war scharfsinniger als sein Vater, und ich bin sicher, daß er Ärger witterte, aber er hatte all seine Kraft in diesen neuen Frieden investiert und muß gehofft haben, daß Arthurs Leidenschaft für Guinevere vorübergehen werde wie ein Sommergewitter. Aber vielleicht argwöhnten Gorfyddyd und Cuneglas auch nichts, denn sie schickten Guinevere nicht aus Caer Sws fort, obwohl nur die Götter wissen, ob sie damit etwas erreicht hätten. Agravain meinte, der Wahnsinn werde sich wieder legen. Wie er mir sagte, war Arthur schon einmal so vollkommen besessen gewesen. »Damals war es ein Mädchen in Ynys Trebes«, erzählte er mir. »Ich weiß nicht mehr, wie sie hieß. Mell? Messa? Na ja, so ähnlich. Hübsches kleines Ding. Richtig vernarrt war Arthur in sie, lief ihr nach wie ein Hund dem Leichenkarren. Aber damals war er noch jung, so jung, daß ihr Vater meinte, es werde nie etwas aus ihm werden; also schickte er seine Mella-Messa nach Broceliande und verheiratete sie mit einem Beamten, der fünfzig Jahre älter war als sie. Sie starb im Kindbett, aber bis dahin hatte Arthur sie überwunden. Solche Dinge geschehen eben, Derfel. Warte nur ab, Tewdric wird Arthur schon wieder Verstand einhämmern.«

Tewdric schloß sich den ganzen Vormittag mit Arthur ein, und ich dachte schon, es sei ihm vielleicht gelungen, meinem Lord den Kopf zurechtzurücken, denn Arthur wirkte den ganzen Tag recht kleinlaut. Er wagte Guinevere kein einziges Mal anzusehen, sondern zwang sich, zu Ceinwyn besonders liebenswürdig zu sein, und hörte sich am Abend – vermutlich, um Tewdric eine Freude zu machen – zusammen mit Ceinwyn in der kleinen, improvisierten Kirche eine Predigt von Sansum an. Ich hatte den Eindruck, die Predigt des Mäuselords habe Arthur gefallen, denn anschließend lud er Sansum in seine Halle ein und zog sich sehr lange mit dem Priester zurück.

Am nächsten Morgen erschien Arthur mit entschlossenem, finsterem Gesicht und verkündete, daß wir alle noch am selben Vormittag aufbrechen würden. Ja, sogar noch zur selben Stunde. Da wir eigentlich erst in zwei Tagen abreisen sollten, müssen Gorfyddyd, Cuneglas und Ceinwyn überrascht gewesen sein, doch Arthur überzeugte sie, daß er mehr Zeit für die Vorbereitungen zur Vermählung brauche, und Gorfyddyd akzeptierte diese Erklärung durchaus gelassen. Cuneglas nahm vermutlich an, Arthur breche so zeitig auf, um sich Guineveres Verlockungen zu entziehen; also erhob er keinen Protest, sondern befahl, für unsere Reise Brot, Käse, Honig und Met einzupacken. Ceinwyn, die liebliche Ceinwyn, verabschiedete sich von allen Reisenden und begann damit bei uns, der Leibwache. Wir waren alle in sie verliebt und nahmen Arthur seinen Liebeswahn übel, obwohl wir nur sehr wenig mit unserem Groll anfangen konnten. Ceinwyn überreichte jedem von uns ein kleines Geschenk aus Gold, und jeder von uns versuchte ihr Geschenk abzulehnen, doch sie bestand energisch darauf. Mir schenkte sie eine Brosche mit einem verschlungenen Muster, die ich ihr zurückzugeben versuchte; aber sie lächelte nur und schloß meine Finger um das Gold. »Bitte, tragt Sorge um Euren Lord«, bat sie mich ernst.

»Und um Euch, Lady«, antwortete ich glühend.

Sie lächelte und ging weiter zu Arthur, um ihm einen Blütenzweig zu geben, der ihm eine schnelle und sichere Reise bringen sollte. Arthur befestigte die Blüten an seinem Schwertgehenk und küßte seiner Verlobten die Hand. Dann bestieg er Llamreis breiten Rükken. Cuneglas wollte uns einen Trupp Reiter als Begleitung mitgeben, aber Arthur verzichtete auf diese Ehre. »Laßt uns losreiten, Lord Prinz«, bat er, »damit ich um so schneller alles für unser Glück vorbereiten kann.«

Ceinwyn war erfreut über Arthurs Worte, der stets höfliche Cuneglas befahl, die Tore zu öffnen, und Arthur galoppierte wie ein Mann, der eine schwere Prüfung hinter sich hat, auf Llamrei wie wahnsinnig zum Tor von Caer Sws hinaus und durch die tiefe Furt des Severn. Als wir Leibwachen ihm zu Fuß folgten, entdeckten wir am anderen Ufer des Flusses einen Blütenzweig auf der Erde. Agravain hob ihn verstohlen auf, damit Ceinwyn ihn nicht später fand.

Sansum kam mit uns. Seine Anwesenheit wurde nicht weiter erklärt, doch Agravain vermutete, daß Tewdric dem Priester befohlen hatte, Arthur von seinem Wahnsinn abzubringen, diesem Wahnsinn, um dessen Einhalt wir alle beteten, aber wir befanden uns im Irrtum. Der Wahnsinn war vom allerersten Moment an unheilbar gewesen, als Arthur in Gorfyddyds Halle zur Tür hinübergespäht und Guineveres rote Haare gesehen hatte. Sagramor pflegte uns eine uralte Geschichte von einer Schlacht in der alten Welt zu erzählen, einer Schlacht um eine große Stadt mit Türmen, Palästen und Tempeln, und das ganze Elend begann nur wegen einer Frau, und wegen dieser Frau mußten zehntausend bronzegepanzerte Krieger im Staub ihr Leben aushauchen.

So überholt schien mir diese Geschichte allerdings doch nicht zu sein.

Denn nur zwei Stunden nachdem wir Caer Sws verlassen hatten, trafen wir in einem einsamen Waldstück, wo es keine Bauernhöfe gab, sondern nur steile Hügel, flinke Bäche und dicke, schwere Bäume, auf Leodegan von Henis Wyren, der an unserem Weg wartete. Wortlos führte er uns einen Pfad entlang und zwischen den Wurzeln riesiger Eichen hindurch auf eine Lichtung, wo Biber ein Flüßchen mit einem Damm zu einem Weiher aufgestaut hatten. Im

Wald wucherten Bingelkraut und Lilien, während die letzten Glokkenblumen in den Schatten aufleuchteten. Die Sonne schien auf die Wiese herab, auf der Primeln, Aaronstab und Hundsveilchen blühten und auf der, strahlender als alle Blumen, Guinevere in einem Gewand aus cremefarbenem Leinen wartete. Sie hatte sich Schlüsselblumen ins rote Haar geflochten; außerdem trug sie Arthurs goldenen Torques, silberne Armreifen und einen Umhang aus lila eingefärbter Wolle. Sie bot einen Anblick, der wohl einem jeden Mann den Atem verschlug. Agravain fluchte leise vor sich hin.

Arthur sprang sofort vom Pferd und eilte zu Guinevere hinüber. Er riß sie in seine Arme, und wir hörten sie lachen, als er sie herumwirbelte. »Meine Blumen!« rief sie und hob die Hand an den Kopf. Da setzte Arthur sie behutsam ab und kniete nieder, um den Saum ihres Gewandes zu küssen.

Dann erhob er sich und wandte sich um. »Sansum!«

»Lord?«

»Ihr könnt uns jetzt trauen.«

Sansum weigerte sich. Er verschränkte die Arme über seiner schmutzigen schwarzen Kutte und hob das verstockte Mausgesicht. »Ihr seid versprochen, Lord«, wandte er ein wenig unsicher ein.

Ich fand, daß Sansum sich anständig verhielt, in Wirklichkeit aber war alles arrangiert worden. Sansum war nicht auf Tewdrics, sondern auf Arthurs Wunsch mit uns gekommen, und als der Priester nun plötzlich seine Meinung änderte, wurde Arthurs Miene zornig. »Wir waren uns einig!« protestierte Arthur, und als Sansum nur stumm den tonsurierten Kopf schüttelte, legte er die Hand an Excaliburs Griff. »Ich könnte euch den Schädel von den Schultern schlagen, Priester!«

»Märtyrer werden stets von Tyrannen geschaffen, Lord«, entgegnete Sansum. Damit fiel er inmitten der blühenden Wiese auf die Knie und senkte den Kopf, um den schmutzstarrenden Nacken zu entblößen. »Ich komme zu Dir, Herr«, heulte er ins Gras hinein. »Dein Diener! Ich kommte in Deine Herrlichkeit, gelobt seist Du! Ich sehe die Tore des Himmels offen! Ich sehe die Engel, die mich erwarten! Empfange mich, Herr Jesus, an Deinem gebenedeiten Busen! Ich komme! Ich komme!«

»Seid still und steht auf«, befahl Arthur müde.